MacBook 完全マニュアル 2022

M a c B o o k   P e r f e c t   M a n u a l

standards

Cont

01 Section 01 MacBook スタートガイド

02 Section 02 標準アプリ 操作ガイド

Section 03
MacBook 活用テクニック

Section 04
iPhoneやiPadとの連携操作法

Section 05
トラブル解決総まとめ

M a c B o o k P e

はじめてのパソコンがMacBookの人も

Windowsからの乗り替えユーザーも

もっとしっかり使いこなしたい人も

まとめてきっちりフォローします

f e c t　M a n u a l

いつも持ち歩いてサッとディスプレイを開き、仕事やクリエイティブな作業に活躍するMacBook。本体もmacOSも、つまずくことなく直感的に扱えるよう設計されているとはいえ、やはりパソコンなので機能や設定、操作法は多岐にわたる。本書は、はじめてのパソコンとしてMacBookを購入した初心者でも、最短でやりたいことができるよう要点をきっちり解説。macOSや標準アプリの操作をスピーディにマスターできる。また、MacBookをさらに便利に快適に使うための設定ポイントや操作法、活用テクニックもボリュームをとって紹介。この1冊でMacBookを「使いこなす」ところまで到達できるはずだ。

はじめにお読みください　本書は2022年3月の情報を元に作成しています。macOS、iOS、iPadOSやアプリのアップデートおよび使用機種、使用環境などによって、機能の有無や名称、表示内容、操作法が本書記載の内容と異なる場合があります。あらかじめご了承ください。また、本書掲載の操作によって生じたいかなるトラブル、損失について、著者およびスタンダーズ株式会社は一切の責任を負いません。自己責任でご利用ください。

リモート会議にも ばっちり対応

FaceTime HDカメラ

ディスプレイの上にはカメラを搭載。FaceTimeやLINEでのビデオ通話はもちろん、リモート会議やライブ配信にも対応できる。14&16インチMacBook Proでは、解像度も1080pに向上している。

3つの配列で より正確に

マイク

MacBook Proは、3つのスタジオ品質のマイクを搭載。ビデオ通話やリモート会議でクリアな音声を届けることができる。

環境光に合わせて 最適に調整

Retina ディスプレイ

写真、ビデオ、ゲームなどのイメージを細部まで鮮やかに映し出す最新ディスプレイを搭載。14&16インチMacBook Proは、ノートブック史上最高のLiquid Retina XDRを搭載し、最大120Hzのリフレッシュレートを実現している。

ワイドかつ 厚みのあるサウンド

スピーカー

豊かな低音が特徴のスピーカー。特に14&16インチMacBook Proは、6スピーカーサウンドシステムを搭載し、抜群の音質で音楽や映像を楽しめる。

絶妙なキータッチで快適な入力を

Magic Keyboard

シザー式で絶妙なキータッチを得られるMagic Keyboard。14&16インチMacBook Proのキーボードには、フルハイトのファンクションキーも並んでいる。

最強の親和性で機能を拡張

iPhone&iPadとの連携

iOSやiPadOSとの連携機能はアップデートのたびに強化されている。iCloudでの同期はもちろん、MacBookの力を拡張する機能も強力だ。

Hardware Preview

MacBook本体の特徴や機能をまとめてプレビュー

MacBookに備わっている高品質のディスプレイや通信機能、先進的なインターフェイスなど、ハードウェアの特徴や機能をまとめてチェック。

※ここで紹介する機能の有無やスペックの内容は機種によって異なるものがあります

パスワード共有も便利すぎる Wi-Fi

もちろんWi-Fiでのネット利用が可能。iPhoneやiPadで使っているアクセスポイントへは、パスワード不要であっという間に接続できる。現行モデルのMacBookは、すべて最新規格の802.11axに対応。

マウスもヘッドフォンもワイヤレスで Bluetooth

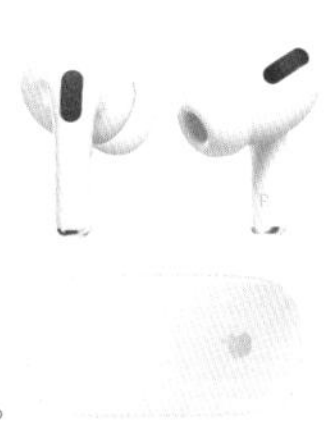

マウスやヘッドフォンなど多彩な周辺機器をワイヤレスで接続できるBluetooth。AppleのAirPodsシリーズも利用できる。

多彩なジェスチャでスマートに操る 感圧タッチトラックパッド

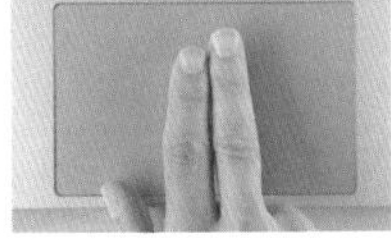

どこを押してもクリックできるトラックパッド。広さも十分で複数の指を使ったさまざまなジェスチャで便利な機能を呼び出せる。

軽く触れて指紋認証できる Touch ID

キーボードに備わったTouch IDセンサー。MacBookのロック解除はもちろん、各種ストアの認証も指紋を当てるだけでスムーズに行える。

状況に応じて最適な機能が出現 Touch Bar

13インチMacBook Proのキーボードに備わったTouch Bar。使用中のアプリや状況に応じて最適なボタンに変化し、タッチして素早く機能を実行できるタッチディスプレイ。

最新モデルは拡張性も大幅アップ 各種インターフェイス

14&16インチMacBook Proには、Thunderbolt 4（USB-C）ポート3つに加え、HDMIポートとSDXCカードスロットも搭載。大幅に接続性が向上した。

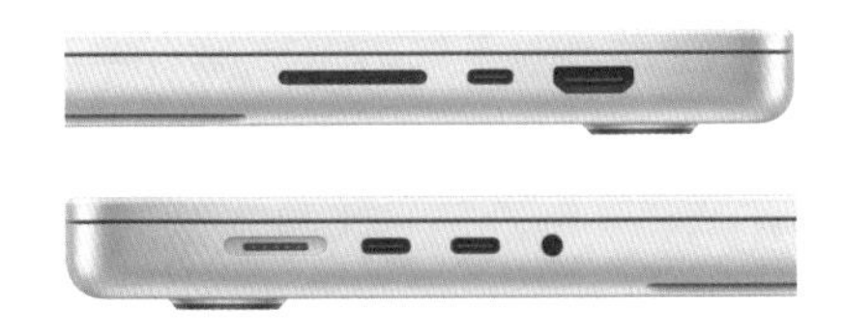

MacBookの自動ログインに対応 Apple Watchとの連携

MacBookは、Apple Watchとの連携機能も搭載。Apple Watchを身につけていれば、近づけるだけでMacBookのロックを解除できる。

MacBookを初めて使う前に

MacBookの初期設定を始めよう

設定アシスタントで簡単に処理できる

新しいMacBookを使い始める前に、まず必要となるのが初期設定だ。設定アシスタントの案内に従って、キーボードの設定やWi-Fiへの接続、Apple IDの設定、コンピュータアカウントの作成、iCloud関連の設定など、重要な設定をまとめて済ませよう。MacBookの購入直後だけでなく、起動ディスクを初期化してmacOSを再インストールした場合（P143で解説）にも、この初期設定が表示される。また「移行アシスタント」画面で、他のMacやTime Machineバックアップ、起動ディスクからデータを復元したり、Windows PCのファイルや各種データをMacBookに移行させることもできる。

初期設定を始める前にまずはチェック

CHECK! Wi-Fiの接続環境を準備しておく

ネットワーク名とパスワードを確認

初期設定中は、Apple IDの設定などにインターネットを利用するため、基本的にWi-Fi接続が必須。あらかじめ無線LANルーターのネットワーク名やパスワードを確認しておこう。通常は、ルーター本体の横面や底面のシールに、ネットワーク名とパスワードが記載されている。なお、有線接続も可能だが、MacBookにはThunderbolt（USB-C）ポートしかないため、EthernetとUSB-Cの変換アダプタが必要だ。

CHECK! 電源に接続しながら設定をすすめよう

初期設定には時間がかかり、その間バッテリーも多く消費するので、電源アダプタに接続しながら設定を行うのがおすすめだ。初期設定中に電源が切れてしまうと、また最初から設定をやり直すことになってしまう。なお、初期設定の画面でも、上部のステータスバーにバッテリーアイコンが表示され、大まかな残量を確認できる。電源に接続せず初期設定を進めるなら、バッテリーアイコンの減り方に注意しておこう。

CHECK! トラックパッドの操作方法を覚えよう

クリックはトラックパッドのどこを押してもよい

初期設定中にマウスをBluetooth接続するといった項目は表示されないので、操作はMacBookのキーボードとトラックパッドで行うことになる。MacBookのトラックパッドを使い慣れていない人は、まず基本的な操作だけ覚えておこう。トラックパッドを指でなぞると、画面上のマウスポインタがそれに合わせて動き、トラックパッド上を押すとクリック操作になる。2本指で押すと右クリックになるが初期設定中は使わない。

設定アシスタント

START

ディスプレイを開くと電源がオンになり、初期設定である「設定アシスタント」が開始される

1 使用する言語や国を設定する

言語の選択画面が表示されたら「日本語」を選択して矢印をクリック。続けて国または地域の選択画面で、「日本」を選択して「続ける」をクリックしよう。

2 文字入力や音声入力を設定する

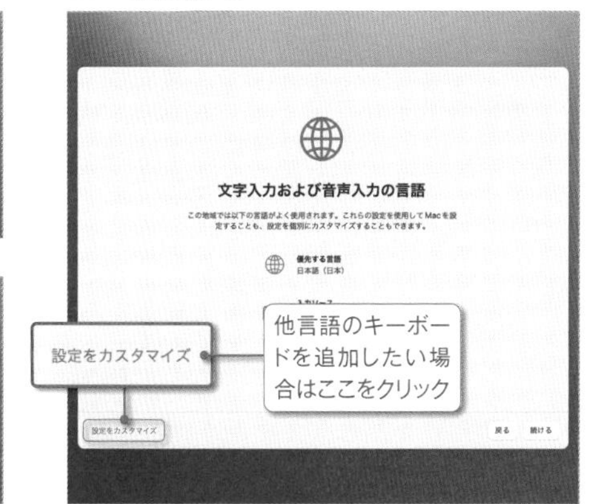

使用するキーボードや音声入力の種類を設定する。標準のままでよければ「続ける」をクリック。変更するなら「設定をカスタマイズ」で個別に設定しよう。

3 アクセシビリティの利用を選択する

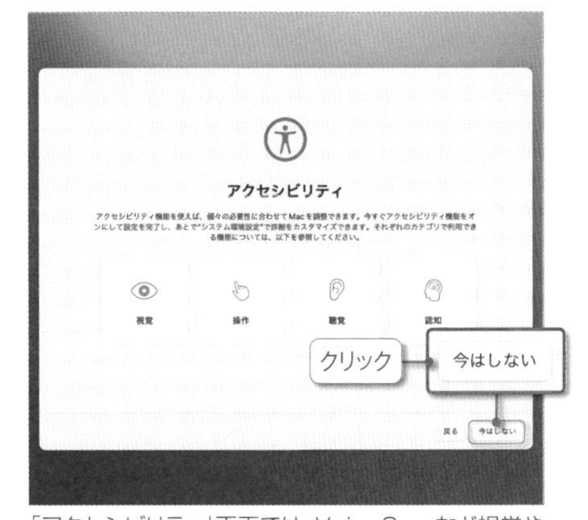

「アクセシビリティ」画面では、VoiceOverなど視覚や身体のサポート機能を有効にできる。特に必要なければ「今はしない」をクリックして次へ進もう。

4 Wi-Fiに接続する

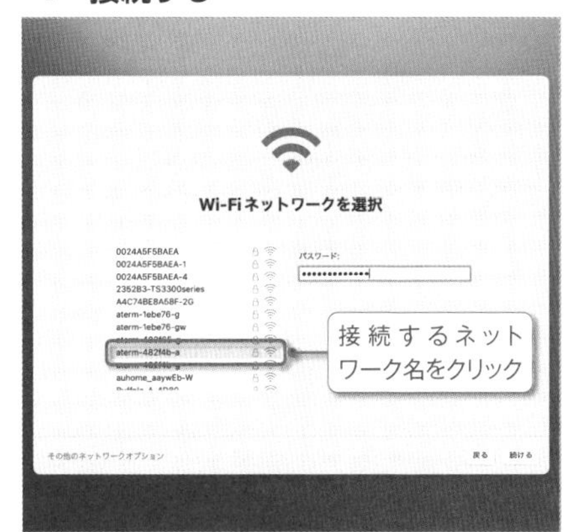

接続するネットワークを選んでパスワードを入力し、「続ける」をクリックしよう。iPhoneなどのテザリング機能で接続することも可能だが、通信量には注意が必要だ。

5 個人情報の取り扱いの詳細を確認

Appleの個人情報の取り扱いについての説明が表示される。確認したら「続ける」をクリックしよう。

6 データの引き継ぎを選択する

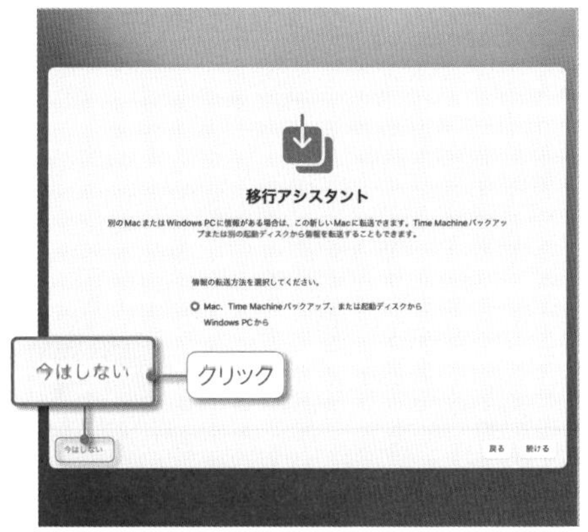

別のMacやTime Machineバックアップ、Windows PCからデータを引き継げる。引き継ぐ必要がないなら「今はしない」をクリックしよう。

POINT 他のPCやバックアップからデータを移行する

別のMacやTime Machineで復元する

「Mac、Time Machineバックアップ、または起動ディスクから」を選択すると、これまで使っていたMacからデータを転送したり、Time Machineバックアップから復元できる。

別のMacから転送する場合、Wi-Fi接続だとかなり時間がかかる。EthernetやThunderboltケーブルで2台のMacを直接接続するか、Time Machineバックアップから復元したほうが早くて確実だ

Windows PCのデータを移行する

「Windows PCから」を選択し、Windows側では「Windows 移行アシスタント」をインストールすることで、Windows PCからファイルやメール、連絡先、カレンダーなどのデータを移行できる。

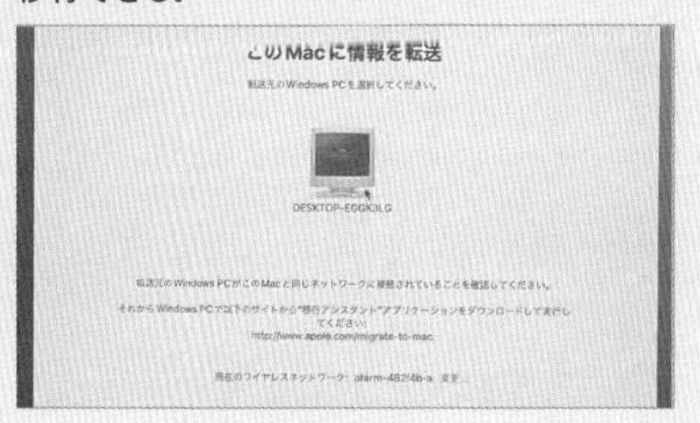

7 Apple IDの作成を開始する

Apple IDでサインインを求められる。まだApple IDを取得していないなら、「Apple IDを新規作成」をクリックしよう。

POINT 既存のApple IDでサインインする

すでに持っているApple IDでサインイン

以前のMacBookやiPhoneなどですでにApple IDを取得済みなら、Apple IDとパスワードを入力して「続ける」をクリック。

確認コードで認証する

2ファクタ認証を設定していると、iPhoneなど信頼したデバイスに確認コードが届くので、これを入力して「続ける」をクリックし手順12に進もう。

8 生年月日を入力する

まず自分の誕生日を登録する。アカウントの本人確認時にも使われることがあるので、正確に入力しておこう。

9 Apple IDを新規作成する

続けて、姓名、メールアドレス、パスワードを入力。このメールアドレスが新しいApple IDになる。iCloudメールを新規作成してApple IDにすることも可能だ。

10 本人確認用の電話番号を入力

Apple IDを認証するための電話番号を入力し、「SMS」にチェックして「続ける」をクリック。SMSを受信できない番号なら「音声通話」でもよい。

11 電話番号に届いた確認コードを入力

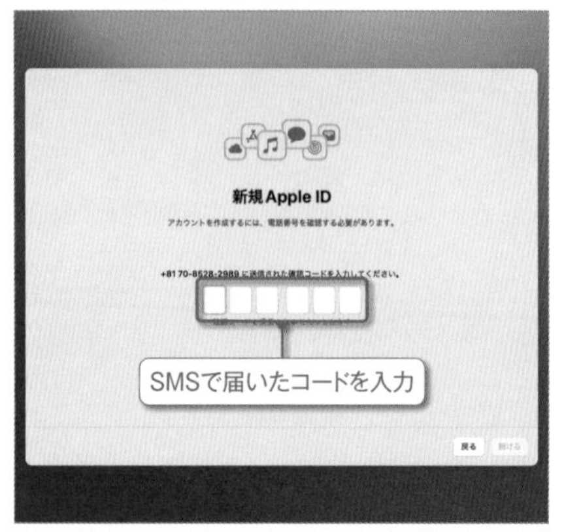

先ほど入力した電話番号宛てに、SMSで確認コードが届くので、6桁の数字を入力しよう。自動的に次の画面に移る。

12 利用規約に同意する

利用規約が表示されるので、右下の「同意する」をクリック。さらに確認画面が表示されるので、「同意する」をクリックしよう。

13 コンピュータアカウントを作成

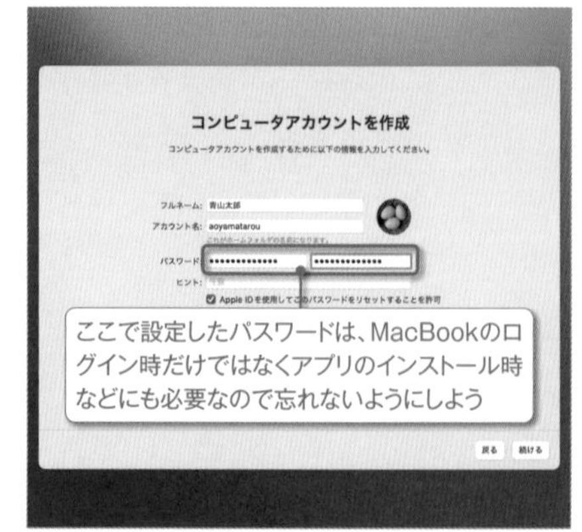

MacBookのログインに使うフルネームとパスワード、ホームフォルダに使用するアカウント名を設定する。あとからでも変更できるが、アカウント名は変更が面倒なのでしっかり考えて登録しておきたい。

POINT

「フルネーム」と「アカウント名」の違い

コンピュータアカウントの作成で入力する「フルネーム」は、ログイン画面に表示される名前なので何でもよい。パスワードもMacBookのログインに使用するものだ。これらは、「システム環境設定」→「ユーザとグループ」画面で、あとからでも簡単に変更できる（P141で解説）。ただし「アカウント名」はホームフォルダの名前として使用されるので、あとから変更するには別の管理者アカウントを作成する必要があり、大変面倒だ。「アカウント名」だけは、後で変更しなくてもよいように慎重に決めておこう。

14 iCloudキーチェーンを有効にする

「iCloudキーチェーン」は、Webサイトやアプリのパスワード、クレジットカード情報などを暗号化して保存し、同期できる機能だ。便利なので有効にしておこう。

15 「探す」機能について確認する

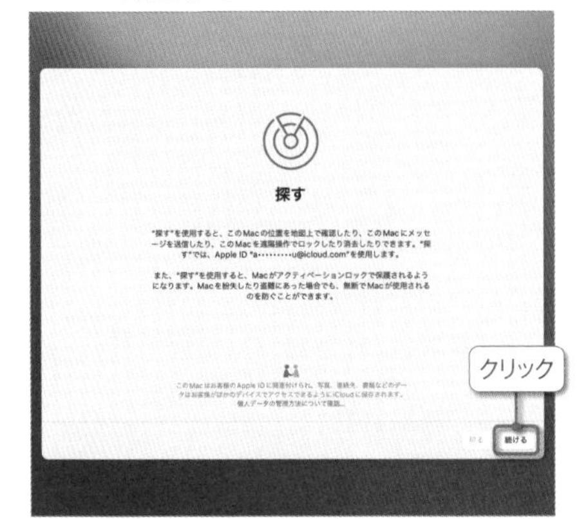

「探す」機能（P142で解説）についての詳細が表示されるので、内容を確認して「続ける」をクリックしよう。

16 位置情報サービスを有効にする

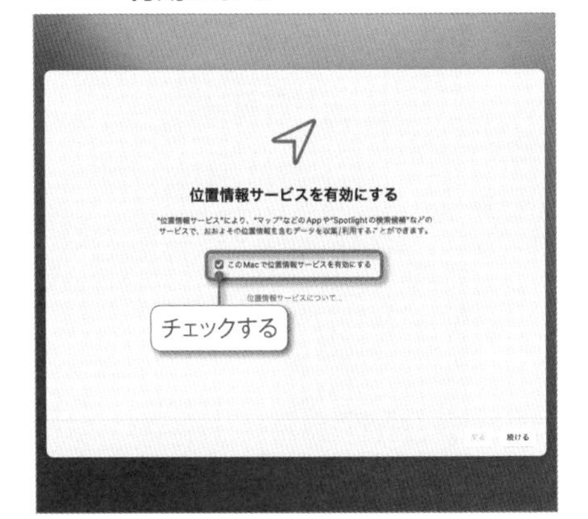

続けて位置情報サービスの設定画面が表示される。「このMacで位置情報サービスを有効にする」にチェックして、「続ける」をクリック。

17 解析データの送信を許可するか選択

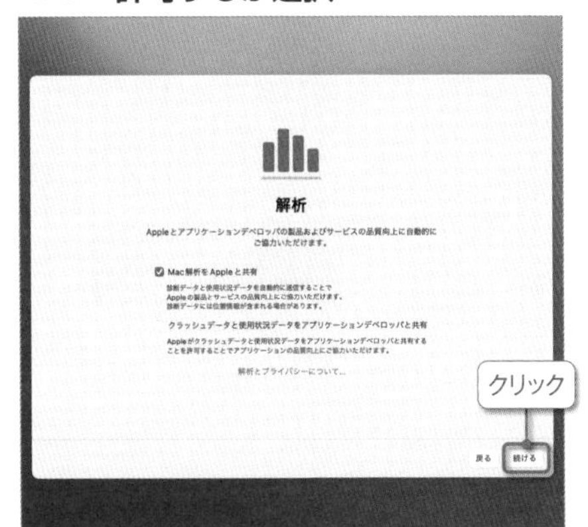

品質向上に利用するためのデータを、Appleに自動的に送るかどうかを選択。「Mac解析をAppleと共有」にチェックしたまま「続ける」をクリックして問題ない。

18 スクリーンタイムを設定する

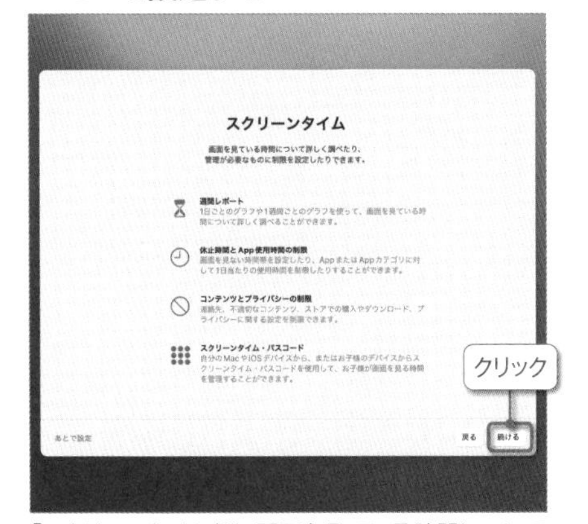

「スクリーンタイム」は、画面を見ている時間についての詳しいレポートを表示してくれる機能。「続ける」をクリックして有効にしておこう。

19 iCloud解析の許可

iCloudの使用状況とデータの解析をAppleに許可するかを選択できる。必要に応じてチェックして「続ける」をクリック。基本的にはチェックして問題ない。

20 Siriを有効にする

音声アシスタント機能「Siri」を使うなら、「"Siriに頼む"を有効にする」にチェックして「続ける」をクリックし、機能を有効にしよう。声の種類も選択できる。

21 "Hey Siri"を設定する

Siriを有効にしたら、「Hey Siri」の呼びかけでSiriが起動するように設定しておこう。「続ける」をクリックし、指示に従って自分の声を登録する。

22 FileVaultディスク暗号化の設定

ドライブを丸ごと暗号化するセキュリティ機能、「FileVaultディスク暗号化」を利用するかを設定。どちらもチェックして「続ける」をクリックすればよい。

23 Touch IDの設定を開始する

続けて、指紋認証機能「Touch ID」の設定を開始する。「続ける」をクリックして指紋の登録画面に進もう。

24 Touch IDボタンに指を当てて指紋登録

Touch IDボタン(電源ボタン)に指を当てて離す作業を何度か繰り返し、指紋を登録していく。登録が完了したら「続ける」をクリック。

25 Apple Payの登録を行う

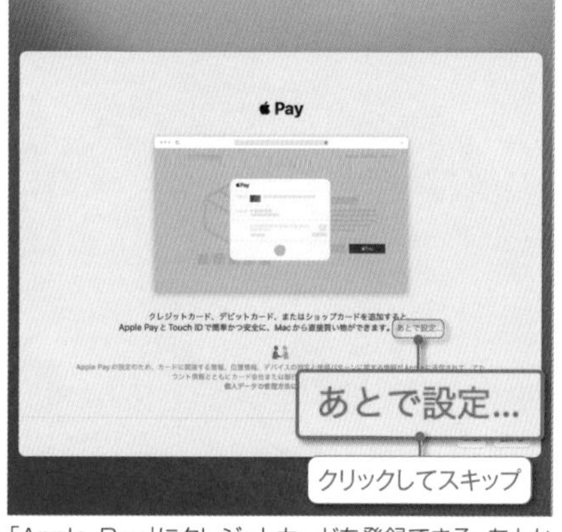

「Apple Pay」にクレジットカードを登録できる。あとからでも設定できるので、「あとで設定」をクリックしてスキップしてよい。

26 外観モードを選択する

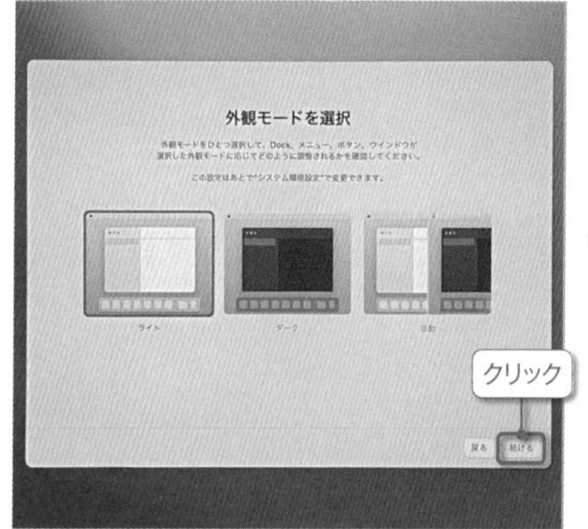

外観モードを「ライト」「ダーク」「自動」から選択して「続ける」をクリック。あとから「システム環境設定」→「一般」で変更できる。以上で初期設定は終了だ。

macOSをアップデートして最新の状態に保とう

macOSは常に細かな修正が行われており、不具合が解消されたり新機能が追加されると、アップデートとして最新版が配信される。アップデートが使用可能になると通知が表示されるので、なるべく早くインストールを済ませて、macOSを常に最新の状態に保つようにしよう。通知が消えた場合は、「システム環境設定」→「ソフトウェア・アップデート」からアップデートを開始できる。

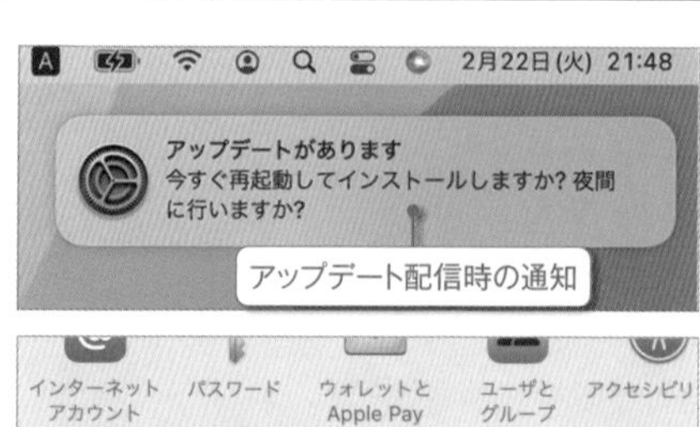

macOSのアップデートが届いたら、アップデート通知の「インストール」をクリックするか、「システム環境設定」→「ソフトウェア・アップデート」をクリック。

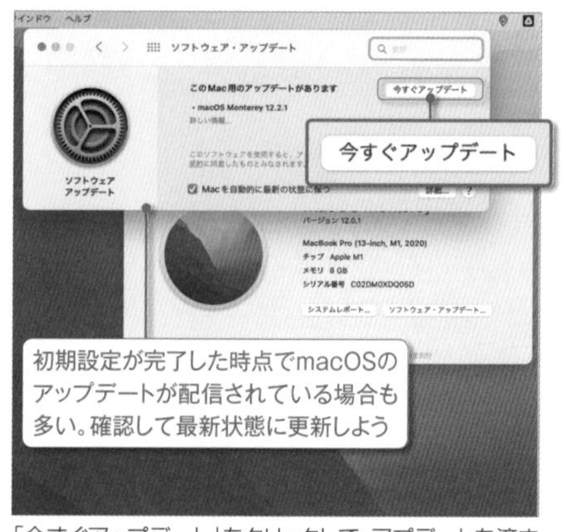

「今すぐアップデート」をクリックして、アプデートを済ませよう。最新版に更新することで、macOSの不具合が解消したり新機能が追加される。

Apple製品を使う上で必須のアカウント

Apple IDの基礎知識

MacBookだけでなく、iPhoneやiPadといった他のApple製品を使う上でも必須となる、最も重要なアカウントが「Apple ID」だ。Apple IDを使って利用できる主なサービスや機能は下にまとめている通り。Apple IDを持っていない場合は、初期設定中に作成できるほか、Appleメニューの「システム環境設定」→「サインイン」をクリックすると新しく作成できる。Apple IDとして設定するメールアドレスがない場合は、無料のiCloudメールを作成してApple IDにすることも可能だ。

App Storeの利用に必要

Mac用のアプリが大量に公開されている「App Store」を利用するには、Apple IDのサインインが必要となる。SNSや写真編集、ビジネスツールにゲームまで、さまざまなアプリをインストールして利用することが可能だ。また、アプリの購入履歴はApple IDに紐付けられるため、一度購入した有料アプリは、同じApple IDでサインインした他のMacでも利用できるし、新しい機種に買い替えた際も購入済みのアプリを再インストールできる。

iCloudの利用に必須

Apple IDを作成すると、Appleのクラウドサービス「iCloud」を、無料で5GBまで使うことができる。このiCloud上には、メールや連絡先、カレンダーといった標準アプリのデータが保存され、同じApple IDを使ったiPhoneやiPadからも同じデータにアクセスできるようになる。またMacBookの「デスクトップ」と「書類」フォルダにあるファイルも、iCloud上に保存して他のデバイスと同期できるようになる。

iMessageやFaceTimeを使える

テキストだけでなく写真やステッカーを使ってメッセージをやり取りできる「iMessage」や、無料でビデオ通話や音声通話を楽しめる「FaceTime」を利用する際も、Apple IDが必要だ。Apple IDのメールアドレスが、iMessageやFaceTimeの送受信アドレスになる。どちらも基本的にAppleデバイス同士で使うサービスだが、「FaceTime」はWebブラウザ経由でWindowsやAndroidユーザーとも通話できるようになり、活用の幅が広がっている。

Appleのさまざまなサービスを使える

他にも、約9,000万曲が聴き放題になるAppleの音楽配信サービス「Apple Music」や、Appleのオリジナルドラマや映画を視聴できる「Apple TV」、電子書籍やオーディオブックを購入して読める「ブック」など、Appleが提供するサービスは数多い。これらを利用するにも、Apple IDが必要だ。また同じApple IDでサインインしていれば、iPhoneやiPadでも同じサービスを同期して楽しむことができる。

iPhoneやiPadとも連携できる

iPhoneやiPadと同じApple IDでMacBookにサインインすることで、便利な連携機能を利用できる。Safariのブックマークや連絡先など、まったく同じデータに各端末からアクセスできる同期機能の他、MacBook上のPDFにリアルタイムに注釈を書き込める連係マークアップ、端末をまたいでコピペできるユニバーサルクリップボードなど、多彩な連携機能が用意されている。

システム環境設定から管理画面を開く

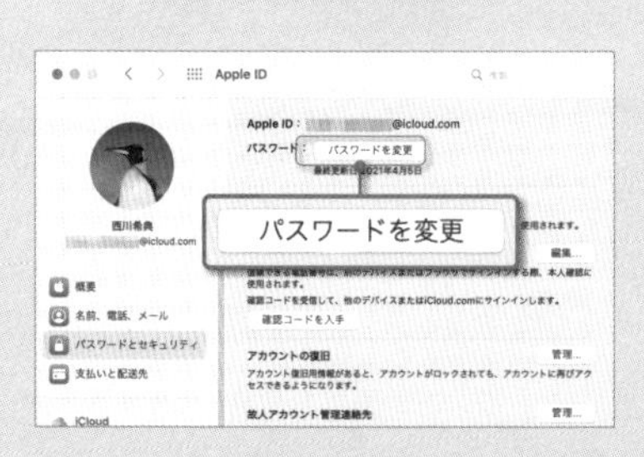

Apple IDの設定画面は、Appleメニューの「システム環境設定」→「Apple ID」で開くことができる。「パスワードとセキュリティ」の「パスワードを変更」でいつでもパスワードを変更できる他、セキュリティを強化する「2ファクタ認証」の設定や、App Storeなどで利用する支払い情報の登録などを行える。どの端末からApple IDにサインインしているかも確認可能だ。

SECTION

01

MacBook スタートガイド

初期設定が完了したら、早速MacBookを使い始めよう。電源やスリープ、トラックパッドの基本操作からスタートし、デスクトップの仕組みやファイルの扱い方、キーボードの機能や日本語入力の方法、アプリのインストールまで、この章で解説している内容をマスターすれば、あっという間に初心者を卒業できるはずだ。

まずはここから!

MacBookの電源オン/オフとスリープの操作を覚えよう

使うときは開いて使わない時は閉じるだけ

MacBookは、ディスプレイを開くことで電源オンやスリープ解除を行える。そして、表示されたロック画面で指紋認証やパスワードを入力してロックを解除すればデスクトップが現れ、すぐに利用を開始できる。使わない時は、ディスプレイを閉じてスリープ状態にしておけばOKだ。以上の基本操作に加え、電源をオフにする手順や電源ボタンの役割も合わせて覚えておこう。

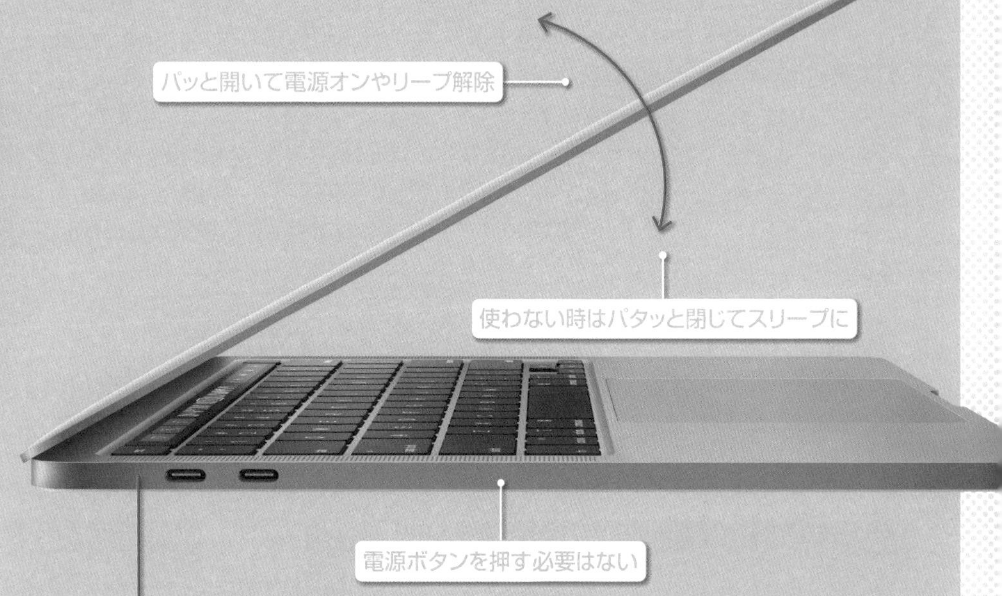

電源オフではなくスリープで問題なし

MacBookを使い終わった際は、いちいち電源をオフにせずスリープにしておこう。スリープ解除の所要時間は、電源オフから起動するよりも圧倒的にスピーディで、なおかつバッテリーもほとんど消費しない。また、スリープ中はメールの受信やiCloudの同期が実行される点もメリットだ。なお、アプリを開いたままスリープしても問題ないが、バッテリー切れに備えて作成中の書類はしっかり保存しておこう。

他人に使われないようロックがかかっている

ディスプレイを開いてロック画面が表示されたら、設定したパスワードを入力するか、キーボード右上角のTouch IDセンサーに指を当てて指紋認証を行い、ロックを解除する。なお、電源をオンにした際や再起動した際は、パスワード入力が必須となる。

MacBookの電源をオフにする手順

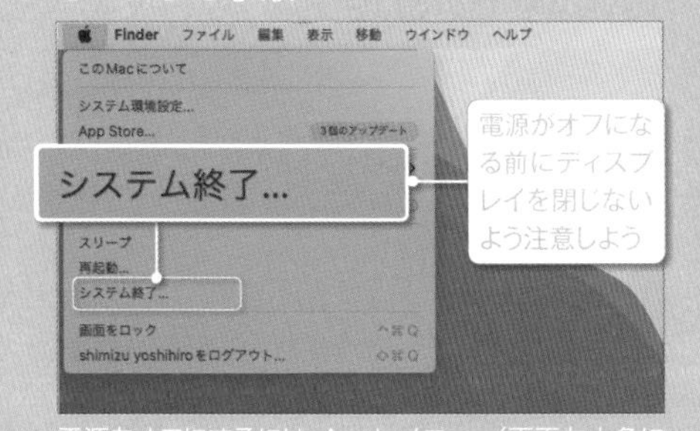

電源をオフにするには、Appleメニュー(画面左上角にあるAppleマーク)で「システム終了」を選択する。次に表示されるダイアログで「システム終了」をクリックすればよい。

ディスプレイを開いたままスリープさせる

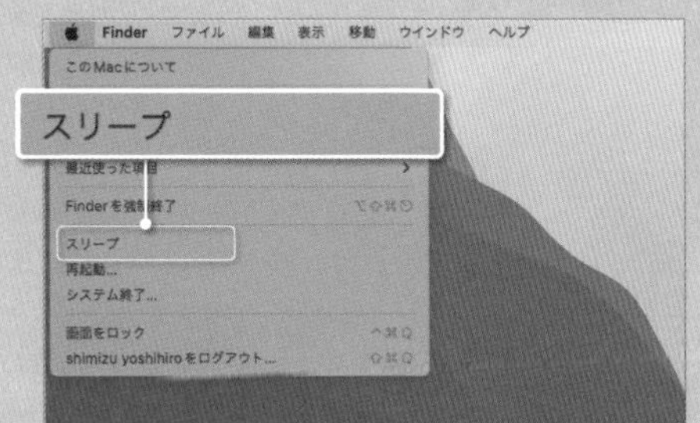

ディスプレイを開いたままスリープさせたい場合は、Appleメニュー(画面左上角にあるAppleマーク)で「スリープ」を選択しよう。スリープ解除は、いずれかのキーかトラックパッドをクリックすればよい。

電源ボタンを使うシーンは?

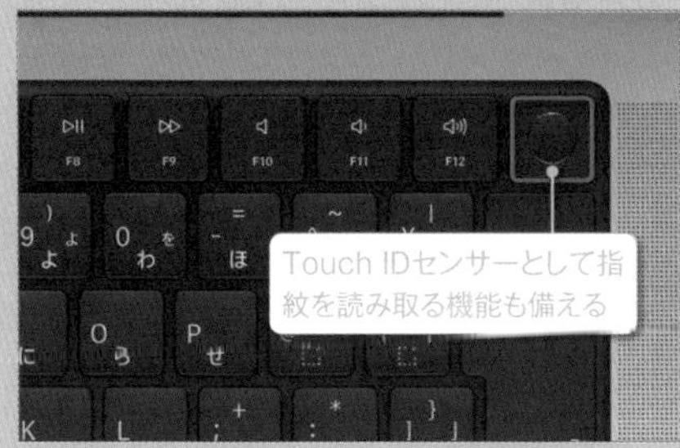

キーボード右上角にある電源ボタン。ディスプレイが開いていて、なおかつ電源がオフの際は、このボタンを押して電源をオンにできる。また、Appleメニューから電源を切ることができない時に、このボタンを押して強制終了することも可能。

MacBookを操るための指の動きをマスター

トラックパッドの操作方法をしっかり覚えよう

MacBookの操作の第一歩としてトラックパッドの使い方を覚えよう。MacBookのトラックパッドの反応は、iPhoneやiPadで行うタッチ操作のように驚くほどスムーズ。苦手だからマウスを……という人も、まずは試してみてほしい。

スマートで完璧なインターフェイス

MacBookは、キーボードの手前にあるトラックパッドを指でなぞったり押したりして操作する。MacBookのトラックパッドは、精度が高く繊細な操作も可能。また、滑らかな使い心地も抜群で、ポインタの操作にもたついてイライラするようなこともない。極めて完成度の高いインターフェイスなのだ。指を滑らせてマウスポインタを動かしたり、押してクリックしたりする他、2本指で画面をスクロールしたり、iPhoneやiPadのようにピンチイン、ピンチアウトも利用できる。Windowsノートのタッチパッドと基本的な操作法は共通しているので、乗り替えユーザーも迷うことはないはずだ。ただし、Macならではの特徴的なジェスチャも採用されているので、最初に覚えておきたい。なお、さまざまなジェスチャが設定されているがゆえに誤操作が発生することもあるので、不要なジェスチャはあらかじめ無効にしておこう。

トラックパッドの基本ジェスチャ

ジェスチャ1 置いた指をすべらせる ポインタの移動

1本指をトラックパッド上ですべらせるように動かすと、それに合わせて画面上のマウスポインタ(矢印)やカーソルを移動させることができる。

ポインタやカーソルを動かす

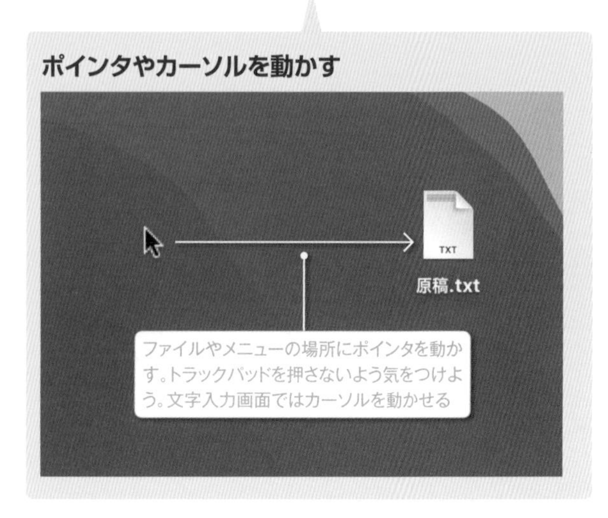

ジェスチャ2 トラックパッドを押す クリック

トラックパッドを1本指で押すとクリックになる。トラックパッドのどの場所を押してもよい。押すとカチッという音と共に、クリックした感触を得られる。

ファイルやメニューを選択

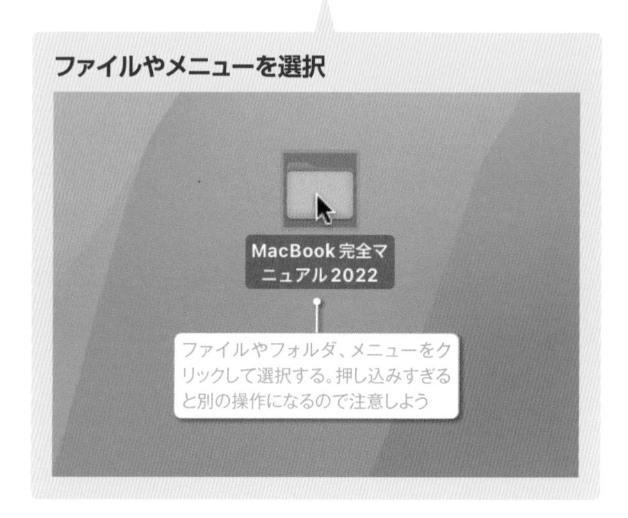

ジェスチャ3 2回連続で押す ダブルクリック

トラックパッドを1本指で素早く2回連続で押すとダブルクリックとなる。カチカチッという音と共に、クリックした感触を得られる

ファイルやフォルダを開く

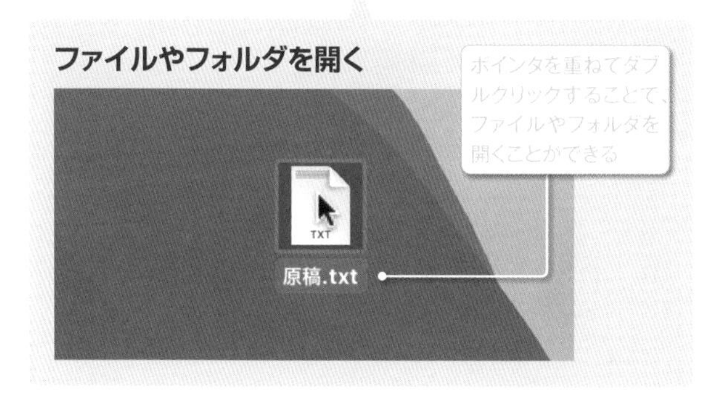

ポインタを重ねてダブルクリックすることで、ファイルやフォルダを開くことができる

ジェスチャ4 2本指をすべらせる スクロール

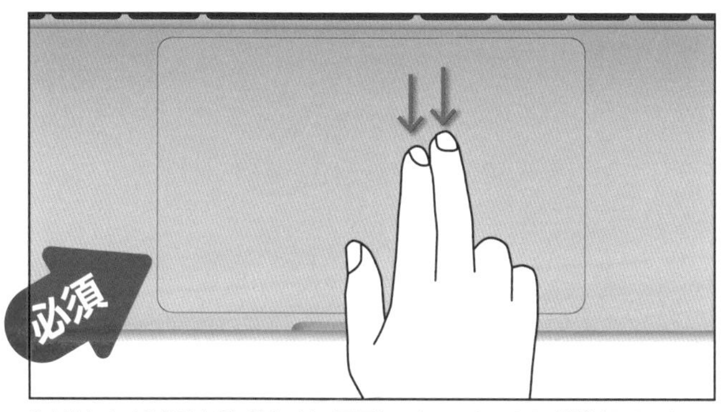

2本指をすべらせるように動かすと、画面をスクロールできる。縦横（画面によっては斜めでも）どちらの方向にも利用できる。

スクロールの方向を変更する

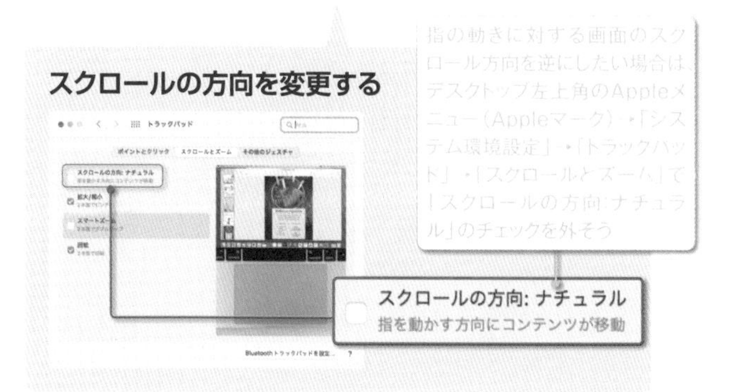

指の動きに対する画面のスクロール方向を逆にしたい場合は、デスクトップ左上角のAppleメニュー（Appleマーク）→「システム環境設定」→「トラックパッド」→「スクロールとズーム」で「スクロールの方向：ナチュラル」のチェックを外そう

ジェスチャ5 2本指で押す 右クリック（副ボタンクリック）

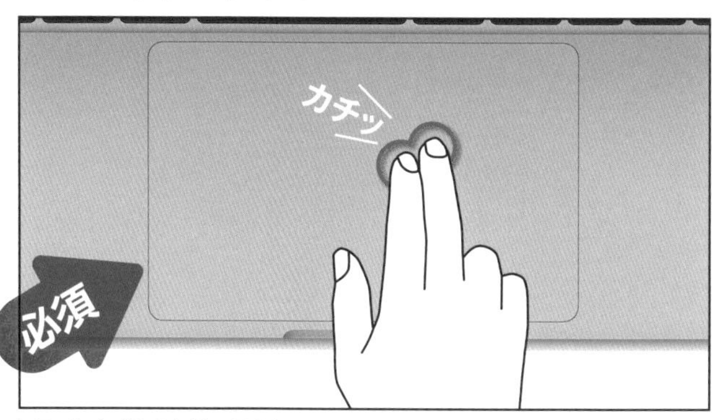

トラックパッドを2本指で押すと、いわゆるマウス操作の右クリックになる。「副ボタンクリック」と呼ばれることもある。

or controlキーと組み合わせる方法も

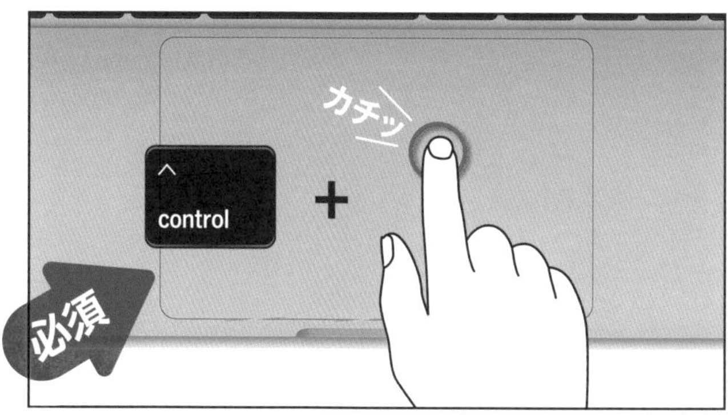

「control」キーを押しながら1本指でトラックパッドを押しても右クリックとなる。使いやすいジェスチャを利用しよう。

ショートカットメニューを表示

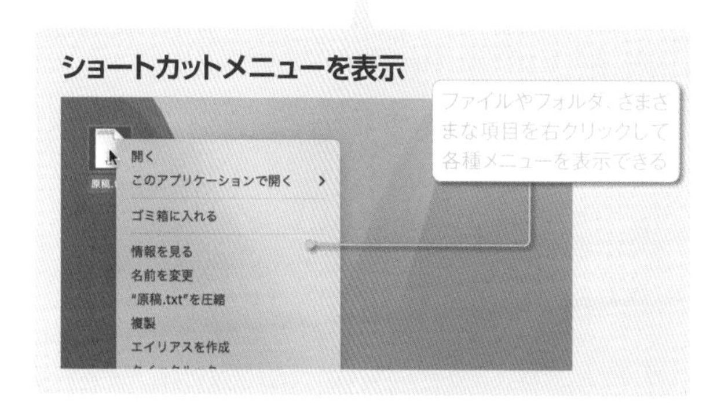

ファイルやフォルダ、さまざまな項目を右クリックして各種メニューを表示できる

POINT 「タップでクリック」は必要？

タップでクリック
1本指でタップ

トラックパッドをタップ（押すのではなく軽くタッチする）してクリックすることも可能だが、気をつけないと誤操作が起きやすい。このジェスチャを利用しないなら、「システム環境設定」→「トラックパッド」→「ポイントとクリック」で「タップでクリック」のチェックを外しておこう。

ジェスチャ 6
押したまま指をすべらせる
ドラッグ

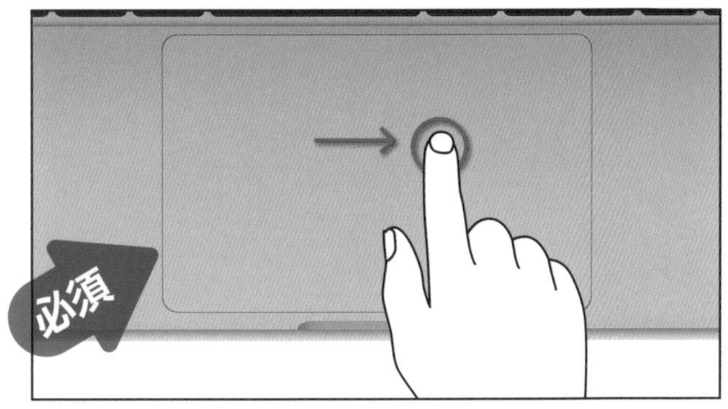

トラックパッドを1本指で押したまま、その指をすべらせるように動かす。指を離したり押し込みすぎたりしないよう気をつけよう

or 2本指を使った方法も

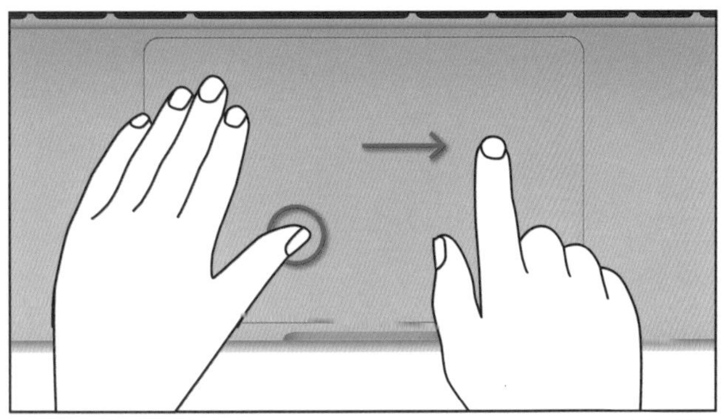

親指などでトラックパッドを押し、もう片方の手の人差し指をすべらせる方法も操作しやすい。

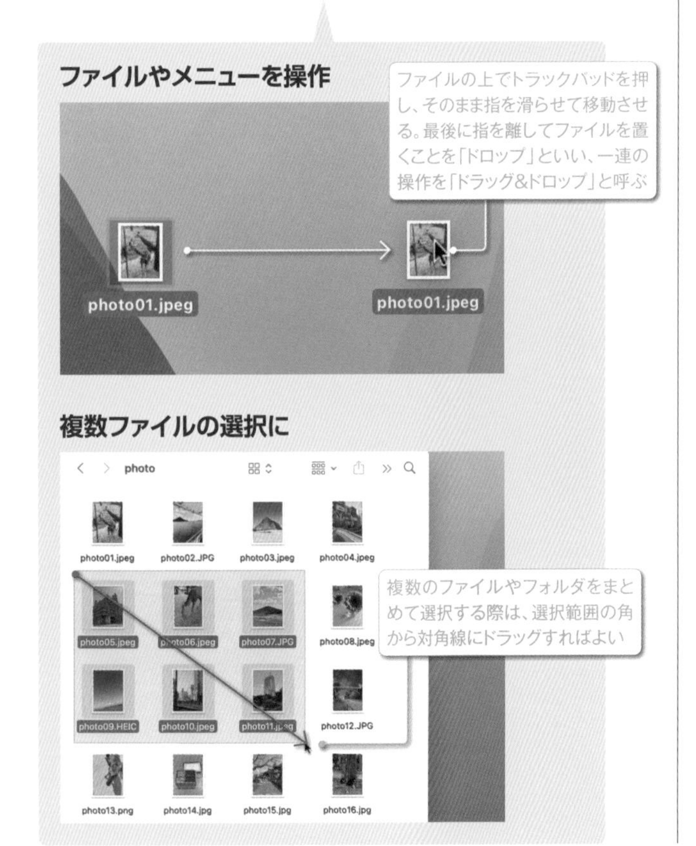

ジェスチャ 7
2本指を広げる／狭める
ピンチアウト／ピンチイン

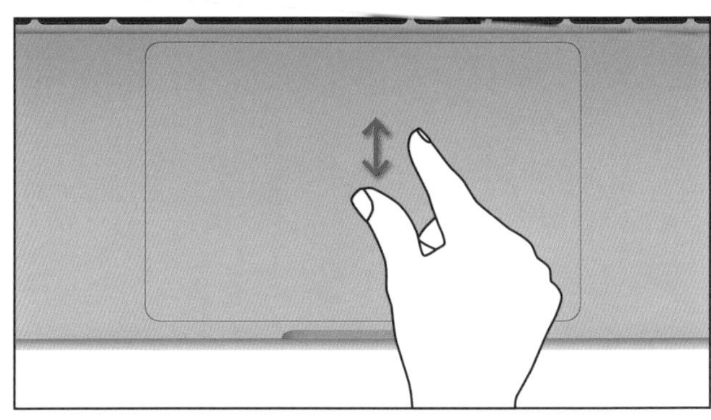

トラックパッドを2本指(基本的には親指と人差し指)でタッチし、指の間隔を広げたり(ピンチアウト)狭めたり(ピンチイン)して、画面を拡大縮小する操作。

ジェスチャ 8
2本指でダブルタップ
スマートズーム

トラックパッドを2本指で2回連続タップ(押すのではなく軽くタッチ)すると、Webサイトや写真、PDFなどを拡大できる。再度ダブルタップで縮小できる。

ジェスチャ 9 2本指でひねる 画面の回転

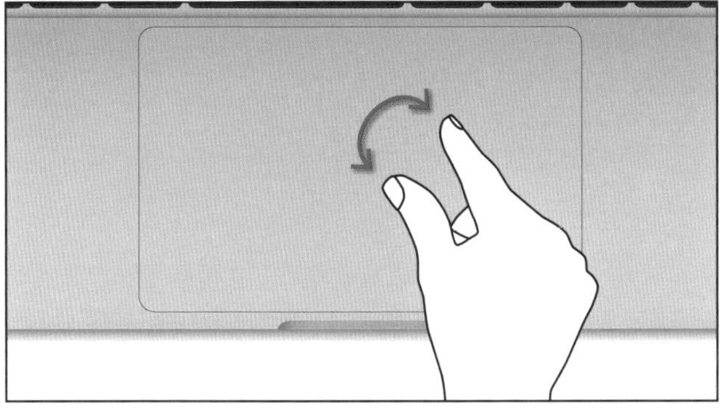

トラックパッドを2本指でタッチし、ひねって回転させると、マップの表示方向や写真などのアイテムを回転させることができる。

ジェスチャ 10 トラックパッドを押し込む 強めのクリック

Webサイトやメールの文章中にわからない言葉があったら、カーソルを合わせて1本指で強めにクリックしてみよう。辞書で単語の意味が表示される。

ジェスチャ 11 親指と3本指を狭める Launchpadを表示

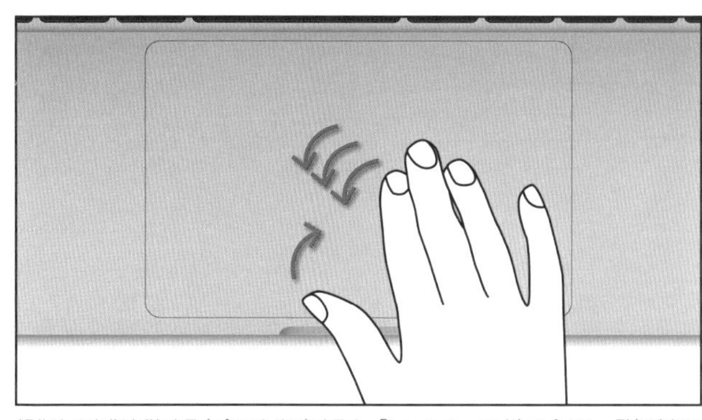

親指と3本指を狭める(ピンチイン)すると、「Launchpad」(アプリの一覧)が表示され素早くアプリを起動できる。

ジェスチャ 12 親指と3本指を広げる デスクトップを表示

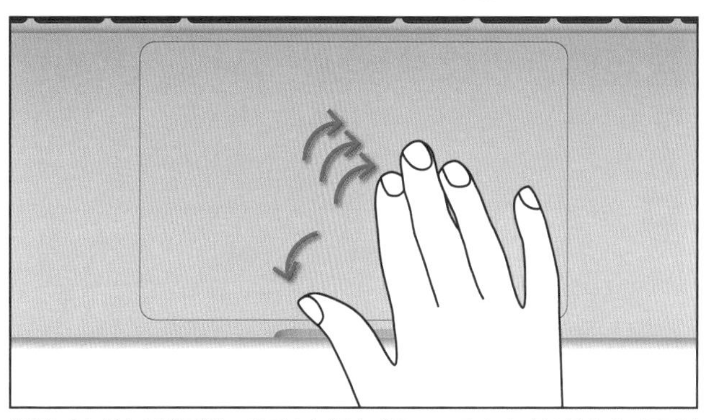

親指と3本指を広げる(ピンチアウト)すると、開いているウインドウがすべて画面外へ押しやられてデスクトップを表示できる。

トラックパッドの設定をチェックする

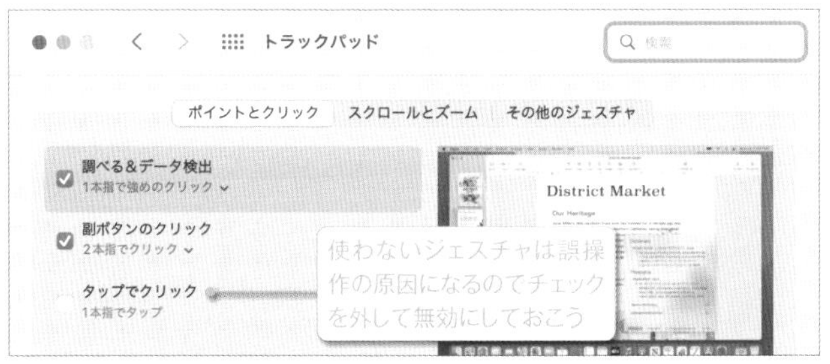

トラックパッドの各種設定は、デスクトップ左上角のAppleメニュー(Appleマーク)から「システム環境設定」を開き、続けて「トラックパッド」をクリックして表示する。ここに全ての設定が用意されている。各操作を実行するためのジェスチャを変更したり、不要なジェスチャを無効にすることができる。本記事で紹介しきれなかった操作法もあるので、この設定画面で確認しておこう。

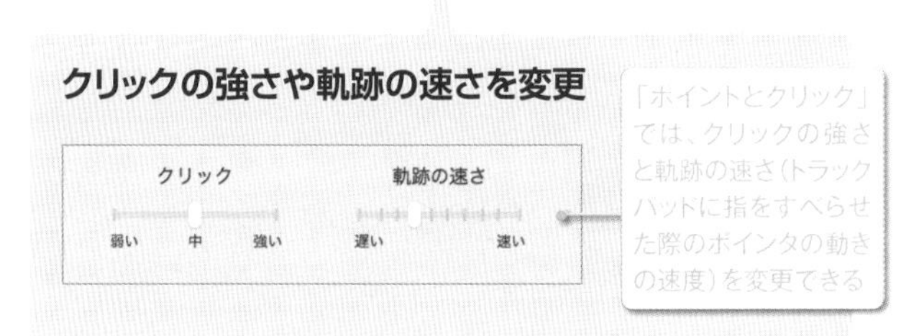

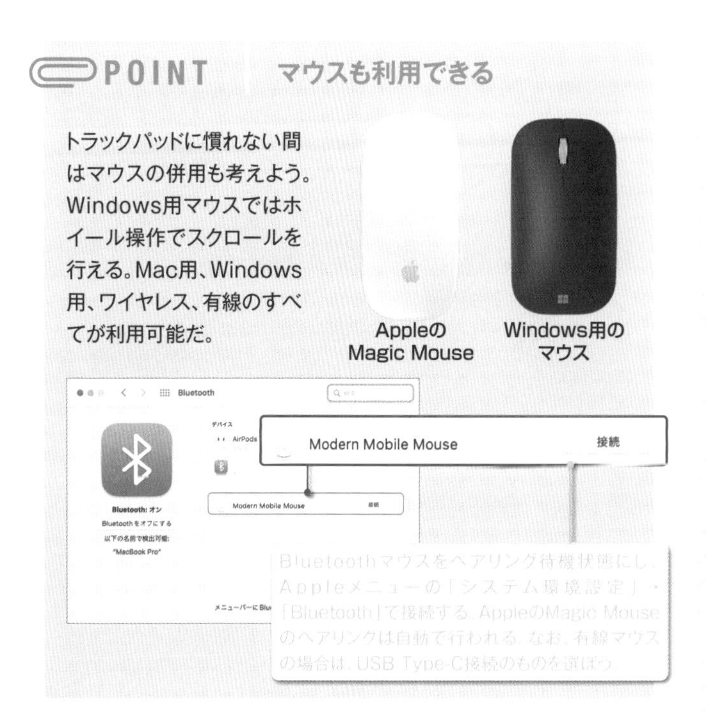

すべての操作はここからはじまる

デスクトップの基本を理解しよう

MacBookを使いこなすには、まずデスクトップやメニューバー、DockといったmacOSの基本画面について理解しておく必要がある。
また、デスクトップの壁紙や外観などを変更する方法もここで覚えておこう。

デスクトップまわりの機能を使いこなそう

MacBookを起動してログインを済ませると、画面中央に「デスクトップ」、上部に「メニューバー」、下部に「Dock」と呼ばれる領域が表示される。これがmacOSの基本画面だ。この中でも特に重要なのがデスクトップ。実際の机の上で書類や道具を扱うように、ファイルやフォルダ、ドライブなどのアイコンを表示したり、各種ウインドウを表示したりが可能となっている。また、デスクトップに並べたファイルやフォルダにはすぐにアクセスできるので、ファイル置き場として使う人も多いだろう。画面上部のメニューバーには、Appleメニューやアプリケーションメニュー、ステータスメニューなどが表示され、各種設定やアプリケーション（App）ごとの機能を呼び出すことが可能。また画面下部のDockには、よく使うAppや最近使ったApp、ダウンロードフォルダなどが並べられている。MacBookのほとんどの操作は、このデスクトップやメニューバー、Dockから行うので、まずは各項目の機能をしっかり覚えておこう。

基本画面の各種機能について

Appleメニュー

macOSの基本操作にアクセスできる

画面左上のAppleマークをクリックすると、Appleメニューが表示される。ここから「システム環境設定」や「再起動」、「システム終了」など、macOSの基本操作が可能。「システム環境設定」には、画面やサウンドなどのあらゆる設定項目がまとまっており、設定の変更を行える。

アプリケーションメニュー

Finder　ファイル　編集　表示　移動　ウインドウ　ヘルプ

アプリの各種操作はここから行う

画面左上には現在使用している（アクティブになっている）アプリケーションのメニューが表示される。デスクトップやFinderウインドウの操作時はFinderのメニューとなる。

FinderとLaunchpad

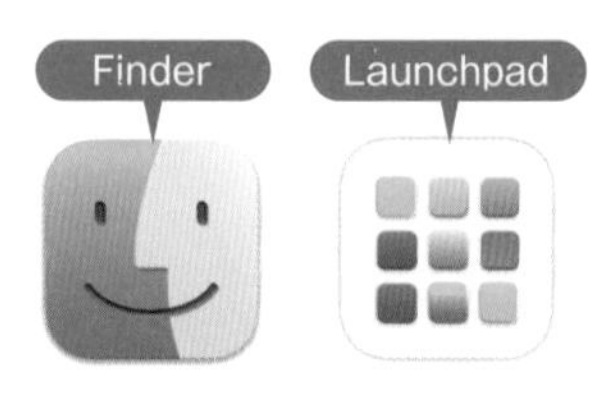

Finderと各種アプリを呼び出す

Finderをクリックすると、新規のFinderウインドウまたはすでに開いているFinderウインドウが表示される。Launchpadをクリックすると、アプリアイコンが並ぶランチャー画面が起動。インストールされている全アプリを表示できる。

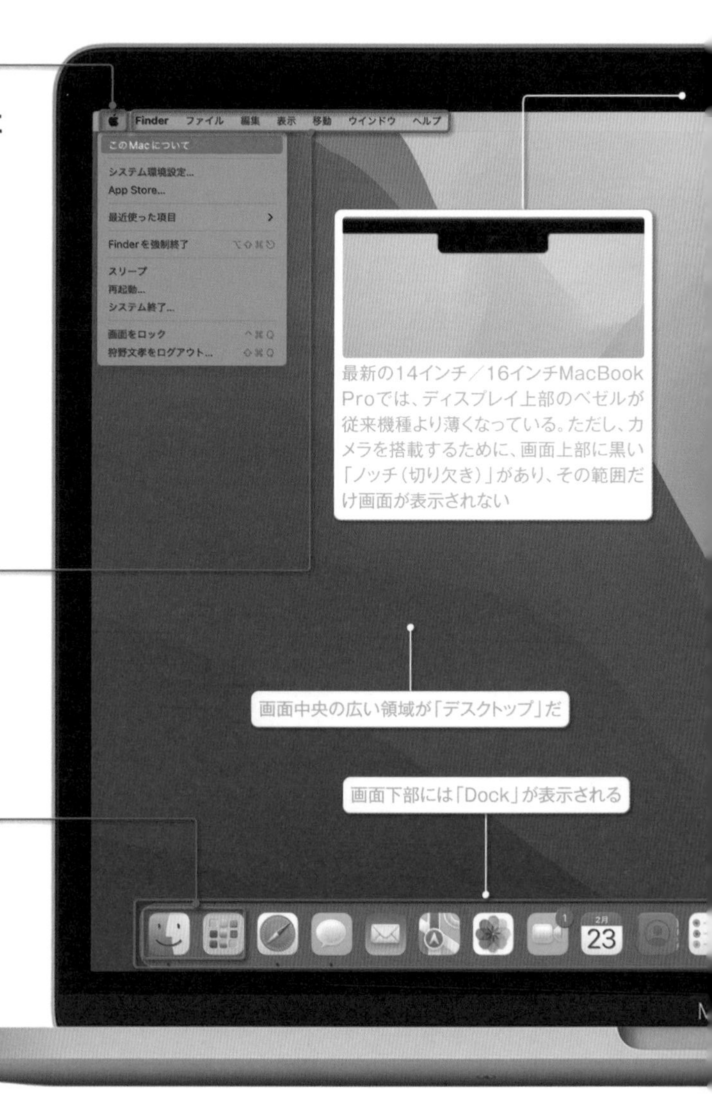

最新の14インチ／16インチMacBook Proでは、ディスプレイ上部のベゼルが従来機種より薄くなっている。ただし、カメラを搭載するために、画面上部に黒い「ノッチ（切り欠き）」があり、その範囲だけ画面が表示されない

ステータスメニュー

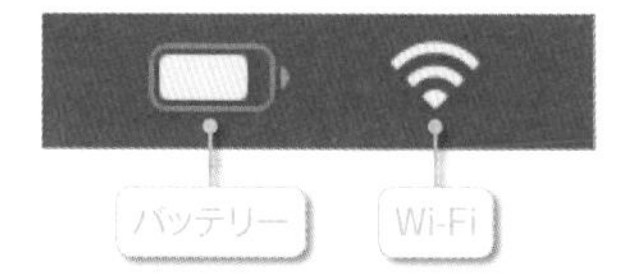

基本機能やアプリの設定が可能

macOSの機能や各種アプリのステータスアイコンが表示される。各アイコンをクリックすれば、各機能の設定が可能。Wi-Fi接続のオン／オフなどもここから行える。

バッテリーの表示設定

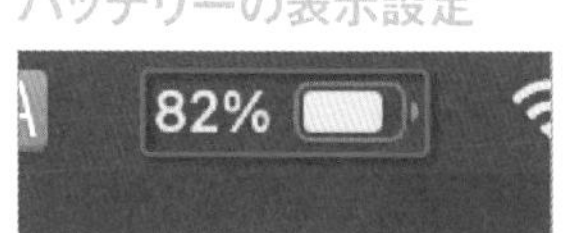

Appleメニューの「システム環境設定」→「バッテリー」→「バッテリー」→「メニューにバッテリーの状況を表示」で、バッテリーアイコンの表示／非表示を切り替えられる。また、「システム環境設定」→「Dockとメニューバー」→「バッテリー」→「割合（%）を表示」にチェックを入れると、残量が数値でも表示される。

日本語入力

日本語入力プログラムの設定が行える。「ABC（英字）」や「日本語」で入力モードの切り替えが可能だ。ユーザ辞書の編集などもここから行える。

Spotlight

macOSの検索機能である「Spotlight」を起動。MacBook内のアプリや書類、その他ファイルだけでなく、Webサイトや Web動画などを横断検索できる。

コントロールセンター

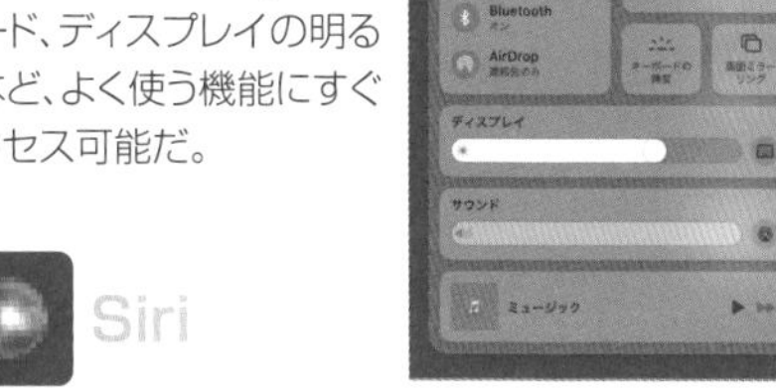

コントロールセンターでは、Bluetooth、AirPlay、集中モード、ディスプレイの明るさなど、よく使う機能にすぐアクセス可能だ。

Siri

Siriを起動して音声入力による各種操作や情報検索が可能。「画面をもっと明るくして」「大阪にはどうやって行くの？」などと尋ねてみよう。

通知センター

通知とウィジェットを表示する

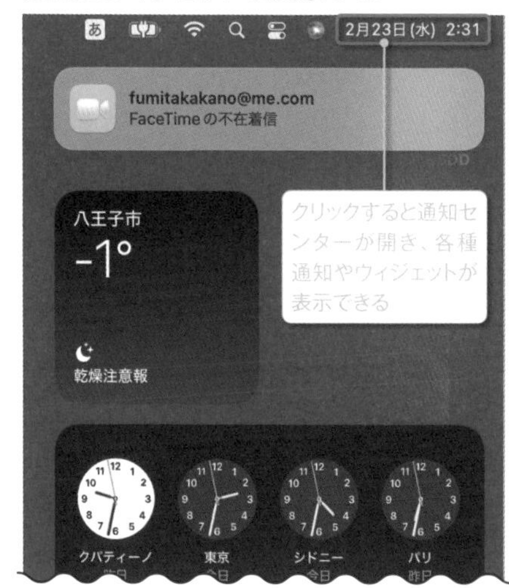

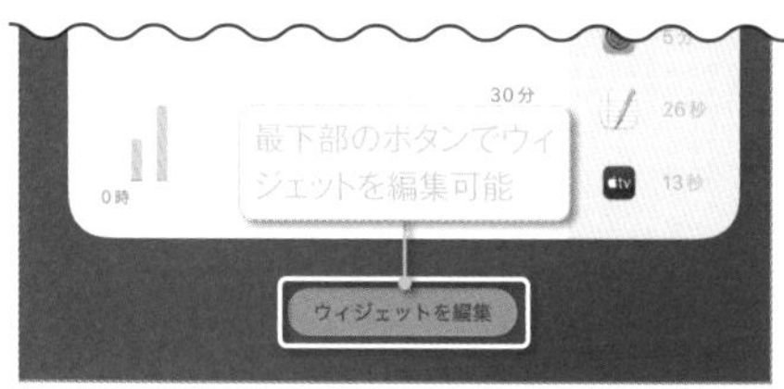

画面右上の日付や時刻をクリックすると画面右端に通知センターが表示される。ここでは、まだ未対応の各種通知や、天気／時計／カレンダーなどのウィジェットが表示される。ウィジェットは自分のすきなものを追加することが可能だ。

フォルダやファイル

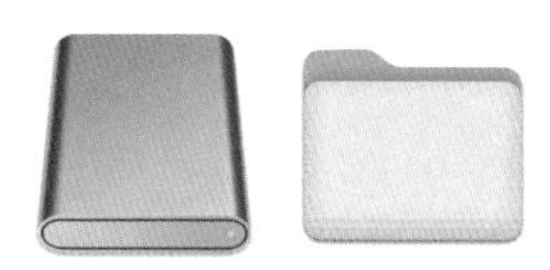
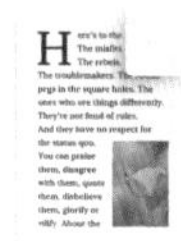

ダブルクリックで各項目を開ける

デスクトップ上には、フォルダやファイル、外部ディスクなどがアイコンとして表示される。ダブルクリックすれば各項目を開くことが可能だ。

Finderウインドウ

フォルダの中身をウインドウで表示

フォルダやディスクを開くと、Finderウインドウで内容が表示される。ウインドウ左端のサイドバーからは、よく使う項目などにアクセス可能だ。

Dock

よく使うアプリを並べておける

画面下にはDockがあり、よく使うアプリを並べてすぐ呼び出すことが可能だ。Dockの右端部分には最近使ったアプリやダウンロードフォルダなどが表示される。

ゴミ箱

削除した項目が一時保管される

不要なフォルダやファイルなどは、Dockにあるゴミ箱にドラッグ&ドロップしよう。ゴミ箱を「control」+クリック→「ゴミ箱を空にする」で完全に削除が可能だ。

デスクトップピクチャ(壁紙)を変更する

デスクトップの雰囲気を壁紙で変えてみよう

デスクトップの背景には、デスクトップピクチャ(壁紙)が表示されている。これは「システム環境設定」にある「デスクトップとスクリーンセーバー」で好きな画像に設定することが可能だ。

1 「デスクトップとスクリーンセーバー」を起動する

デスクトップピクチャを変更したいときは、まずAppleメニューまたはDockにある「システム環境設定」を起動。「デスクトップとスクリーンセーバー」をクリックする。

2 デスクトップピクチャを設定する

「デスクトップ」パネルの左側で画像のフォルダを選択。右側で画像をクリックして、デスクトップピクチャを変更しよう。単色の壁紙に設定したい場合は、左側の「Apple」→「カラー」から色を選ぶといい。

3 好きなフォルダから画像を取得する

デスクトップピクチャに自分の好きな画像を設定したいときは、画面左下にある「+」ボタンで画像のあるフォルダを追加しておくといい。

時間帯で壁紙の色を変化させることができる

標準で用意されているデスクトップピクチャの中には、「ダイナミックデスクトップ」に対応したものがある。これを選択してダウンロードすると、時間帯に応じてデスクトップピクチャの色合いが変化するので試してみよう。

デスクトップピクチャの設定画面で、左側の「Apple」→「デスクトップピクチャ」を選択。右側の「ダイナミックデスクトップ」に分類されているものから選ぼう。雲のクラウドマークが付いているものはダウンロードが必要だ。

ダイナミックデスクトップの表示を静止させる方法

ダイナミックデスクトップを選択した場合、画面上部の設定項目で「ダイナミック」「ライト(静止)」「ダーク(静止)」の3種類が選べる。デスクトップピクチャをライトまたはダークの状態で静止させたい場合はここから設定しよう。

ダイナミックデスクトップの変化

ダイナミックデスクトップに対応したデスクトップピクチャを選択した場合、時間帯によって色合いが細かく変化する。朝から昼間にかけては明るく、夜になると暗く落ち着いた色になる

外観モードと連動するライトとダークのデスクトップ

「ライトとダークのデスクトップ」に分類されているデスクトップピクチャも、状況に応じて色合いが変化する壁紙だ。ただし、色の変化はライトとダークの2段階のみ。画面上部の設定項目で「自動」「ライト(静止)」「ダーク(静止)」の3種類が選べるので、好きな状態にしておこう。初期状態の「自動」では、外観モード(次ページで解説)の色合いと連動させることができる。

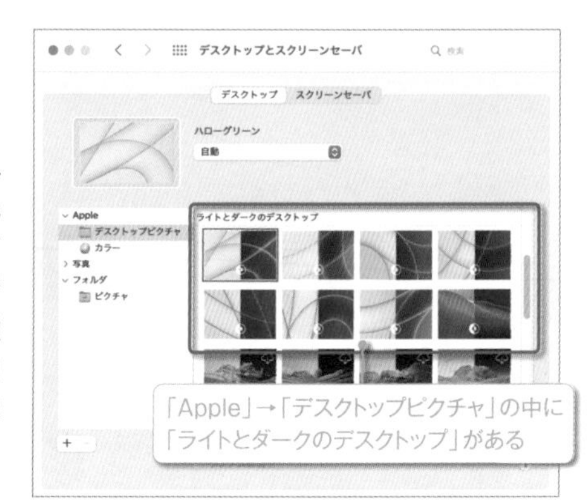

「Apple」→「デスクトップピクチャ」の中に「ライトとダークのデスクトップ」がある

画面の解像度を変更し文字サイズや画面の広さを調整する

ディスプレイ設定を使いやすいように変更しよう

画面に表示される文字が小さくて見にくい、または画面をもっと広く使いたいといった場合は、画面の解像度を変更してみよう。「システム環境設定」の「ディスプレイ」で、解像度(文字のサイズや画面の広さ)を好みの状態に変更することが可能だ。たとえば、MacBookのディスプレイの解像度をフルに使うのであれば、「スペースを拡大」に設定すればいい。文字やボタンなどの表示は小さくなってしまうが、画面を広く使うことができる。

1 「システム環境設定」→「ディスプレイ」で設定する

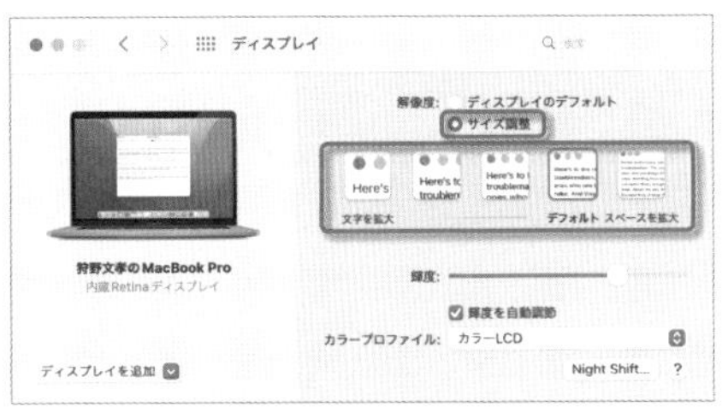

まずは「システム環境設定」を起動して「ディスプレイ」をクリック。上の画面で解像度の設定を「サイズ調整」にすると、5段階で文字や画面の広さを調節できる。自分の見やすい状態にしておこう。

2 文字サイズや画面の広さが調整できる

解像度を最小(5段階の左端)にすれば、文字やアイコン、ウインドウなどが大きくなる。解像度を最大(5段階の右端)にすれば、文字などは小さくなるが、その分たくさんの情報を1画面で表示できるようになる。

ライトとダークを切り替えられる「外観モード」の設定

1 「システム環境設定」→「一般」で設定する

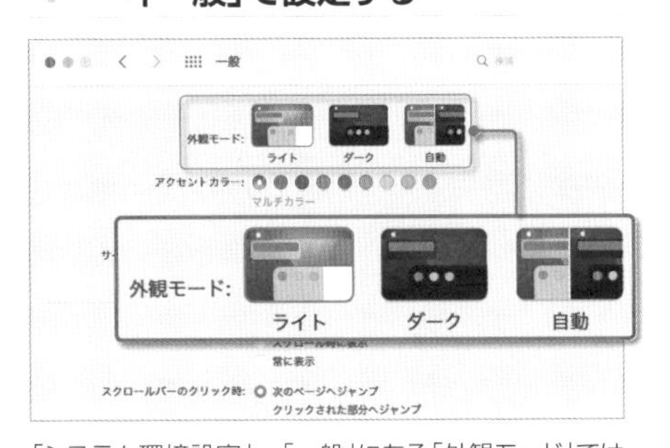

「システム環境設定」→「一般」にある「外観モード」では、macOSの各種インターフェイス(ウインドウやボタン、Dockなど)の色合いを変更可能だ。色合いは白ベースの「ライト」と黒ベースの「ダーク」の2種類がある。

2 外観モードを自動にすると時間帯で外観モードが切り替わる

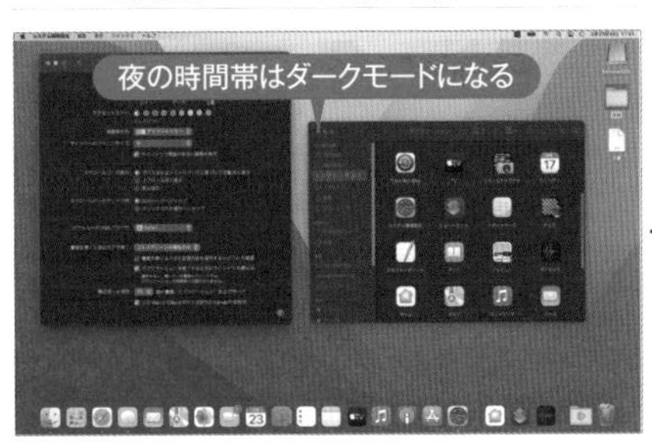

外観モードを「自動」にした場合、時間帯によって「ライト」と「ダーク」の外観モードが自動的に変化。日中は明るい外観(ライト)、夜間は暗い外観(ダーク)となる。デスクトップピクチャの色合いも場合によっては連動する。

一部のデスクトップピクチャも外観モードの設定に連動する

デスクトップピクチャに「ライトとダークのデスクトップ」を選び、「自動」設定にしている場合、外観モードとデスクトップピクチャの色合いが連動する。なお、ダイナミックデスクトップピクチャは連動しない。

Dockのスタイルを変更する

システム環境設定でDockをカスタマイズする

「システム環境設定」→「Dockとメニューバー」では、Dockの表示設定などを変更できる。Dockのサイズや拡大(マウスポインタをDockのアイコンに合わせたときに拡大するかどうか)、画面上の位置など、各種設定を使いやすい状態にしておくといい。

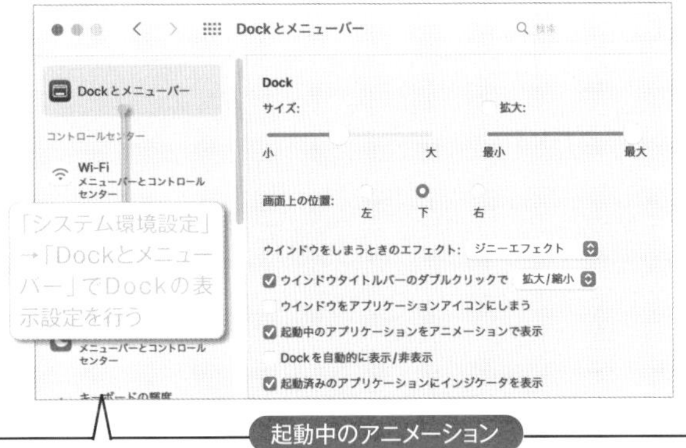

システム環境設定にあるDockとメニューバーの設定画面。基本的には標準状態のままで問題ないが、好みに応じてカスタマイズしよう。「画面上の位置」を変更すれば、Dockを画面の左や右にも表示することが可能だ。なお、画面を広く使いたい場合は、「Dockを自動的に表示/非表示」をオンにしておくといい。普段はDockが非表示になるが、マウスポインタを画面最下部に動かせば自動的に表示されるようになる。

Dockのインジケータとアニメーション

「起動中のアプリケーションをアニメーションで表示」をオンにしておくと、Dockからアプリを起動中にアイコンが上下に動くようになる。また、「起動済みのアプリケーションにインジケータを表示」をオンにしておくと、起動中のアプリアイコンの下に小さな●マークが表示されるようになる。

ファイルやフォルダを快適に操作しよう

Finderの仕組みとウインドウの基本操作

macOSには「Finder」と呼ばれるファイル管理システムが搭載されている。ファイルやフォルダを思い通りに操作するには、このFinderの仕組みを理解しておく必要がある。また、Finderウインドウの基本操作にも慣れておこう。

ファイル管理システム「Finder」の基本

「Finder」とは、macOSに標準搭載されているファイル管理システムだ。Finderは、MacBookの電源を入れてログインすると自動的に起動し、ほかのアプリの実行中でも常に起動したままとなる（ちなみに、Windowsの場合は「エクスプローラー」という似たようなファイル管理システムが搭載されている）。たとえば、デスクトップに表示されるファイルやフォルダのアイコン、フォルダを開いたときに表示されるFinderウインドウなどは、すべてFinderが提供している機能だ。このFinderを使いこなせれば、素早く目的のファイルを探したり、効率的に書類やデータを整理したりすることが可能だ。ここでは、Finderウインドウの開き方や基本的な使い方、各種設定、カスタマイズ方法などを紹介していく。また、macOSの基本的なディレクトリ構造についても解説しておくので、Mac初心者はチェックしておこう。これらを身に付けておけば、必要なファイルやフォルダがどこにあるのかがすぐに把握できるようになる。

Finderウインドウを開いてみよう

Finderウインドウの開き方

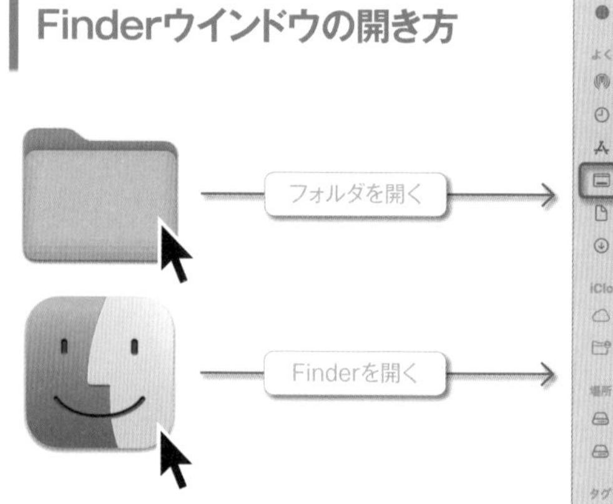

フォルダやドライブなどをダブルクリックするとFinderウインドウが開き、中身のファイルやフォルダが表示される。また、Dockにある「Finder」を起動すると、新規のFinderウインドウを開く、またはすでに開いているFinderウインドウを最前面に表示することが可能。アプリのウインドウでデスクトップが見えないときに使うと便利だ。

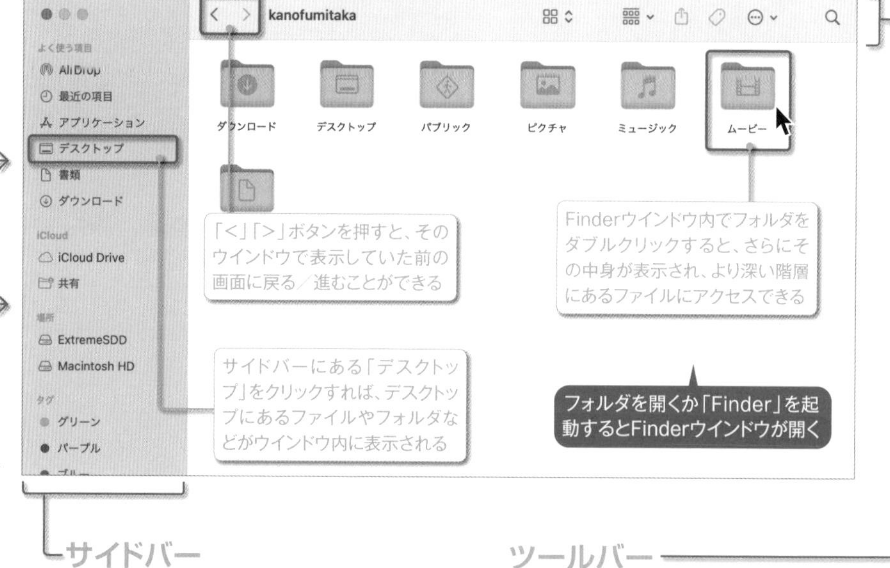

サイドバー
「よく使う項目」、「iCloud」、「場所」の各項目をクリックすれば、その内容が表示される。「タグ」はファイルやフォルダにタグを付ける機能だ。

ツールバー
ウインドウ上部の各種ボタンなどで、戻る／進むの操作や、表示形式や表示順序の切り替え、各種設定、検索などが行える。

新規Finderウインドウで表示する場所を変更

新規のFinderウインドウを開いたとき、初期状態では「最近の項目」が表示される。この場所は設定で変更可能だ。Dockの「Finder」をクリックし、メニューバーの「Finder」→「環境設定」で設定しよう。デスクトップにいろいろなファイルを保存している人は「デスクトップ」にしておくといい。

ウインドウ左上のボタンについて

ウインドウ左上にある3つのボタンでは、閉じる／しまう／最大化の操作ができる。なお、マウスポインタを合わせると、それぞれのマークが表示される。

閉じるボタン
クリックするとそのウインドウを閉じることができる。

しまうボタン
ウインドウを一時的に非表示にして、Dockに格納する。

最大化ボタン
ウインドウをフルスクリーンで表示する。再び押せば元に戻る。

Finderウインドウの4つの表示形式

それぞれの表示形式を使いこなしてみよう

Finderウインドウでは、画面上部のボタンでファイルやフォルダの表示形式を選ぶことが可能だ。表示形式には「アイコン」「リスト」「カラム」「ギャラリー」がある。それぞれの特徴を把握して、用途に応じて使い分けていこう。

Finderウインドウの上部にある4つのボタン。クリックすると表示形式を切り替えることが可能だ。なお、ウインドウ幅が狭い場合はドロップダウンメニューで表示される(右画像)。

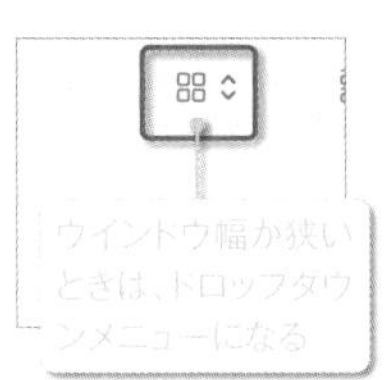

アイコン表示

アイコン表示では、ファイルのアイコンが大きく表示されるため、画像や動画、オフィスファイル、PDFなどの内容を判別しやすい。ドラッグ&ドロップでファイルやフォルダの位置を変更できるのも特徴だ。

グループ分けと表示順序の変更

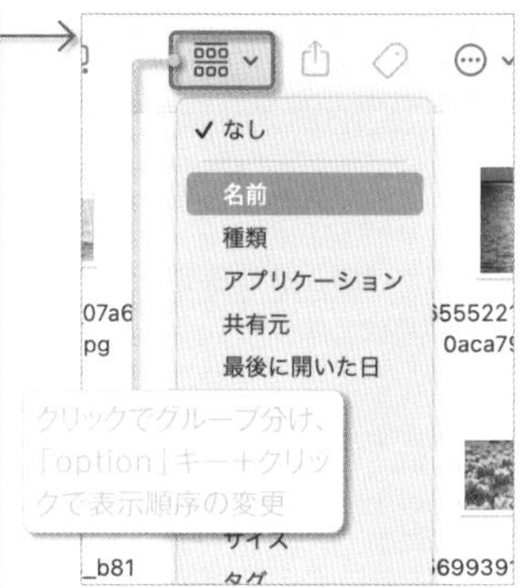

上記のボタンを押して、メニューから項目を選ぶと、グループ分けでの表示が可能。また、「option」キーを押しながらボタンを押した場合は、表示順序を設定することができる。

リスト表示

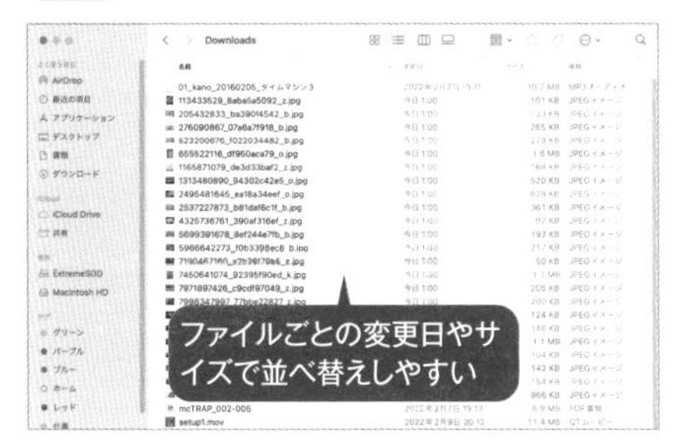

リスト表示では、ファイル名のほか、変更日やサイズといった項目が一覧表示される。最上部の項目名部分をクリックすることで並べ替えが可能だ。また、項目名ごとの境界部分をドラッグして表示領域を広げれば、長いファイル名も省略されずにすべて表示できる。

カラム表示

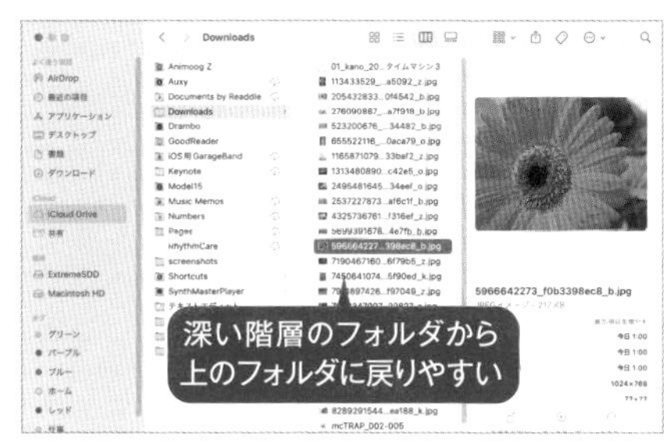

カラム表示では、フォルダをクリックすると右側のカラムにその内容が一覧表示される。この表示形式だと、深い階層のフォルダにもアクセスしやすく、階層移動もカラムを移動するだけなので楽だ。なお、ファイルをクリックすれば、右側にプレビューと詳細情報も表示される。

ギャラリー表示

ギャラリー表示では、ファイルやフォルダが画面下に並び、クリックすることで大きなプレビュー画像が表示される。プレビューしながら目的の写真を探したいときに使うと便利。画面の右側には現在プレビューしているファイルの名前や作成日、大きさなども表示される。

POINT Finderウインドウの必須設定&操作方法

Finderを快適に使う上で、覚えておいたほうがいい必須設定や操作方法を以下にまとめてみた。なお、いくつかの操作で必要となるFinderのメニューバーは、Finderウインドウまたはデスクトップをクリックしてアクティブにした状態で表示される。

もうひとつ別のFinderウインドウを表示

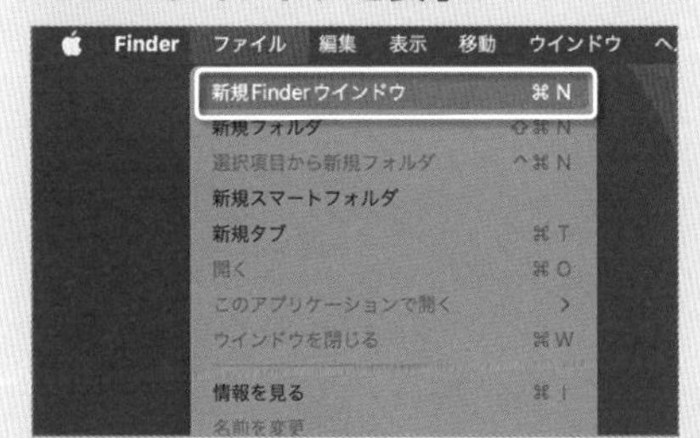

Finderウインドウを新たに開きたい場合は、Finderのメニューバーから「ファイル」→「新規Finderウインドウ」を実行しよう。現在開いているFinderウインドウとは別のウインドウが新規に開かれる(初期設定では「最近の項目」が表示される)。

特定のフォルダを常に同じ表示形式で開く

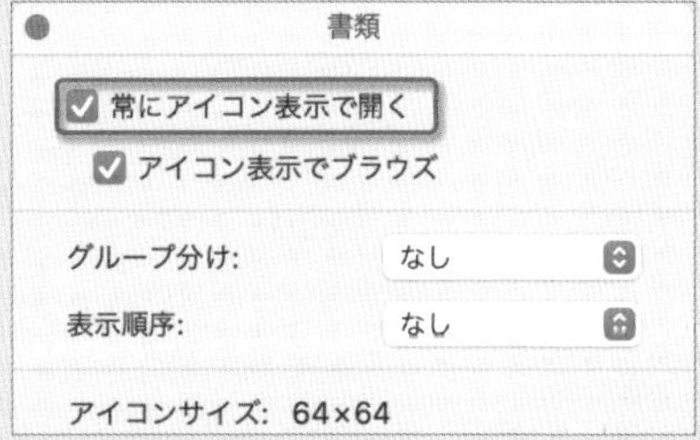

特定のフォルダの表示形式を固定する場合は、そのフォルダを開き、メニューバーの「表示」→「表示オプションを表示」で、「常に○○○表示で開く」にチェックを入れよう。なお、「デフォルトとして使用」をクリックすると、すべてのフォルダに適用される。

ウインドウサイズを最適な大きさにする

Finderウインドウのタイトル部分をダブルクリックすると、ウインドウの大きさが最適なサイズに自動調整される。できるだけすべてのファイルが見えるようにウインドウサイズが調整され、隠れていたアイコンが表示されるので試してみよう。

Finderウインドウを使いやすくカスタマイズする

ツールバーにあるボタンや検索欄などの項目をカスタマイズする

ツールバーに表示されているボタンや検索欄などの各項目は、自由に並べ替えたり、新しい項目を追加したりが可能だ。ツールバーを右クリック（または「control」+クリック）→「ツールバーをカスタマイズ」で編集画面を表示し、使いやすいようにカスタマイズしよう。

まずは、ツールバーを右クリック（または「control」+クリック）して、「ツールバーをカスタマイズ」を選択する。

項目をツールバーに追加する

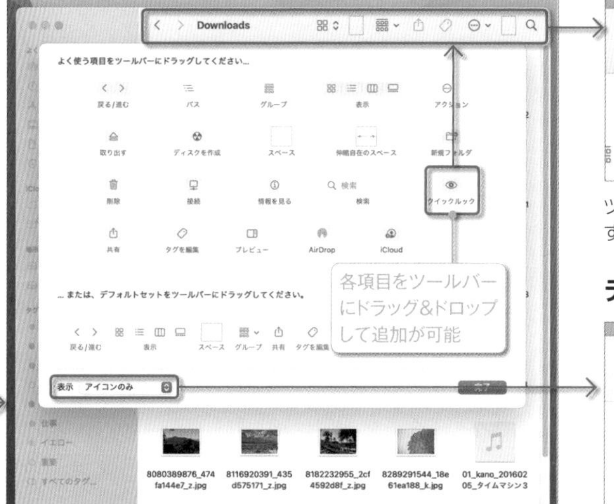

表示された項目から追加したいものをツールバー上にドラッグ&ドロップしよう。また、ツールバーの項目を削除したい場合は、その項目をツールバー外にドラッグドロップすればいい。「パス（上層のフォルダに簡単に戻れる）」や「削除」などを追加しておくと便利だ。

ツールバーの並べ替え

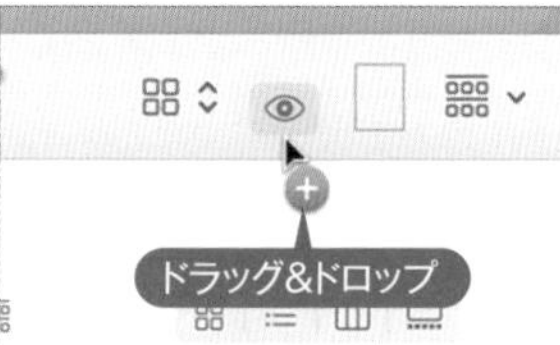

ツールバーの項目をドラッグ&ドロップすれば、並べ替えが可能だ。

テキスト表示も可能

「表示」を「アイコンとテキスト」に設定すると、各項目の下にボタン名などが表示されてわかりやすくなる。

サイドバーに表示される項目をカスタマイズする

Finderウインドウのサイドバーには、「よく使う項目」「iCloud」「場所」といった項目が表示されている。これらの項目も自由にカスタマイズが可能だ。設定する場合は、Finderのメニューバーにある「Finder」→「環境設定」→「サイドバー」から行おう。

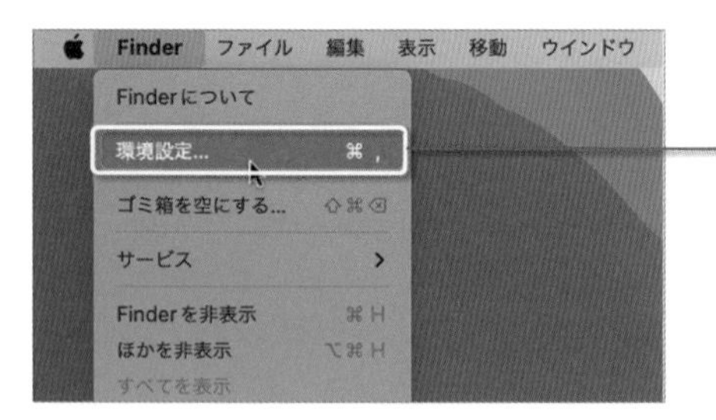

サイドバーをカスタマイズする場合は、Finderのメニューバーから「Finder」→「環境設定」を選択する。

項目を追加／削除する

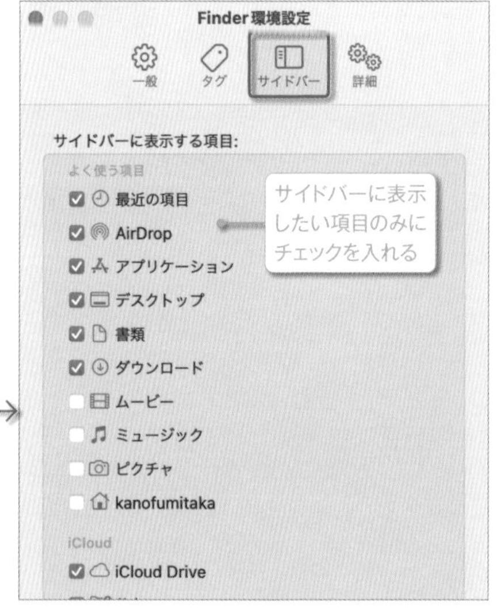

Finder環境設定の画面が表示されるので「サイドバー」をクリックする。項目一覧から、サイドバーに表示したい項目にだけチェックを入れておこう。

サイドバーから項目を削除する

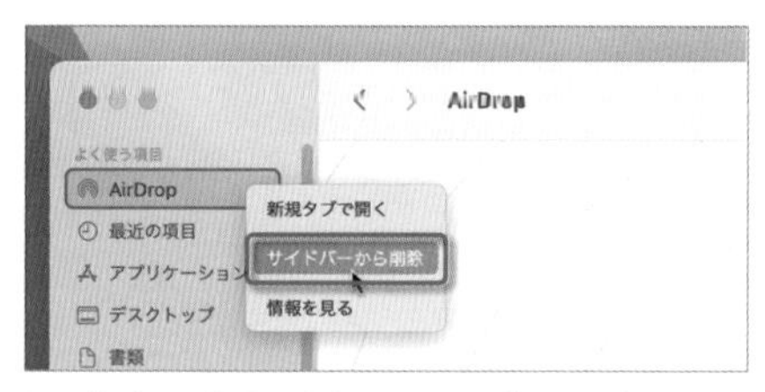

サイドバーの各項目を右クリックし、「サイドバーから削除」を選べば、その項目を削除できる。

サイドバー上で項目を並び替える

サイドバーの項目をドラッグ&ドロップすれば、項目の並べ替えが可能だ。使いやすい状態にしておこう。

よく使うフォルダをサイドバーに登録しておく

好きなフォルダをサイドバーにドラッグ&ドロップすると、そのフォルダを項目として追加することが可能だ。頻繁にアクセスするフォルダは登録しておこう。

POINT MacBook自体を「場所」に追加して最上位の階層を表示する

サイドバーの「場所」に、「○○のMacBook（コンピューター名）」という項目を追加しておくと、macOSの最上位の階層にアクセスしやすくなる。現在接続している全ストレージとネットワークが把握しやすくなるのでオススメ。

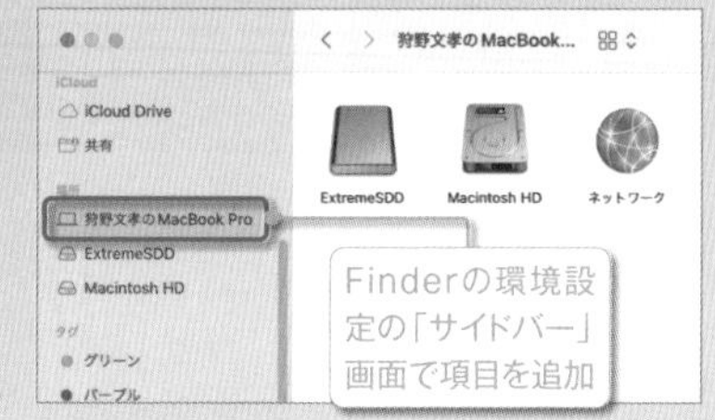

タブバー、パスバー、ステータスバーを表示する

表示メニューから各種バーの表示／非表示を切り替える

Finderウインドウを表示した状態で、Finderのメニューバーから「表示」メニューを表示してみよう。ここから「タブバー」や「パスバー」「ステータスバー」の表示／非表示の切り替えが可能だ。特に、パスバーとステータスバーはフォルダ移動やファイル管理で役立つので常に表示しておくのがオススメ。

1 メニューバーから「表示」→「タブバーを表示」を選択

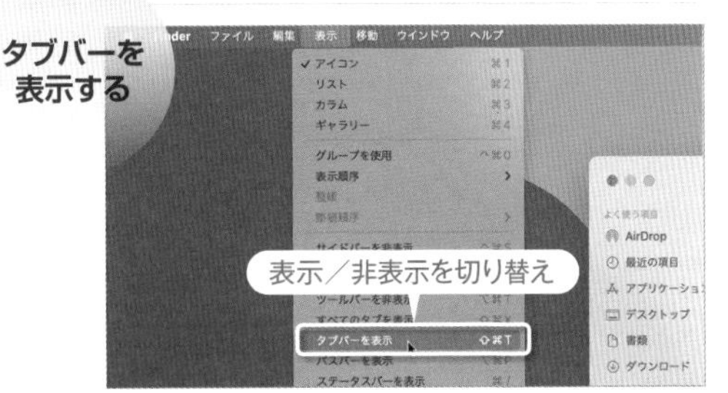

Finderウインドウを表示した状態で、Finderのメニューバーから「表示」→「タブバーを表示」を選択する。なお、この表示メニューから「パスバー」や「ステータスバー」も表示／非表示できる。

2 タブバーで複数のタブを切り替えながら内容を確認できる

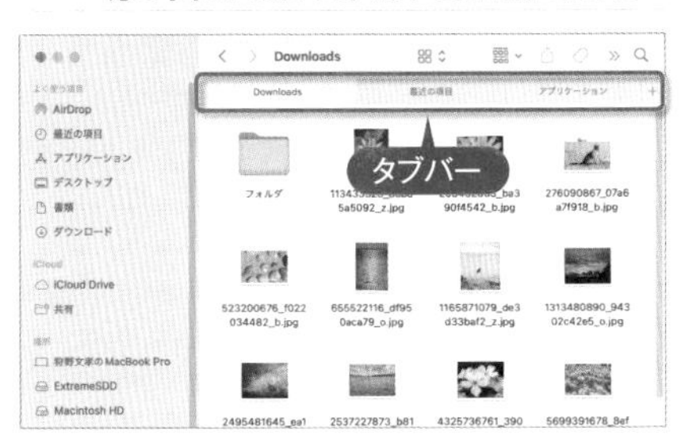

Finderウインドウの上部にタブバーが表示される。タブバー右端の「+」ボタン、または「command」を押しながらフォルダやサイドバーの項目を開くと、別のタブで各フォルダの内容が表示されるようになる。

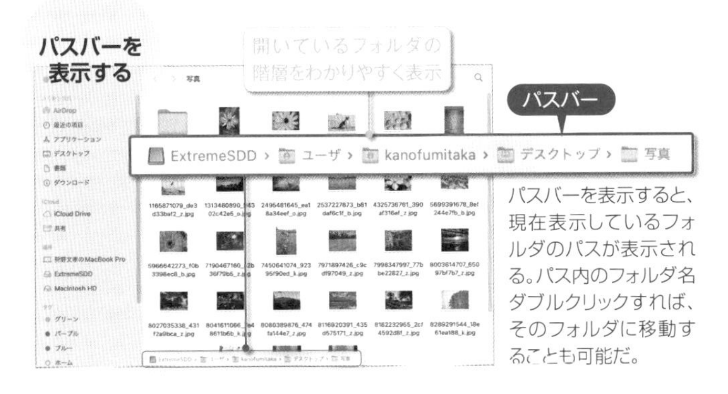

パスバーを表示すると、現在表示しているフォルダのパスが表示される。パス内のフォルダ名ダブルクリックすれば、そのフォルダに移動することも可能だ。

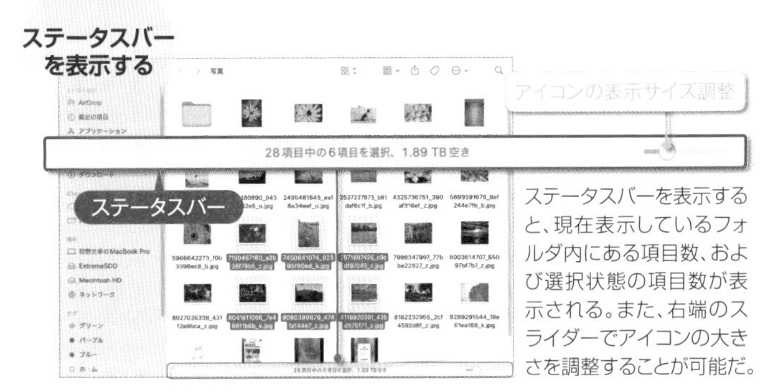

ステータスバーを表示すると、現在表示しているフォルダ内にある項目数、および選択状態の項目数が表示される。また、右端のスライダーでアイコンの大きさを調整することが可能だ。

本体内蔵のハードディスクを表示して全体の階層を把握する

「Machintosh HD」を表示してみよう

Finderの環境設定から、本体内蔵のハードディスク（標準では「Machintosh HD」）をデスクトップに表示することができる。macOSのディレクトリ構造（以下参照）を理解しておけば、内臓ハードディスク内の各ファイルにアクセスしやすくなるので覚えておこう。

1 「Finder環境設定」から「ハードディスク」を表示する

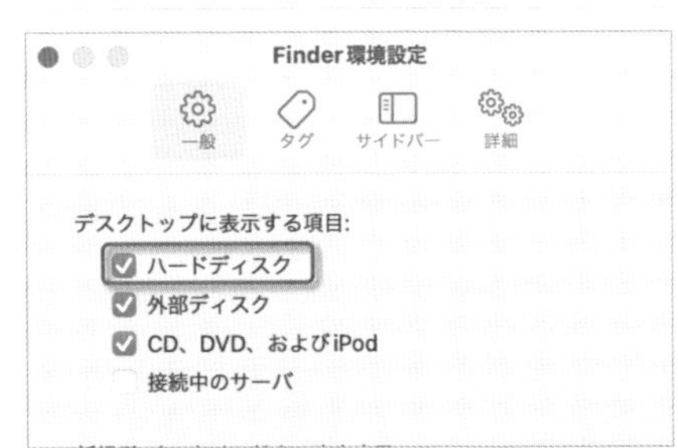

Finderのメニューバーから「Finder」→「環境設定」を選択。上の画面で「一般」を表示したら、「ハードディスク」にチェックを付けよう。

2 「Machintosh HD」が表示される

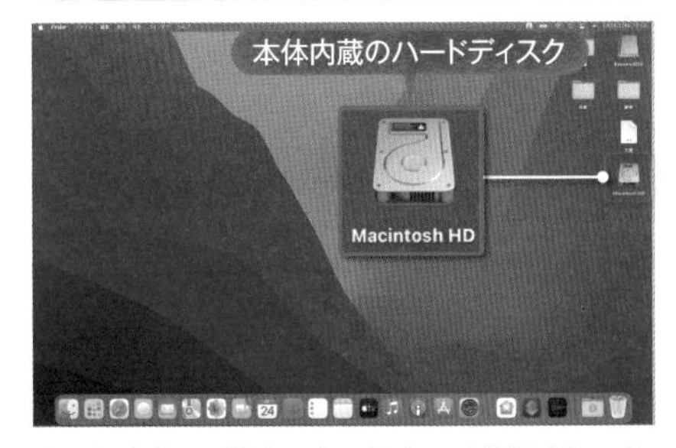

すると、内蔵ハードディスクのアイコンがデスクトップに表示される。内蔵ハードディスクのルートディレクトリからファイルを探したい人にはこの設定がオススメだ。

macOSの基本的なディレクトリ構造

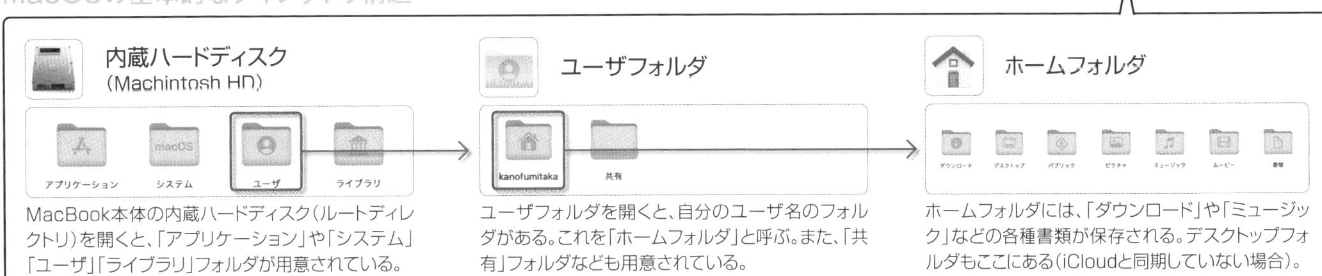

MacBook本体の内蔵ハードディスク（ルートディレクトリ）を開くと、「アプリケーション」や「システム」「ユーザ」「ライブラリ」フォルダが用意されている。

ユーザフォルダを開くと、自分のユーザ名のフォルダがある。これを「ホームフォルダ」と呼ぶ。また、「共有」フォルダなども用意されている。

ホームフォルダには、「ダウンロード」や「ミュージック」などの各種書類が保存される。デスクトップフォルダもここにある（iCloudと同期していない場合）。

ファイルの保存や整理方法を身に付けよう

ファイルやフォルダの操作と管理方法

Finderはファイルを管理するための便利な機能がたくさん用意されている。ここでは、新規フォルダの作成方法やファイルの削除方法といった基本も含め、ファイルを効率的に管理するための必須操作を解説していく。

Finderでファイル管理を行ってみよう

パソコン初心者は「以前保存したファイルがどこにあるかわからなくなる」という状態になりやすい。そうならないためにも、Finderのファイル管理方法を身に付けて、ファイルを普段から整理しておくようにしよう。macOSでは、Windowsなどの一般的なパソコンと同じで、フォルダでファイルを整理する仕組みが取り入れられている。現実世界で書類をファイリングして整理するのと同じ考え方だ。まずは、新規フォルダをデスクトップに作り、適当なファイルをフォルダの上にドラッグ&ドロップしてみよう。これでそのファイルがフォルダ内に移動される。この方法で自分がわかりやすいようにファイルを整理していけばいいのだ。また、各種アプリで作成したファイルを保存する場合、どの場所に保存するのかを自分で選択しておくことも重要。そのほかにも、ファイルの削除方法、ファイルの検索方法、ファイルの整理方法など、MacBookを使う上で必ず覚えておきたい操作方法を紹介していくので目を通しておこう。

新規フォルダの作成とファイルの削除方法

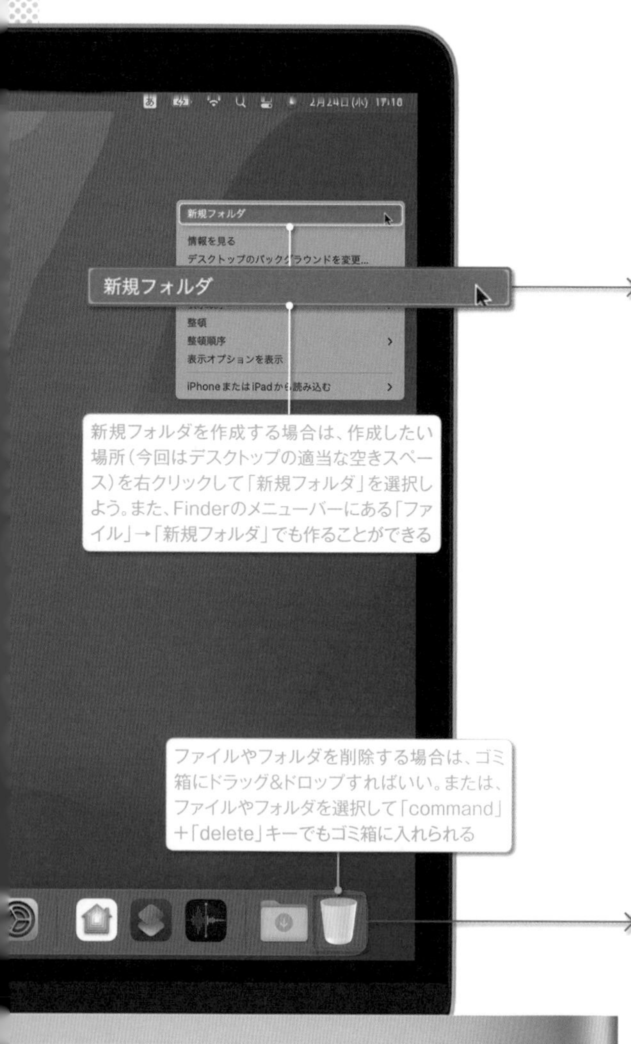

新規フォルダを作成する場合は、作成したい場所(今回はデスクトップの適当な空きスペース)を右クリックして「新規フォルダ」を選択しよう。また、Finderのメニューバーにある「ファイル」→「新規フォルダ」でも作ることができる

ファイルやフォルダを削除する場合は、ゴミ箱にドラッグ&ドロップすればいい。または、ファイルやフォルダを選択して「command」+「delete」キーでもゴミ箱に入れられる

新規フォルダの作成方法

新規フォルダを作成するには、デスクトップやFinderウインドウ内を右クリック→「新規フォルダ」を選択すればいい。最初は「名称未設定フォルダ」という名前なので、わかりやすい名前に変更しておこう。

既存のフォルダ名を変更する

すでにあるフォルダの名前を変更したい場合は、フォルダをクリックして選択してから「return」キーを押せばいい。または、フォルダを選択してから名前部分をクリックしても変更できる(ダブルクリックにならないように、クリックの間隔を1秒ぐらいあける)

ファイルやフォルダを削除する

不要なファイルやフォルダは、Dockのゴミ箱の上にドラッグ&ドロップしてから、ゴミ箱を右クリック→「ゴミ箱を空にする」→「ゴミ箱を空にする」で削除できる。

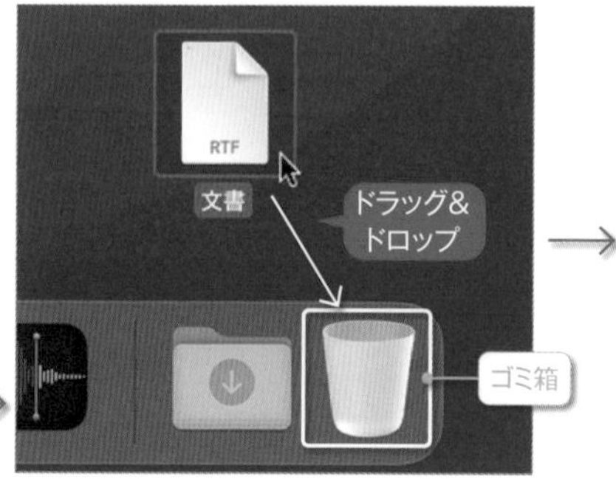

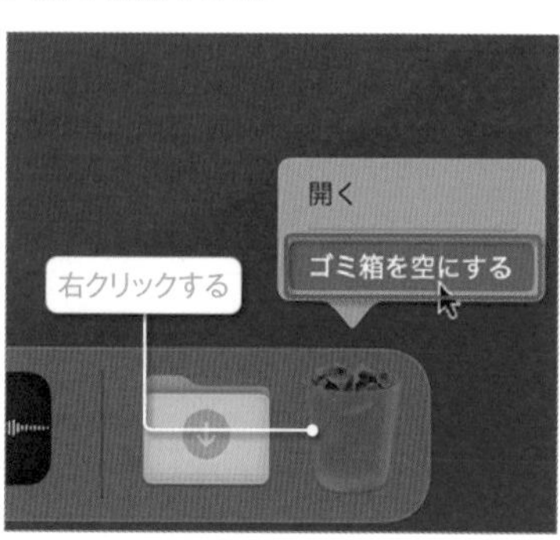

Dockの右端にあるのがゴミ箱だ。ここに不要なファイルやフォルダをドラッグ&ドロップすると、ゴミ箱のアイコンがゴミ入りの状態に変化する。ゴミ箱の中身を完全に削除したい場合は、ゴミ箱を右クリックして「ゴミ箱を空にする」を実行すればいい。なお、ゴミ箱をクリックすると中身を表示できる。完全に削除する前のファイルやフォルダは、取り出して再度利用可能だ。

ファイルを保存する際の操作方法

macOSにおけるファイル保存時の作法を覚えよう

各種アプリでファイルを保存する場合、何も考えずに保存してしまうと、あとでどこに保存したかがわからなくなってしまいがちだ。ファイル保存時は、保存する場所をしっかり意識して選択し、ファイル名にわかりやすい名前を付けるようにしておこう。保存の操作は、ほとんどのアプリで共通なので、以下で手順を覚えておくこと。なお、「メモ」や「リマインダー」などの一部標準アプリは、自動でiCloudにデータが保存されるため、保存の操作が不要だ。

1 各種アプリで保存ダイアログを表示する

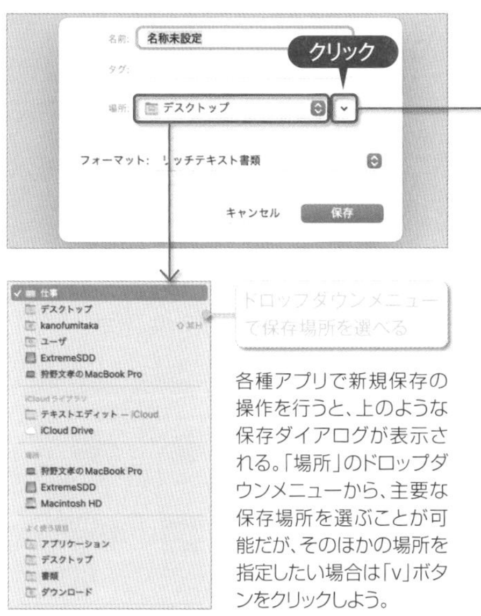

各種アプリで新規保存の操作を行うと、上のような保存ダイアログが表示される。「場所」のドロップダウンメニューから、主要な保存場所を選ぶことが可能だが、そのほかの場所を指定したい場合は「v」ボタンをクリックしよう。

2 大きな保存ダイアログで保存したい場所を開いて「保存」をクリック

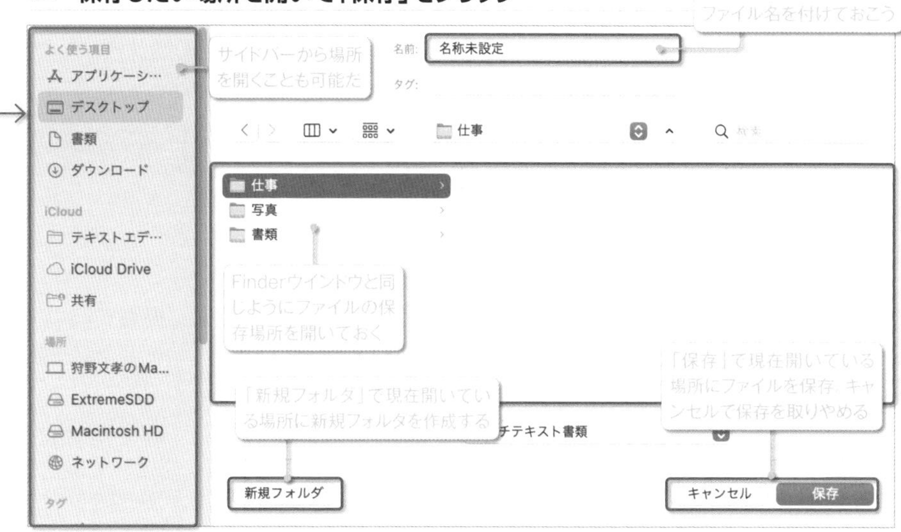

これで保存ダイアログが大きくなり、Finderウインドウと同じような操作でより詳細な場所を指定できるようになる。保存したい場所を開いたら、右下の「保存」をクリックしてファイルを保存しよう。

新規ファイルを保存せずに削除する

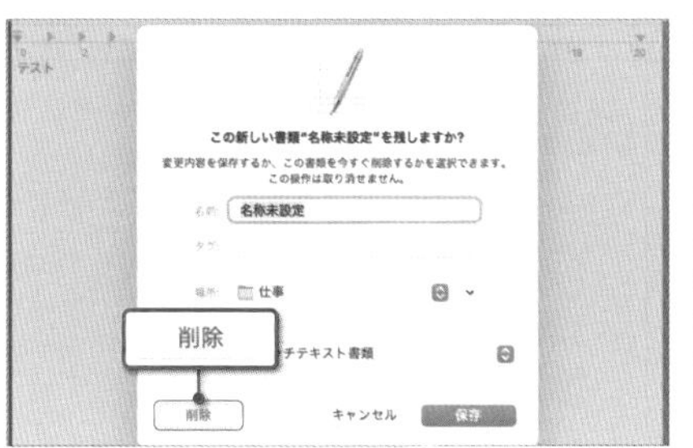

各種アプリで新規データを作成し、まだファイルとして一度も保存していない状態でアプリのウインドウを閉じようとすると、左のような保存ダイアログが表示される。このとき、左下の「削除」を選択すれば、そのまま保存せずにデータを削除することが可能だ。

フォルダをドラッグ&ドロップして場所を指定

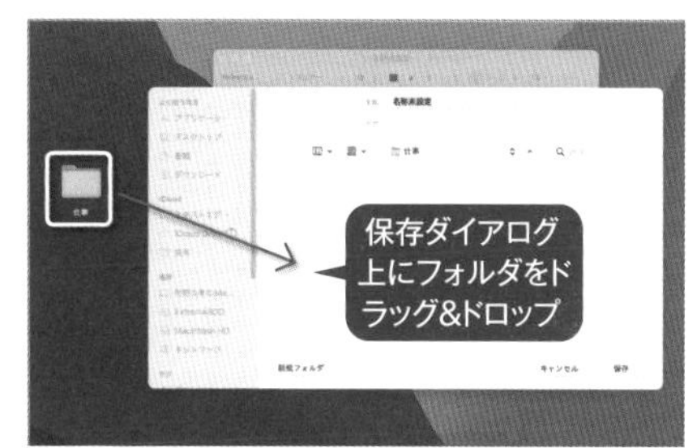

保存ダイアログにフォルダをドラッグ&ドロップすると、その場所を指定することが可能だ。すでにデスクトップにあるフォルダを保存場所として指定したいときなどに使うと便利。

POINT

iCloud Driveをオンにしている場合の注意点

「iCloud Drive」とは、Appleが提供するクラウドストレージ機能のこと。macOSでは、「デスクトップ」や「書類」フォルダの内容および、一部アプリのファイルをこのiCloud Driveで同期する機能が用意されている。ほかの端末からもファイルにアクセスできるようになるので便利なのだが、iCloudの容量を追加購入していないと最大5GBまでしか保存できないという大きなデメリットがある。iCloudの追加ストレージを購入しないのであれば、iCloud Driveはオフにしておこう。

システム環境設定から「iCloud Drive」をオフにする

iCloud Driveの機能をオフにする場合は、Appleメニューから「システム環境設定」を選び、「Apple ID」を表示。「iCloud」の画面を表示したら、「iCloud Drive」のチェックマークを外す。もしくは、「オプション」ボタンから同期が不要な項目をオフにしておこう。なお、iCloud Driveをオンからオフに切り替えた場合、いままで保存していたデスクトップや書類、各種アプリのファイルはMacBook本体から見えなくなるので注意。オリジナルのファイルはiCloud Drive(Finderウインドウのサイドバーからアクセス可能)上に残っているので、必要であればそこからコピーしよう。

保存したファイルが見当たらない時は?

ファイルが保存されやすい場所を探してみよう

ここでは、ファイルをどこに保存したのか忘れてしまった場合の対処法をいくつか紹介しておこう。macOSには「最近使った項目」や「最近の項目」というファイルの使用履歴を表示してくれる便利な機能があるので、まずはこれを利用するのが基本となる。これで見つからない場合は、Finderの検索機能などを活用して目的のファイルを探してみよう。

「最近使った項目」か「最近の項目」をチェックしてみる

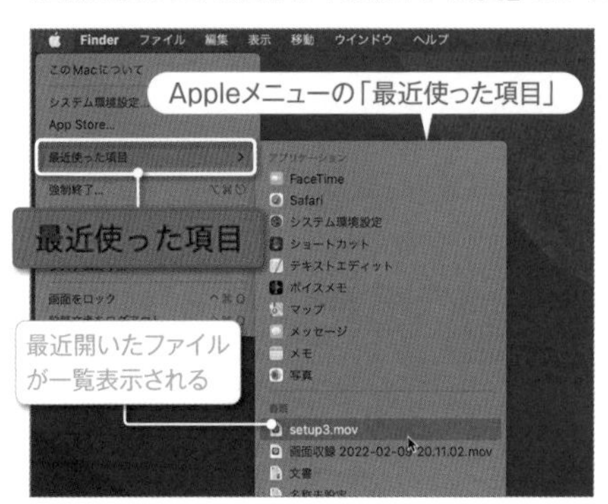

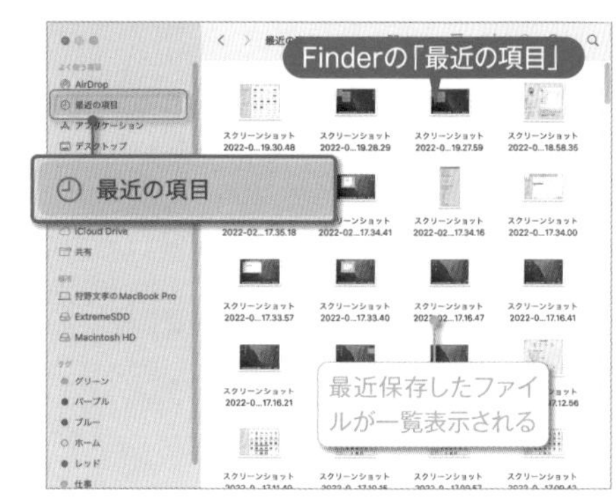

探したいファイルが最近保存、または最近使用したものであれば、Appleメニューの「最近使った項目」か、Finderウインドウのサイドバーから「最近の項目」を開いてみよう。「最近使った項目」では過去に開いたファイル、「最近の項目」では、過去に保存したファイル(macOSが起動しているストレージ内に保存したファイルのみ)の履歴が表示される。

各アプリの「最近使った項目を開く」から探す

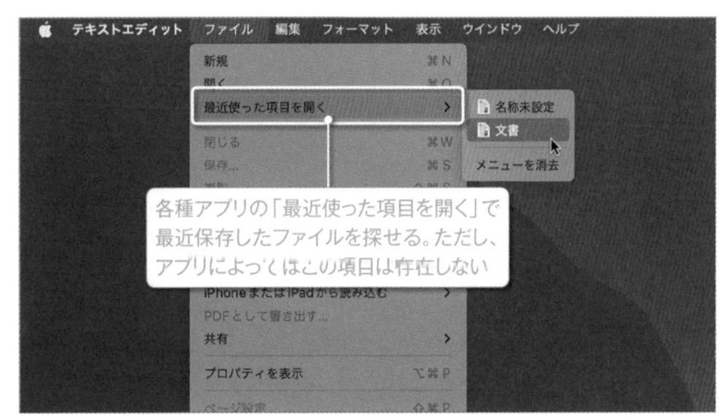

アプリによっては、「ファイル」→「最近使った項目を開く」で過去に保存したファイルを探せる。保存したアプリがわかっているのであれば、こちらのほうが見つけやすい。

「書類」フォルダなどのよく使われる保存場所を探す

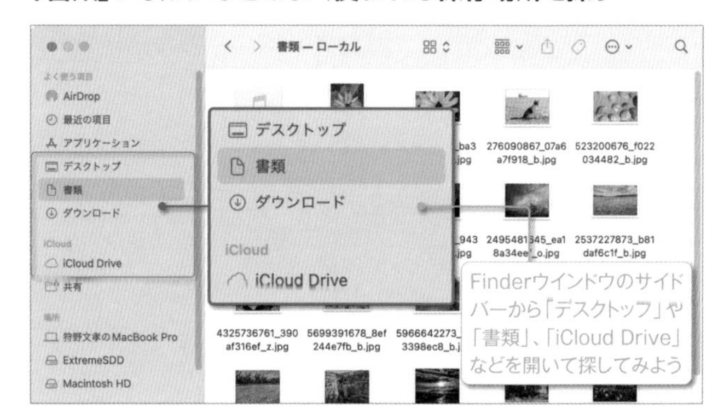

「書類」フォルダは、各種アプリの初期保存先として指定されやすい場所なので、ここも探してみよう。「デスクトップ」や「iCloud Drive」も同じように探すといい。

Finderの検索機能を使って目的のファイルを探す

上記の手段でファイルが見つからず、探しているファイルの名前や内容などがわかっている場合は、Finderの検索機能を使って探してみよう。まずはFinderウインドウで目的のファイルがありそうな特定のドライブやフォルダなどを開いておく。次に右上の検索欄にファイル名を入力して「return」キーを押そう。必要であれば場所やファイルの種類などの検索条件を追加することも可能だ。なお、Finderの検索機能では、単純にファイル名だけでなく、文書ファイル内に書かれている内容や、Finderが検索キーワードから推測したファイルも結果に表示してくれる。たとえば、検索キーワードに「テキスト」と入力した場合、リッチテキスト書類や標準テキスト書類といったファイル形式で保存されたファイルを検索することも可能だ。

1 各種アプリで保存ダイアログを表示する

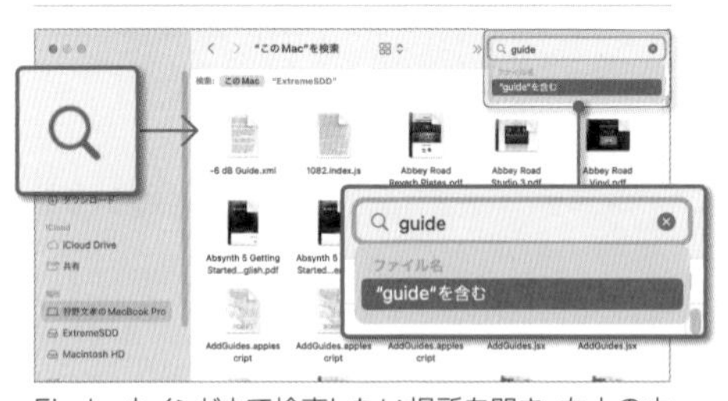

Finderウインドウで検索したい場所を開き、右上の虫眼鏡マークをクリック。検索キーワードを入力して「return」キーを押す。検索をファイル名のみに限定したい場合は、「"○○○"を含む」を選択しておく。

2 検索の場所を指定する

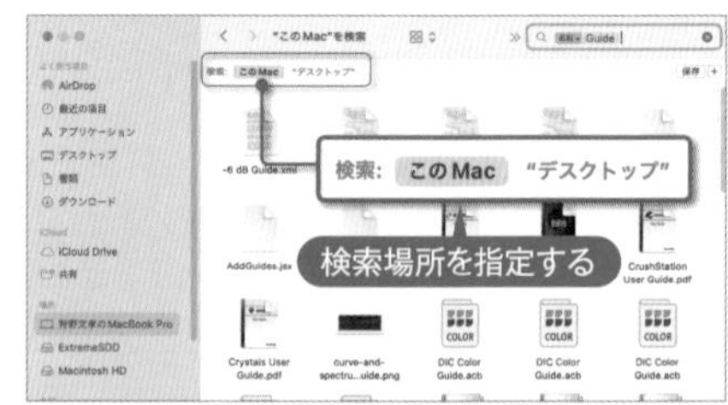

検索結果が表示される。検索する場所は「このMac」もしくは先ほどFinderウインドウで開いた場所(上画像では「デスクトップ」)から選べる。「このMac」だと、外付けストレージも含めたMac全体から検索が可能だ。

3 検索条件を絞り込む

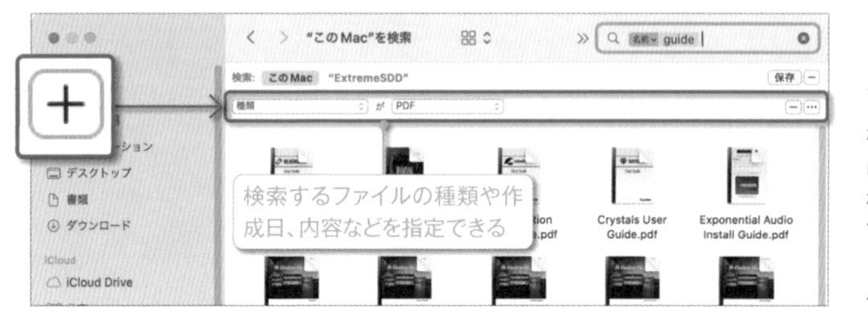

検索キーワード入力欄の下にある「+」をクリックすると、検索条件を追加することができる。たとえば、ファイルの「種類」を「PDF」に限定する、といったことが可能だ。

覚えておきたいファイルやフォルダの操作法

ファイルやフォルダを複製してみよう

ファイルやフォルダをコピーして複製したい場合は、「option」キーを押しながら項目をドラッグし、コピーしたい場所でドロップしよう。すると、まったく同じファイルまたはフォルダが複製できる。複数の項目を選択してドラッグ&ドロップすれば、複数同時に複製することも可能。なお、この操作は「command」+「Z」キーで取り消すことができる。また、同じフォルダ上に同じファイルを複製した場合は、ファイル名の末尾に番号(「○○○ 2」など)が付く。

「option」+ドラッグで複製が可能

複製された

RTF プロジェクト → RTF プロジェクト 2

option + ドラッグ

「command」+「Z」キーで取り消し

「option」キーを押しながらファイルをドラッグ&ドロップすると同じファイルが複製できる。この操作はフォルダにも適用可能だ。また、「command」+「Z」キーを押せば、直前の複製を取り消せる。

ファイルやフォルダのコピー&ペーストも可能

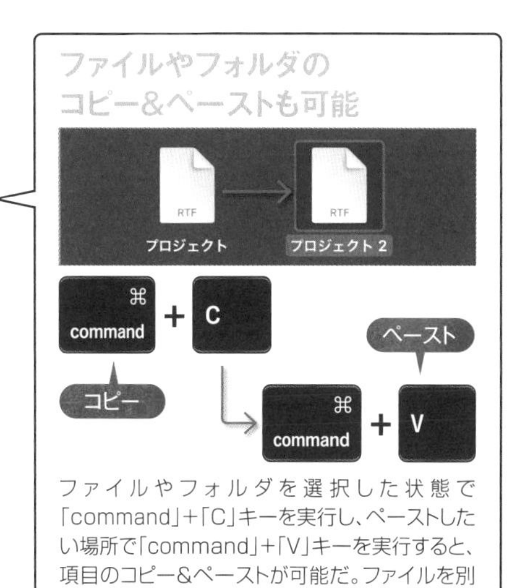

ファイルやフォルダを選択した状態で「command」+「C」キーを実行し、ペーストしたい場所で「command」+「V」キーを実行すると、項目のコピー&ペーストが可能だ。ファイルを別のフォルダに複製したいときに使うと便利。

ファイル名の拡張子を表示しておこう

拡張子とは、ファイルの種類を判別するためにファイル名の末尾に付けられる文字列(.pdfや.txtなど)のことだ。macOSの標準状態だと、一部のファイル形式を除き、ファイル名に拡張子が表示されない設定になっている。しかし、仕事やプライベートでWindows環境とファイルをやり取りする人は、必ずすべての拡張子を表示する設定に変更しておきたい。Windowsの場合、拡張子のないファイルだと開けないからだ。

拡張子の表示/非表示の違い

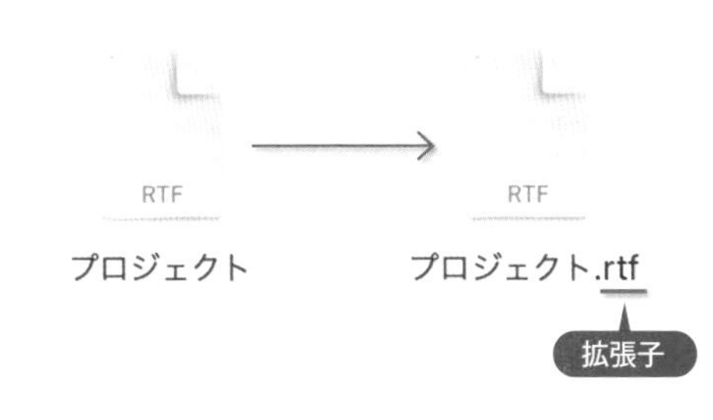

初期設定だと、すべてのファイル名拡張子は表示されない。拡張子を表示させると、右のファイル名のように「.(ピリオド)」のあとに文字列が表示される。

拡張子を表示するための設定

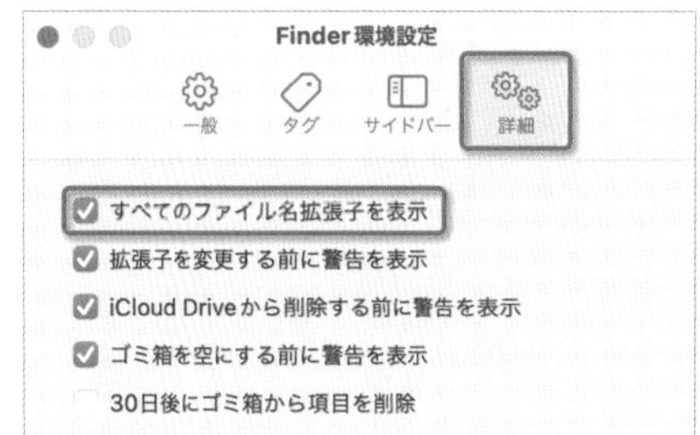

拡張子を表示するには、Finderのメニューバーから「Finder」→「環境設定」を開き、「詳細」画面にある「すべてのファイル名拡張子を表示」をオンにしよう。

POINT

macOSは拡張子なしでもファイルを開ける

macOSでは、拡張子なしのファイルでも適切なアプリで開くことができる。これはファイル内にファイル形式の情報を埋め込むようにしているからだ。なお、Windowsで作成されたファイルでも、拡張子があれば開くことが可能だ。

クイックルックでファイルの内容をチェックする

ファイルを選択した状態で「スペース」キーを押すと、クイックルック機能が起動し、そのファイルの内容が表示される。本機能は画像や動画、オフィスファイル、PDFなど、さまざまなファイル形式に対応。サッと内容を確認したいときに使うと便利だ。

ファイルを選択して「スペース」キーを押せばクイックルックが起動して、ファイルの内容が表示される。

選択したファイルの内容がクイックルック機能で表示される。内容が表示された状態でカーソルキーの上下左右を押せば、同じフォルダ内のファイルを次々と閲覧可能だ

デスクトップのファイルを整理する

Finderのメニューバーから「表示」→「表示オプションを表示」を実行すると上の表示オプション画面が表示される。デスクトップをクリックすればデスクトップの設定に切り替えられる。「並べ替え」や「表示順序」などを好きな状態に変えておこう。なお、表示順序を「なし」および「グリッドに沿う」以外にすると、アイコンはドラッグ&ドロップで並べ替えできなくなり、常にその設定の並び順で表示される。また、一番下の「アイコンプレビューを表示」にチェックを入れると、ファイルの内容がアイコンで判別しやすくなる。

デスクトップのアイコンを自動的に整理する

デスクトップ上のアイコンは、ドラッグ&ドロップで自由に移動することが可能だ。アイコンを「種類」や「追加日」などの条件で自動的に並べ替えたい場合は、デスクトップの表示オプションから、「並べ替え」と「表示順序」の設定を変えてみよう。グリッドに沿わせた配置設定も行える。

アイコンの並びを自動でグリッドに沿わせる

デスクトップのファイルやフォルダを手動で並べ変えつつ、アイコンの位置は自動で一定間隔のグリッドに沿わせたい場合は、表示オプションの「並べ替え」を「なし」に、「表示順序」を「グリッドに沿う」にしておくのがオススメだ。

アイコンの大きさとグリッド間隔を調整する

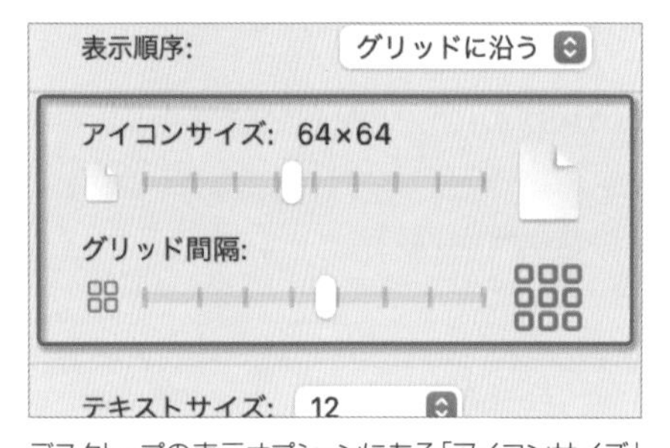

デスクトップの表示オプションにある「アイコンサイズ」と「グリッド間隔」を調整して、アイコンを見やすい状態に設定しておくといい。

アイコンの配置を整頓する

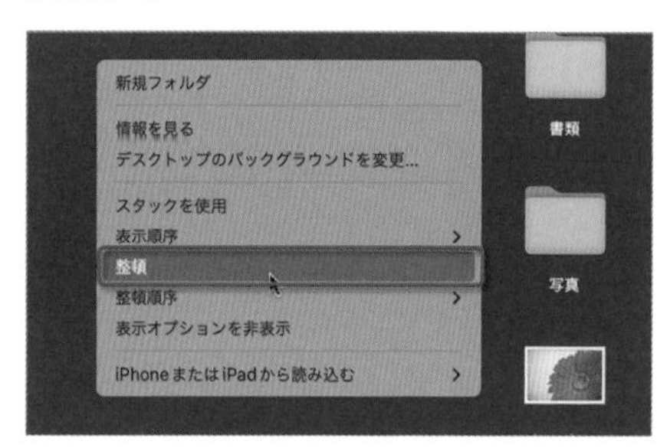

デスクトップを右クリックして「整頓」を選ぶと、表示オプションで設定したグリッド間隔でアイコンが整頓される。表示順序や整頓順序(右参照)もここから設定可能だ。

指定した順番で整頓したいときは「整列順序」を実行する

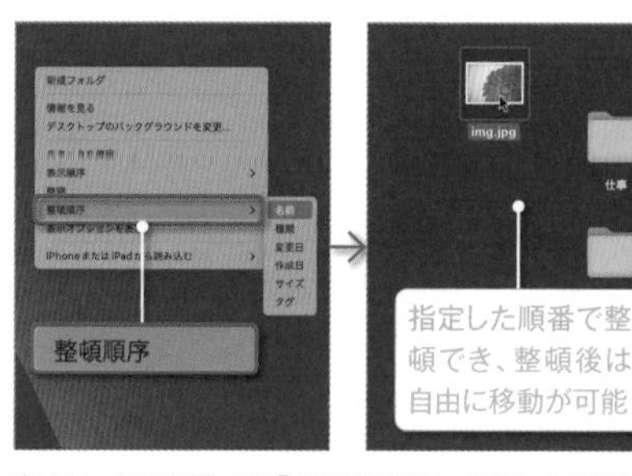

右クリックから選べる「整頓順序」は、指定した順番でアイコンを整頓させる機能だ。表示順序とは異なり、整頓後は自由に項目をドラッグして移動できる。

スタック表示で複数の項目を種類ごとにまとめる

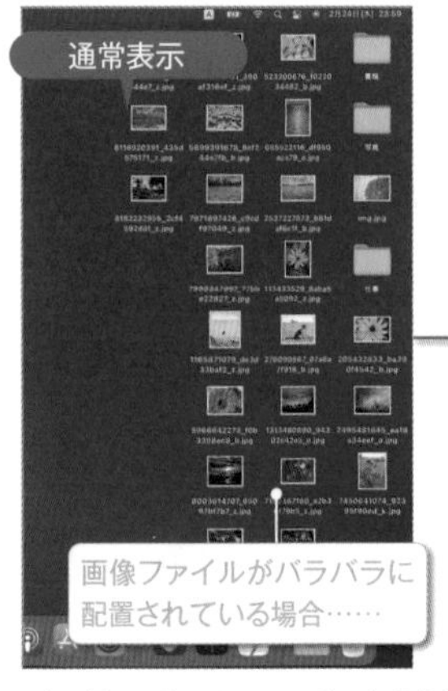

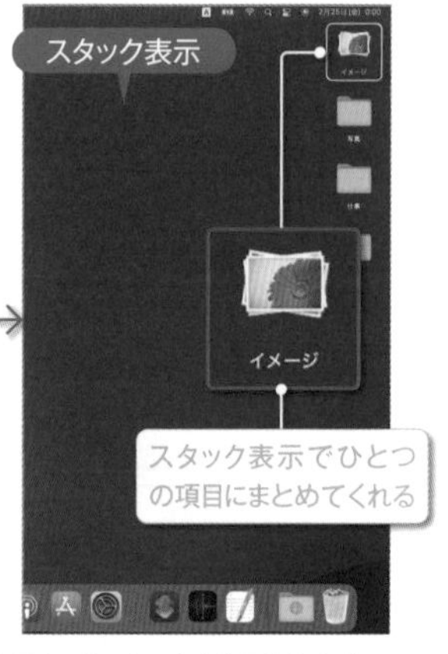

デスクトップでメニューバーから「表示」→「スタックを使用」を有効にすると、アイコンがスタック表示に切り替わる。たとえば、「表示」→「スタックのグループ分け」で「種類」を選べば、ファイルの種類でグループ分けされ、すっきりまとめて表示してくれるのだ。デスクトップにファイルが散乱していて、整理するのが面倒な時に使うと便利。

POINT ファイルやフォルダの情報を見る

ファイルやフォルダのサイズや作成日などの情報を素早く確認したい場合は、アイコンを右クリック→「情報を見る」(または「commmand」+「I」キー)で情報ウインドウを表示しよう。ここで項目のサイズ、作成日、変更日などを確認することができる。

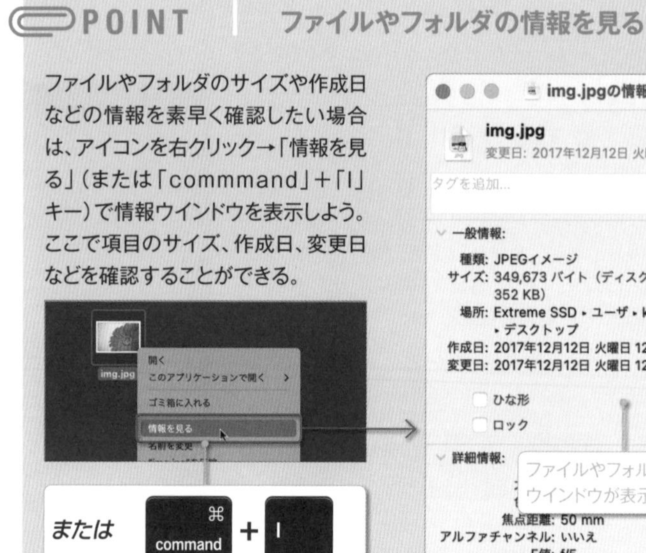

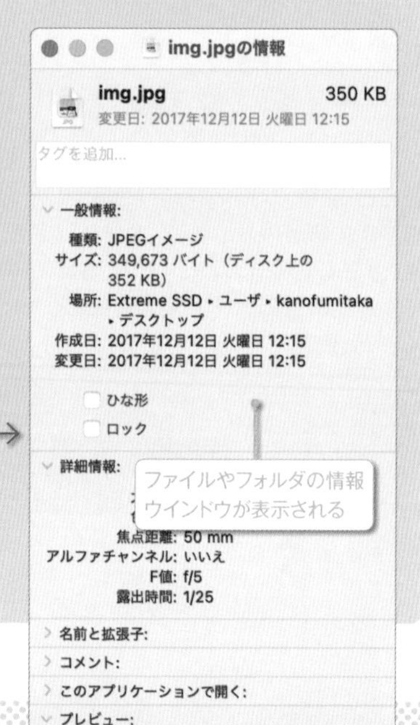

Finderウインドウのファイルを整理する

Finderウインドウの表示オプションを設定する

Finderウインドウもデスクトップと同じように表示オプションがあり、アイコンを自動的に並べ替えたり、アイコンの表示サイズを変更したりなどの設定が可能だ。なお、表示オプションの設定項目は、Finderウインドウの表示形式によって切り替わるようになっている点に注意しよう。

1 Finderウインドウを開いた状態で「表示プションを表示」する

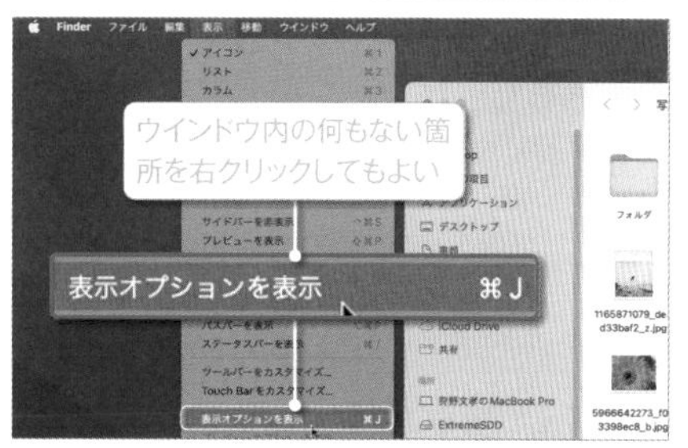

Finderウインドウを開いた状態で、Finderのメニューバーから「表示」→「表示オプションを表示」を選択。これで以下のような表示オプション画面が表示される。

2 Finderウインドウの表示形式を切り替えよう

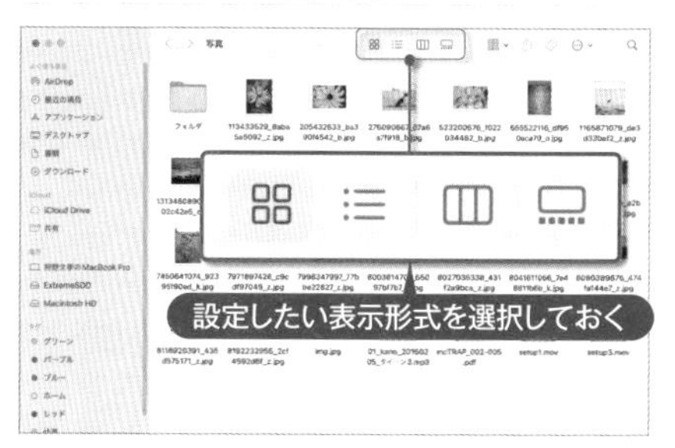

表示オプションの設定項目は、現在選択しているFinderウインドウの表示形式(アイコンやリストなど)によって変わる。設定したい表示形式に切り替えておこう。

グループ分けと表示順序について

「グループ分け」を設定すると、ファイルの種類や作成日といったグループごとにファイルの表示を行うことができる(以下画像参照)。「表示順序」は、ファイルをどの順番で並べるかの設定だ。アイコン表示の場合は、「グループ分け」を「なし」にして、「表示順序」を「グリッドに沿う」にしておくのがオススメ。

すべてのFinderウインドウで同じ設定を使う

設定を変更して「デフォルトとして使用」ボタンをクリックすると、その設定が現在選択している表示形式のデフォルト設定となる。すべてのFinderウインドウで同じ設定を使いたいときに利用しよう。また、「option」キーを押すとボタンが「デフォルトに戻す」に変化(以下画像参照)し、変更した設定をデフォルトの状態に戻すことが可能だ。なお、このデフォルト設定は「常に○○○表示で開く」の設定項目には影響しない。

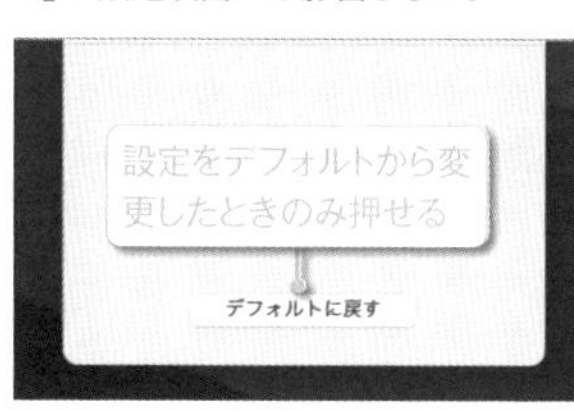

アイコン表示の表示オプション

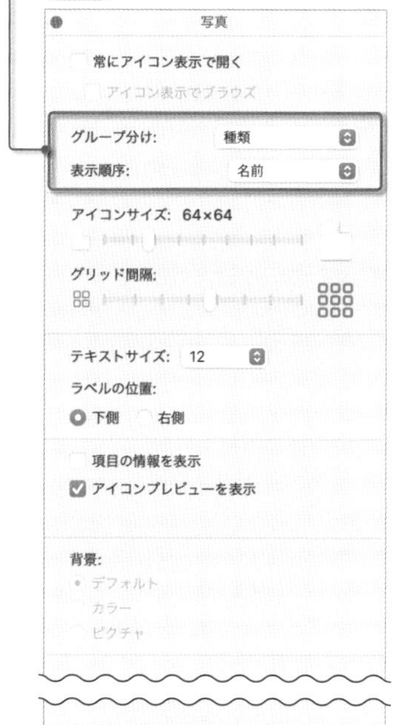

リスト表示の表示オプション

特定のフォルダの表示形式を固定する

Finderウインドウでは、最後に設定した表示形式が維持され、ほかのフォルダやドライブを開いたときにも同じ表示形式で表示されるのが基本だ。ただし、表示オプションの「常に○○○表示で開く」にチェックを入れると、そのフォルダやドライブは、現在選択している表示形式で常に表示されるようになる。

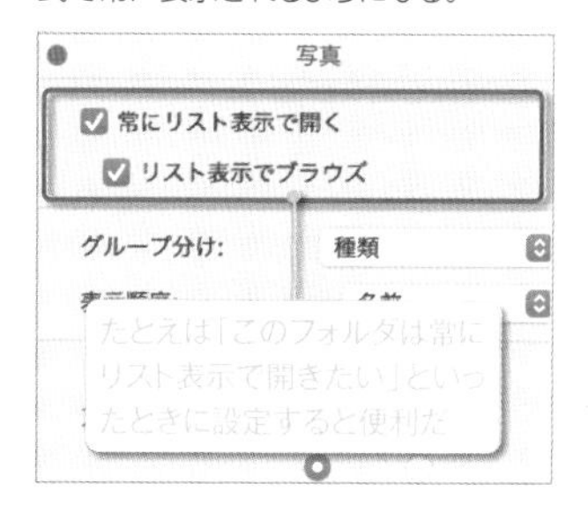

カラム表示の表示オプション

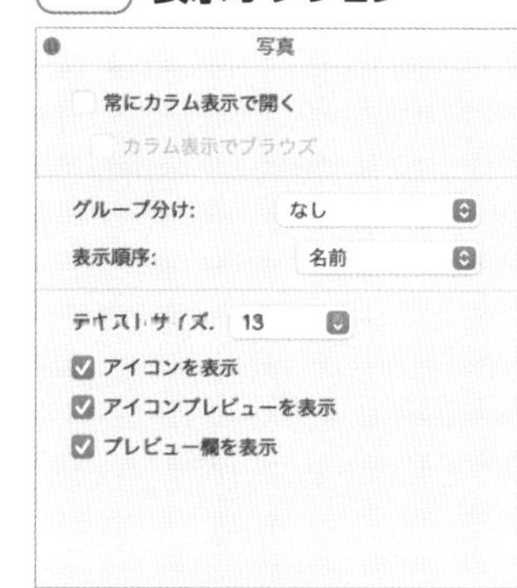

ギャラリー表示の表示オプション

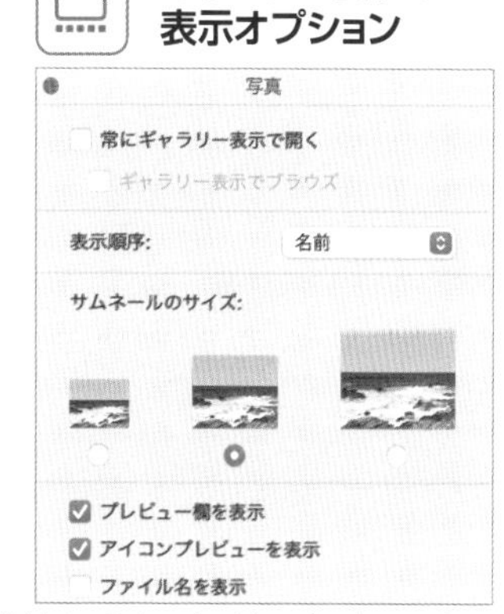

4つの表示形式ごとの表示オプション画面を並べてみた。デスクトップの表示オプションと同じような項目も多いので、前ページを参考にしつつ設定してみよう。

POINT

右クリックから各種順序を設定する

Finderウインドウ内の何もないところを右クリックすれば「グループを使用」や「表示順序」「整頓順序」などを素早く設定することが可能だ。うまく使いこなそう。

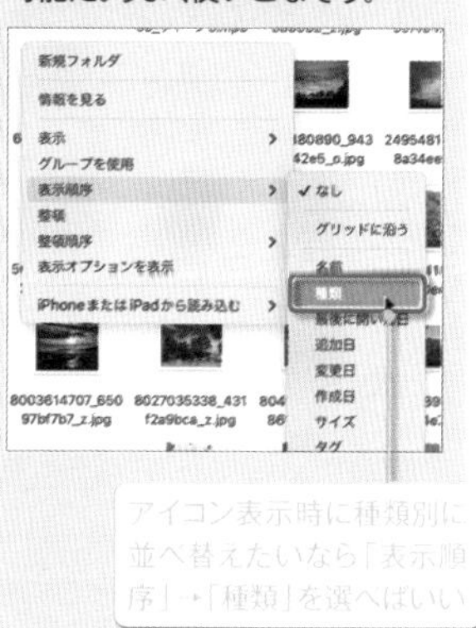

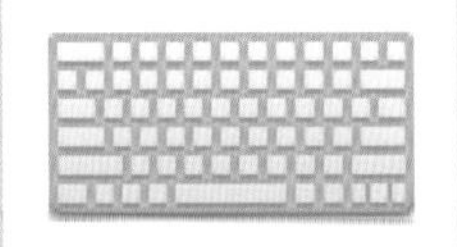

MacBookのキーボードを使いこなそう

キーボードのキーの名前と役割を覚える

キーボード上に並んでいるたくさんのキー。MacBookを使いこなすには、これらのキーの機能を大まかに理解しておく必要がある。Mac用のキーボードは独自のキーが多いので、Windowsから乗り換えたユーザーも要チェックだ。

各種キーの位置や機能を知っておこう

MacBookで採用されているキーボードには、大きくわけて2種類ある。ひとつは、MacBook Airや14インチ／16インチMacBook Proで採用されている「物理ファンクションキー搭載キーボード」、もうひとつは13インチMacBook Proで採用されている「Touch Bar搭載キーボード」だ。基本的には物理ファンクションキーとTouch Barのどちらが搭載されているかの違いだけで、あとのキー配列などはほぼ変わらない。Macを初めて使うという人は、ここで各キーボードに配置されている「shift」キーや「command」キーといった各種キーの名前と位置を大まかに覚えておこう。また、それぞれのキーの役割も把握しておくこと。

MacBook用キーボードにおける各種キーの名前と位置

ここでは、物理ファンクションキー搭載キーボードとTouch Bar搭載キーボードと2種類を掲載している。
それぞれのおもなキーの名前や位置について理解しておこう。

Touch Bar搭載キーボード

物理ファンクションキー搭載キーボード

1 Touch Bar

Touch BarについてはP050で解説

2 escキー

3 文字キー

日本語入力についてはP038で解説

4 tabキー

5 controlキー

6 shiftキー

7 caps lockキー

8 ファンクションキー

9 optionキー

10 commandキー

11 英数キー

12 スペースキー

13 かなキー

キーボードの各種キーとおもな役割について
1 Touch Bar
直接タッチして各種Appの操作などを行う
2 escキー
キャンセルなどの操作を行う
3 文字キー
文字を入力する際に使うキー
4 tabキー
文字入力時にタブを入力する
5 controlキー
右クリックを利用する際に使う
6 shiftキー
文字入力時に大文字入力に切り替える
7 caps lockキー
文字入力時、大文字入力に固定する
8 ファンクションキー
各キーに割り当てられた機能を呼び出す
9 optionキー
ショートカットキーなどで使う
10 commandキー
ショートカットキーなどで使う
11 英数キー
文字入力時に英数入力に切り替える
12 スペースキー
文字入力時にスペースを挿入する
13 かなキー
文字入力時にかな入力に切り替える
14 fnキー
ファンクションキーと組み合わせて利用する
15 カーソルキー
文字入力時のカーソル位置を移動する
16 Touch IDボタン
電源ボタンおよび指紋認証を行うボタン
17 deleteキー
文字入力時にカーソル前の文字を消す
18 returnキー
改行を入力したり、何か確定する場合に使う
Touch Barは一部のMacBook Proのみ搭載
一部のMacBook Pro(現在販売中のモデルではMacBook Pro 13インチのみ)では、キーボード上部にTouch Barを搭載しており、タッチ操作が可能だ。Touch Barが搭載されていない機種では、物理ファンクションキーが搭載されている。
16 Touch IDボタン
17 deleteキー
18 returnキー
14 fnキー
Apple M1搭載機種では地球儀キーとしても使う
15 カーソルキー
ファンクションキーについて
ファンクションキーについてはP037で解説
物理ファンクションキー搭載キーボードの場合
物理ファンクションキーを押すと、キーごとに割り当てられた機能を実行できる。たとえば、スピーカーのマークが印字されたキーを押せば音量調整が可能だ。また、標準的なファンクションキー(F1〜F12)として使う場合は、fnキーを押しながら物理ファンクションキーを押せばいい。
Touch Bar搭載キーボードの場合
Touch Barでは、fnキーを押している間、Touch Bar内に標準的なファンクションキー(F1〜F12)が表示される。
Touch Barは新旧モデルによって仕様が変わっている
旧Touch Bar(escキーがなく、Touch IDボタンも分かれていない)
Touch IDボタン
新Touch Bar(escキーとTouch IDボタンが独立)
Touch IDボタン
escキー
Macbook Pro 2016発売モデルなどの旧機種では、escキーがTouch Bar内に表示される仕様で、Touch IDボタンはTouch Barとつながっている。新しいTouch Barでは、escキーやTouch IDボタンがTouch Barから独立し、より使いやすくなっているのだ。

操作を劇的にスピードアップする必須ショートカット

MacBookの操作を効率的に行うには、キーボードショートカットを使うのがコツだ。ここでは基本的なショートカットを紹介するのですべて覚えておこう。

最初に覚えたい頻出ショートカット

現在編集中の書類やデータを上書き保存する。はじめて保存する場合は、保存ダイアログが表示される。

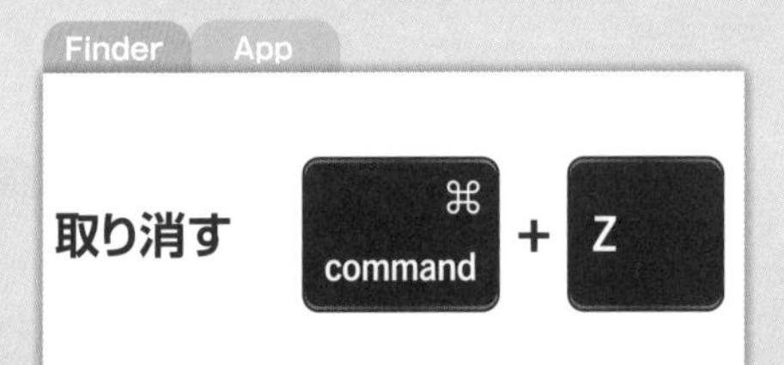

直前の操作を取り消す。「shift」+「command」+「Z」キーで取り消した操作をやり直すことも可能だ。

最前面のウインドウを閉じる。Finderウインドウやアプリのウインドウもこのショートカットで閉じることが可能。

選択している項目やデータをクリップボードにコピーする。Finder内のファイルに対しても使える。

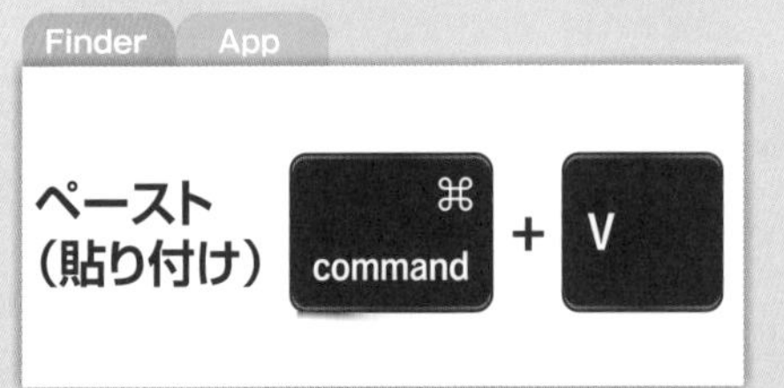

クリップボードの内容を現在操作しているアプリや書類に貼り付ける。Finder内のファイルに対しても使える。

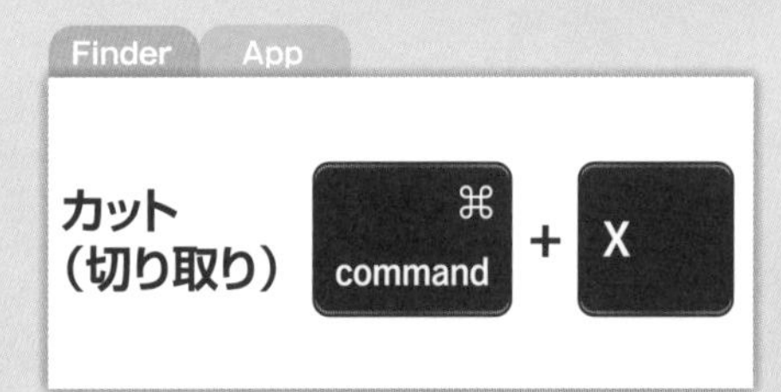

選択している項目やデータを切り取って、クリップボードにコピーする。Finder内のファイルに対しても使える。

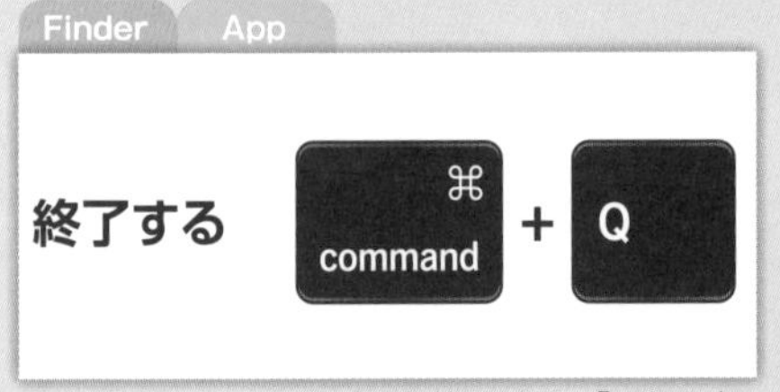

現在起動しているアプリを終了する。「shift」+「command」+「Q」キーでログアウトの操作もできる。

すべての項目を選択する。開いているウインドウ内の全項目や書類の全内容を選択したいときに使う。

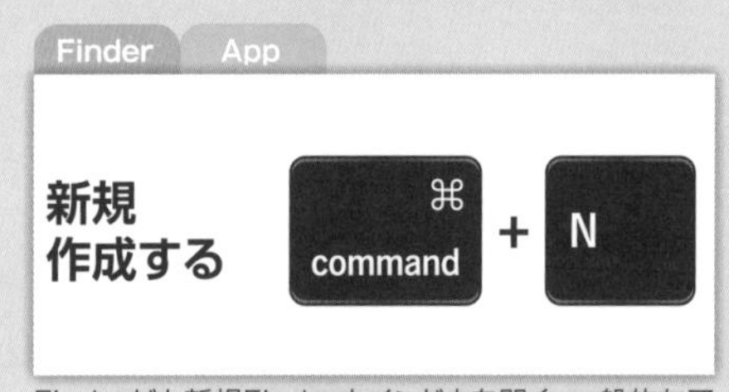

Finderだと新規Finderウインドウを開く。一般的なアプリだと、書類や項目を新規作成する操作となる。

トラックパッドと組み合わせるショートカット

ここでは、クリックやドラッグ操作を組み合わせて使うショートカットを紹介。これもよく使うので覚えておこう。

コンテキストメニュー

Finder / App

+クリック

クリックした場所に応じたコンテキストメニューを表示する（右クリックと同じ）。

複数の項目を選択

Finder

+クリック

ファイルやフォルダを「command」+クリックすることで複数同時に選択できる。

複数の項目を連続選択

Finder

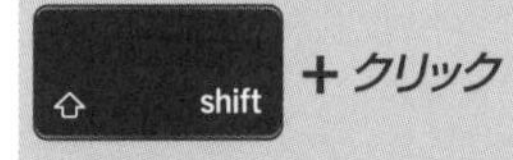

+クリック

リストやカラム表示で、ひとつ前の選択項目からの複数項目を一括選択する。

フォルダを別のタブで開く

Finder

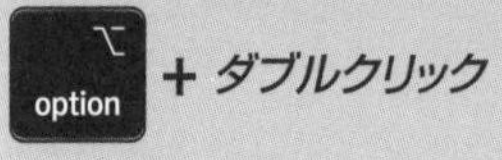

+ダブルクリック

フォルダを「option」+ダブルクリックで開くと、別のタブやウインドウで開ける。

エイリアスを作成

Finder

option + 

+ドラッグ&ドロップ

ファイルやフォルダのエイリアス（ショートカット）を作成する。

項目を複製する

Finder

+ドラッグ&ドロップ

「option」を押しながらファイルやフォルダをドラッグ&ドロップすると複製できる。

知っていると役立つショートカット

Finder

新規フォルダを作成

現在操作している場所に新規フォルダを作成する。デスクトップやFinderウインドウを操作しているとき限定。

Finder

情報を見る

選択したファイルやフォルダの「情報を見る」画面を表示する。ファイルサイズなどの詳細情報を確認できる。

Finder

クイックルック

現在選択中の項目の内容をクイックルックでプレビューする。プレビュー中はカーソルキーの左右で項目を切り替え可能。

Finder

項目をゴミ箱に移動する

現在Finderで選択しているファイルやフォルダをゴミ箱に移動する。この操作は「command」+「Z」で取り消しが可能。

Finder

アプリを切り替える

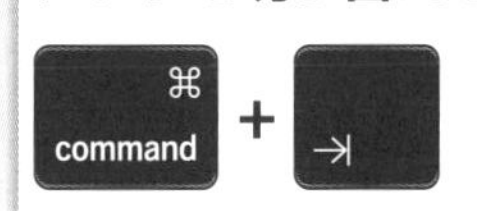

現在開いているアプリの一覧を表示して、上記ショートカットキーを押すごとにアプリを切り替えることができる。

Finder

Spotlight

Spotlight検索を表示／非表示する。MacBook内の項目を検索して探したいときに使うと便利。

Finder

複製する

選択している項目を複製する。コピー&ペーストの操作がひとつのショートカットでできるので覚えておこう。

Finder

ウインドウを最小化する

最前面のウインドウを最小化してDockにしまう。ウインドウを再表示するには、Dock内のウインドウをクリックする。

Finder

強制終了する

「アプリケーションの強制終了」画面を表示する。アプリの動作が固まって強制終了したいときに使う。

Finder

コンピュータを表示

Finderウインドウで「コンピュータ」ウインドウを表示する。

Finder

デスクトップを表示

Finderウインドウで「デスクトップ」を表示する。

POINT

メニューに表示されるショートカットの記号

各種メニューの右端には、その項目を実行するショートカットが表示されている。一部キーは以下のような特殊な記号で表示されるので覚えておこう。

⇧⌘R
⇧⌘K

よく使われるキーの記号

 commandキー

 shiftキー

 tabキー

 optionキー

 controlキー

deleteキー

ファンクションキーも使えば操作をもっと効率化できる

物理ファンクションキーには、以下のように画面の明るさ調整や音量調整など、よく使う機能が割り当てられている。Touch Bar搭載機の場合は、これらの操作をTouch Barで操作可能だ（P50で解説）。また、「fn」キーを押すと、これらのキーはF1～F12の標準的なファンクションキーとしても使える。そのとき、F1～F12の機能は、実行しているアプリや状況によって変わってくる。

物理ファンクションキーで画面の明るさを変えられる

F1やF2を押せば、即座に画面の明るさを調整することが可能だ。音量調整はF11とF12で行える。物理ファンクションキーのキートップには、それぞれの機能がアイコンで描かれているのでチェックしておこう。

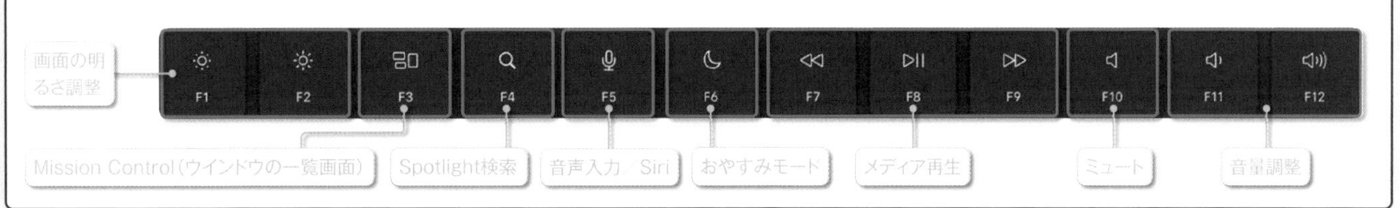

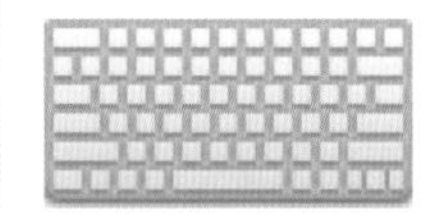

日本語入力や変換の基本操作を覚えよう

文字入力のキーボード操作をマスターしよう

ネットでの検索やメールの文章作成、ファイル名の入力など、文字を入力する機会はとても多い。ここでMacBookのキーボード操作や日本語入力システムの使い方などを学んで、スピーディに文字入力できるようにしておこう。

文字入力の基本操作を身に付けよう

MacBookで文字入力する際、英数字を入力したいときは「英数」キー、日本語を入力したいときは「かな」キーを押してからキーボード入力するのが基本だ。また、macOSの日本語入力システムは、「ライブ変換」という機能により、文字入力中にリアルタイムに変換および確定してくれるのが特徴。変換候補を選んで確定する、という従来の日本語入力時にあった作業がほとんど必要なくなるので、使いこなせばスピーディな文字入力が可能となる。ここでは、文字入力で覚えておきたい基本操作や設定方法を紹介していく。身に付けて文字入力のスキルをアップさせよう。

MacBookにおける日本語入力の基本

リアルタイムに変換してくれる「ライブ変換」機能

「ライブ変換」では、日本語を入力していくと自動的に予測変換が実行されていく。いちいち変換する手間が必要なく、変換精度もかなり高いのでスピーディに文字入力ができる。

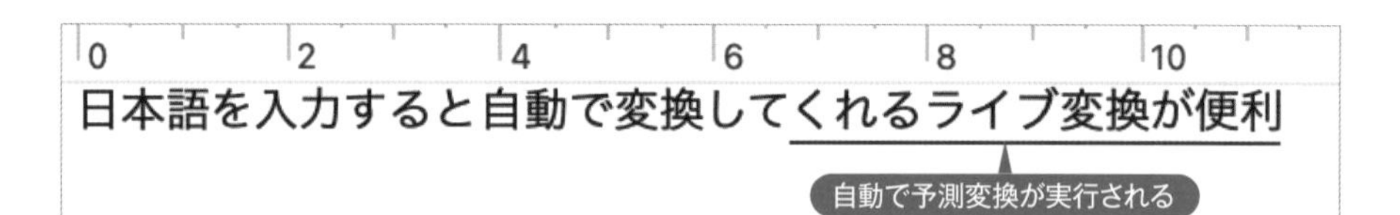

「英数」と「かな」で入力モードを切り替える

文字入力時には、入力したい文字の種類に応じて「英字」や「ひらがな」などの入力モードを選んでおく必要がある。入力モードはキーボードにある「英数」キーと「かな」キーで切り替えが可能だ。なお、初期状態では「カタカナ」の入力モードは有効になっていない。利用するには、システム環境設定で日本語の入力ソースの設定が必要だ(下の記事で解説)。

キーボードで入力モードを切り替えられる

「英数」キーを押せば英字入力モード、「かな」キーを押せばひらがな入力モードになる。システム環境設定のキーボード設定でカタカナ入力を有効にしてあれば、「shift」+「かな」キーでカタカナ入力も可能だ。

ステータスメニューからも切り替えが可能

メニューバーの右上には、現在の入力モードがアイコン表示される。クリックするとメニューが表示され、直接入力モードを選ぶことが可能だ。また、文字入力に関する設定などもここから行える。

キーボード設定で入力ソースの設定を行う

カタカナを入力したいとき、多くの場合はライブ変換で自動的に変換される。とはいえ、最初からカタカナで入力したいという場合は、カタカナの入力モードを有効にしておくといい。システム環境設定の「キーボード」から「入力ソース」画面で入力モードの設定をしておこう。また、macOSでは、日本語入力にローマ字入力を使うか、かな入力を使うかを選択することができる。標準設定ではローマ字入力だ。かな入力に変えたい場合は、同様に入力ソースの設定画面でかな入力を追加しておこう。

1 日本語のカタカナ入力を有効にする

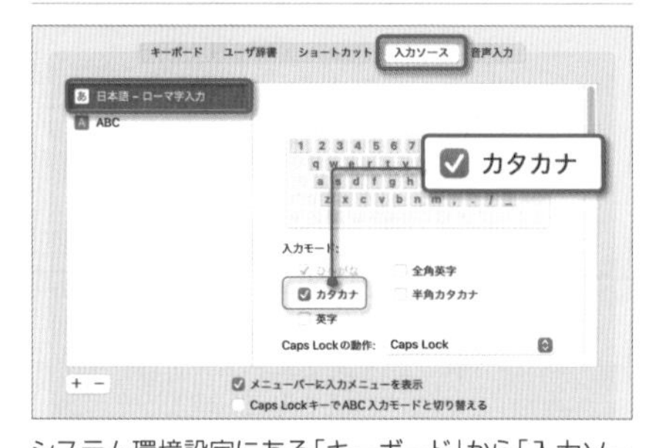

システム環境設定にある「キーボード」から「入力ソース」画面を表示。画面左側の入力ソース一覧から「日本語-○○○入力」をタップしたら、「カタカナ」にチェックを入れておこう。これでカタカナの入力モードが使えるようになる。

2 ローマ字入力ではなくかな入力を使う場合

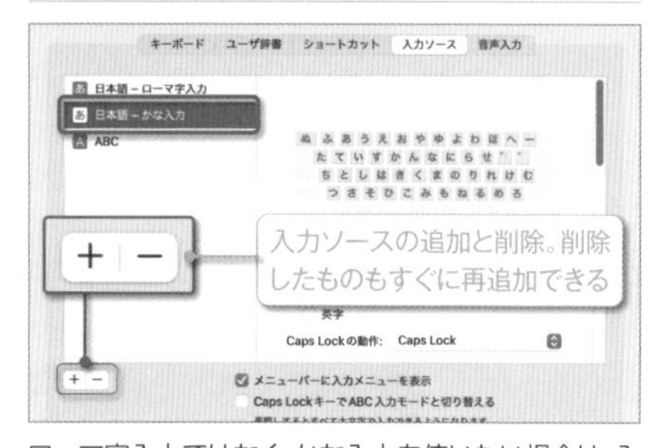

ローマ字入力ではなく、かな入力を使いたい場合は、入力ソースの設定画面で「+」をクリック。「日本語-かな入力」を追加しておこう。ローマ字入力が不要なら、「日本語-ローマ字入力」を選択した状態で「−」をクリックすれば、その入力ソースを削除できる。

日本語を入力する基本操作

日本語を入力する場合は、まず「かな」を押してかな入力モードに切り替えよう。あとは、以下のような操作で文字を入力して変換していけばいい。

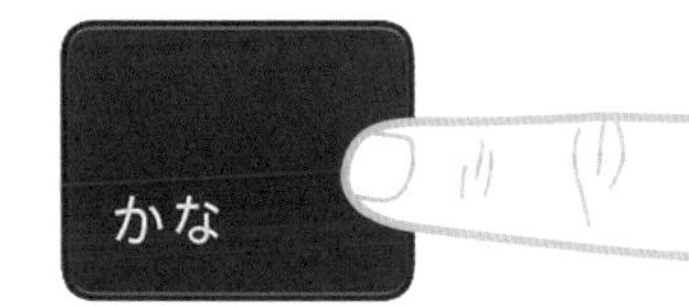

日本語入力時のキーボード操作

ローマ字入力の場合

ローマ字入力の基本

文字

ローマ字入力時にキーボードを押すと、キートップの左側に印字された文字が入力される。「かな」キーを押して上のように入力すれば「文字」と変換可能だ。

句読点、中黒(・)、鉤括弧を入力する

、。・「」

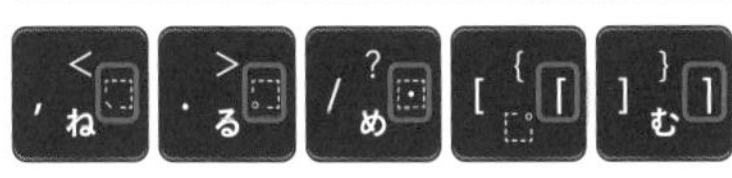

句読点、中黒(・)、鉤括弧を入力する場合は、上で示したキーを押そう。これらのキーは、日本語入力時のみ、キートップの右側に印字された文字が入力できる。

記号を入力する際はshiftキーを押す

ありがとう！

「shift」を押しながらキーを押すと、キートップの上側に印字された文字が入力できる。「!」や「?」、「&」などの記号を入力する場合に使える。

濁音や促音、拗音などを入力する

一発退場っ

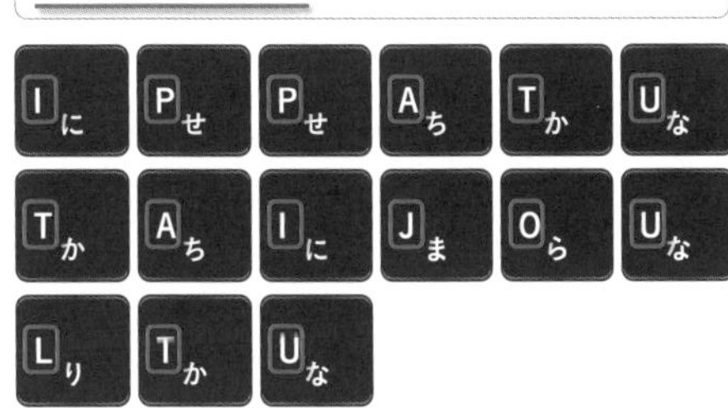

濁音や半濁音、促音、拗音などはローマ字のルールに則って入力する。なお、小さい「っ」や「ぁ」などを単体で入力したい場合は、「LTU」や「LA」のように「L」のあとに文字を入力するといい。

かな入力の場合

かな入力の基本

文字

かな入力時にキーボードを押すと、キートップの下側に印字された文字が入力される。「かな」キーを押して上のように入力すれば「文字」と変換可能だ。

濁音、半濁音などを入力する

ガパオ

かな入力時に濁音、半濁音を入力するには、上で示したように通常の文字のあとに濁音／半濁音キーを押す。

shiftキーで句読点、促音などを入力

、。・「」あうえおやゆよっ

かな入力時に「shift」キーを押しながら文字キーを押すと、キートップの右側に印字された文字が入力できる。句読点、中黒(・)、鉤括弧、促音、拗音などが入力可能だ。

数字や記号を入力する

123!”#

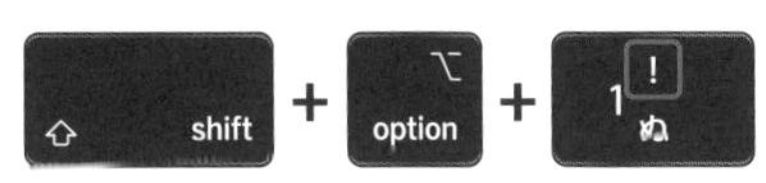

かな入力時に「option」キーや「shift」キーと文字キーを組み合わせると、数字や記号を入力することが可能だ。

変換を確定するにはreturnキーを押す

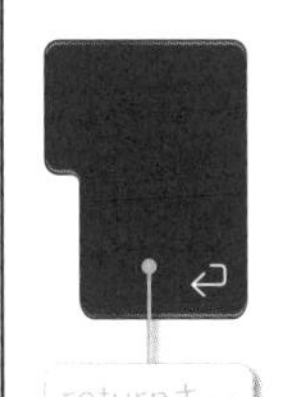

ライブ変換が有効であれば、日本語を入力していくと順次変換および確定が行われていく。途中で変換を確定する場合は「return」キーを押そう。

スペースキーでほかの変換候補を表示

ほかの変換候補を表示したい場合はスペースキーを押そう。スペースキーやカーソルキーで候補を選んで「return」キーで変換を確定できる。

deleteキーで文字を削除する

カーソル前の1文字を削除する

カーソル後の1文字を削除する

間違えて入力した文字を消したいときは、「delete」キーを押せばいい。カーソル前の1文字を消すことができる。なお、「fn」+「delete」キーでカーソル後の1文字を削除可能だ。

英字を入力する基本操作

英数字を入力する場合は、「英字」を押して英字入力モードに切り替えておこう。あとは、以下のような操作で文字を入力していけばいい。

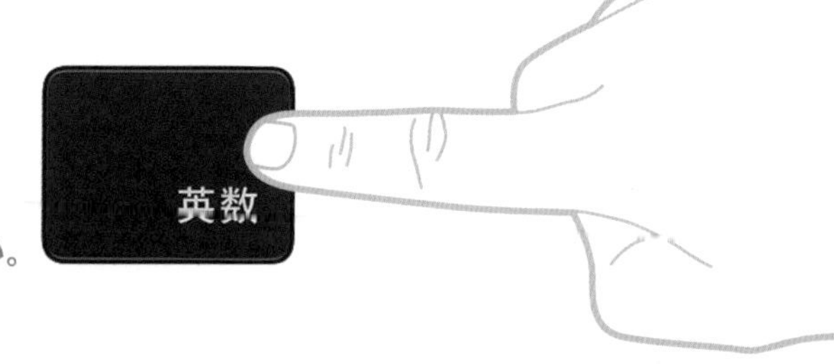

英字入力時のキーボード操作

英字入力の基本

「英数」を押して英字入力モードした場合、キートップの左側に印字された文字が入力される。なお、英字入力では、リアルタイムにスペルチェックおよび予測変換などが実行され(これを「オートコレクト」機能と呼ぶ)、入力中に変換候補が表示されるのが特徴だ。

オートコレクト機能をオフにする場合

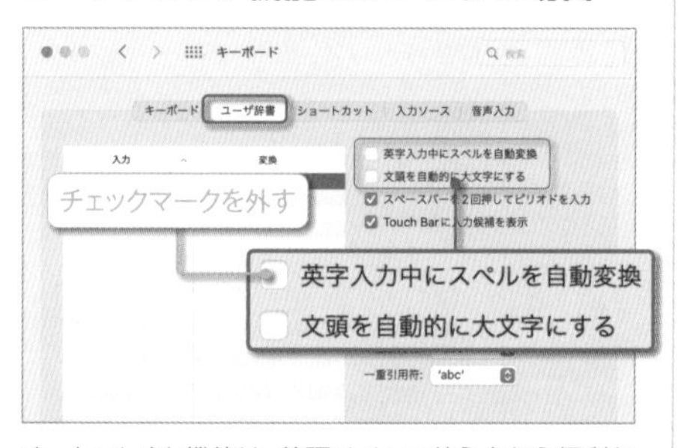

オートコレクト機能は、英語メインで使う人なら便利なのだが、日本語中心で使う人やプログラムのコードを書く人には、逆に邪魔になることが多い。機能をオフにしておきたい場合は、Appleメニュー→「システム環境設定」→「キーボード」で、「ユーザ辞書」を表示し、上の2つのチェックを外しておこう。

オートコレクト機能の使い方

英字入力中にオートコレクト機能が働いた場合、そのまま「スペース」キーや「return」キーを押す、または「.(ピリオド)」などの区切りを入力すれば、入力したものが自動修正される(候補が複数ある場合は、最初のものが選ばれる)。オートコレクトを適用しない場合は、候補が表示された状態で「esc」キーを押そう。

オートコレクトを取り消す

オートコレクトで修正された青点線部分にカーソルを挿入すると、修正前の文字列が表示され、元の状態に戻すことができる。

数字を入力する

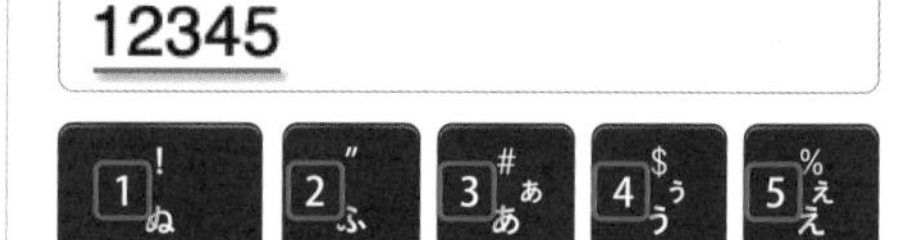

数字を入力したい場合は、数字の描かれたキーをそのまま押せば入力される。

記号を入力する際はshiftキーを押す

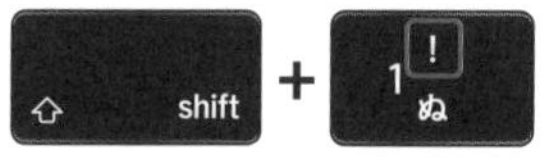

「shift」キーを押しながらキーを押すと、キートップの上側に印字された文字が入力できる。「!」や「?」、「&」などの記号を入力する場合に使える。

特殊な記号を入力する

「option」キーを押しながらキーを押すと、キートップには描かれていない特殊な記号を入力できる。基本的にはあまり使わないが、これも覚えておこう。

POINT

他社製の日本語入力システムをインストールして使う

macOSでは、標準の日本語入力システム以外にも、「Google日本語入力(無料)」や「ATOK(有料)」など他社製の日本語入力システムを別途インストールすることが可能だ。日本語入力システムは複数共存することができ、メニューバーから入力モードを選ぶことで切り替えができる。macOS標準の日本語入力システムに不満があれば、他社製のものも試してみよう。

他社製の日本語入力システムに切り替える

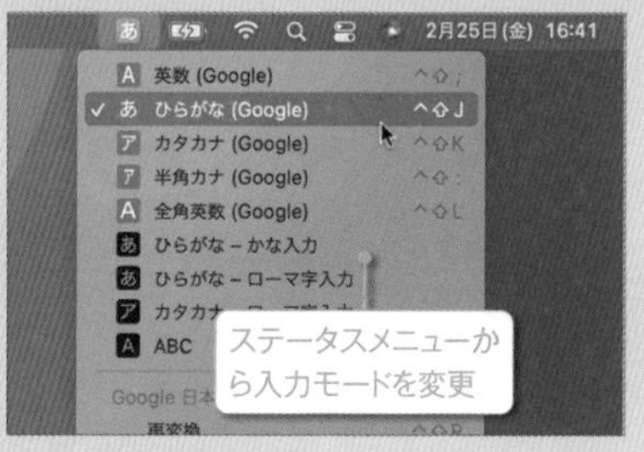

他社製の日本語入力システムを導入したら、上のようにメニューを表示。使いたい日本語入力システムの入力モードに切り替えよう。

現在インストールしている日本語入力システムを確認する

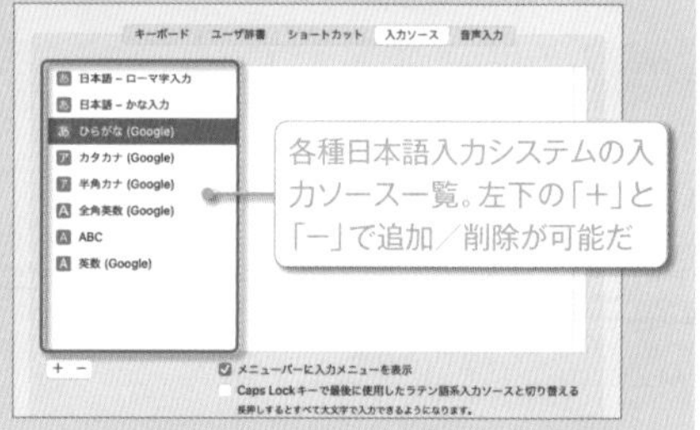

「システム環境設定」→「キーボード」→「入力ソース」を表示すると、現在導入されている日本語入力システム(入力ソース)が確認できる。

覚えておきたい文字入力の操作&設定

ここでは、半角カタカナの入力方法やユーザ辞書の設定方法などを紹介しておく。
自分の思った通りに入力できるように、文字入力の設定を調整しておこう。

カタカナに変換する

朝の体操
浅野体操
朝の体操服
control + K
アサノタイソウ

日本語入力中に自動変換が適用されている部分(アンダーラインが付いている場所)をすべてカタカナに変換したい場合は、「control」+「K」キーを押せばいい。

ライブ変換を無効にする

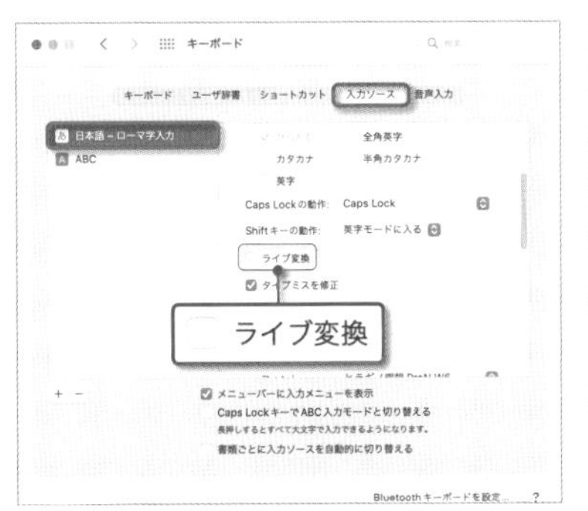

日本語入力時のライブ変換機能をオフにしたい場合は、「システム環境設定」→「キーボード」から「入力ソース」の「日本語-〇〇〇入力」にある「ライブ変換」のチェックを外せばいい。

Windows風のキー操作にする

「システム環境設定」→「キーボード」→「入力ソース」→「日本語-〇〇〇入力」→「Windows風のキー操作」をオンにすると、日本語入力時のキー操作がWindows風になる。macOSでは文字変換の候補を選ぶ際、returnキーを2回押さないと確定しないが、これを1回で確定することが可能だ。また、ファンクションキーでの半角カタカナ変換(F8)などもできるようになる。

半角カタカナを入力する

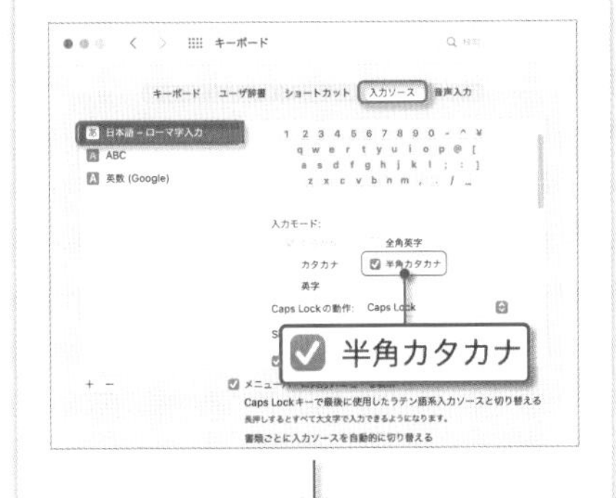

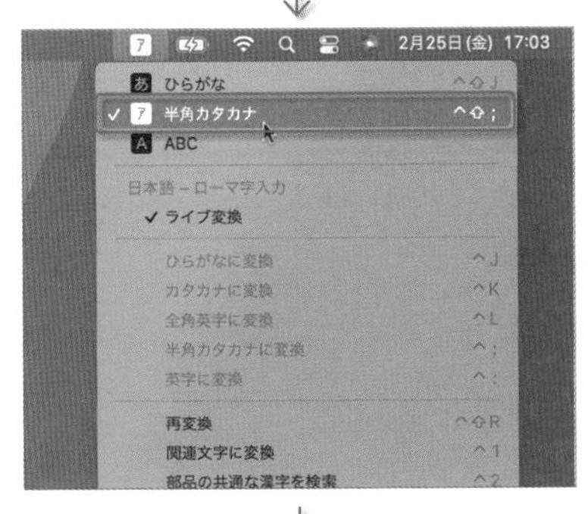

ﾊﾝｶｸ ﾃﾞ ﾆｭｳﾘｮｸ

半角カタカナを入力したい場合は、「システム環境設定」の「キーボード」を表示し、「入力ソース」→「日本語-〇〇〇入力」をクリックし、「半角カタカナ」にチェックを入れよう。あとは、メニューバーから入力モードを「半角カタカナ」に切り替えて文字入力すればいい。

ユーザ辞書を登録する

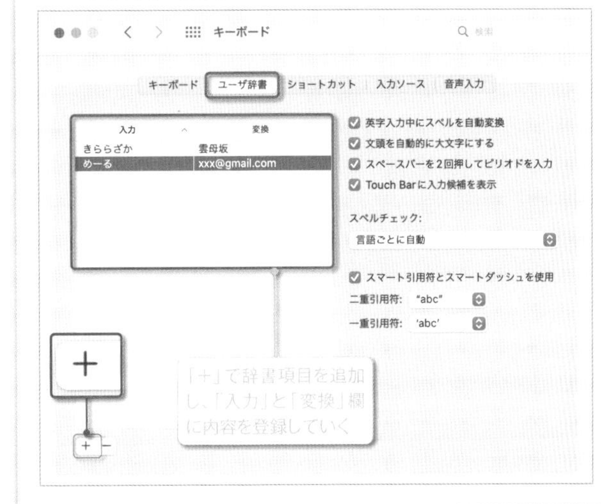

変換しにくい用語や名称などがあれば、ユーザ辞書に登録しておこう。ユーザ辞書の編集は、まず「システム環境設定」→「キーボード」から「ユーザ辞書」の画面を表示。画面左下の「+」ボタンを押して辞書の項目を追加すればいい。「入力」欄によみ、「変換」欄に変換したい文字列を登録しておこう。たとえば、入力欄に「めーる」、変換欄によく使うメールアドレスを登録すれば、「めーる」と入力するだけでそのメールアドレスに変換されるようになる。なお、iCloud Driveが有効であれば、ユーザ辞書の内容をiPhoneやiPadと同期することが可能だ。

文字を再変換する

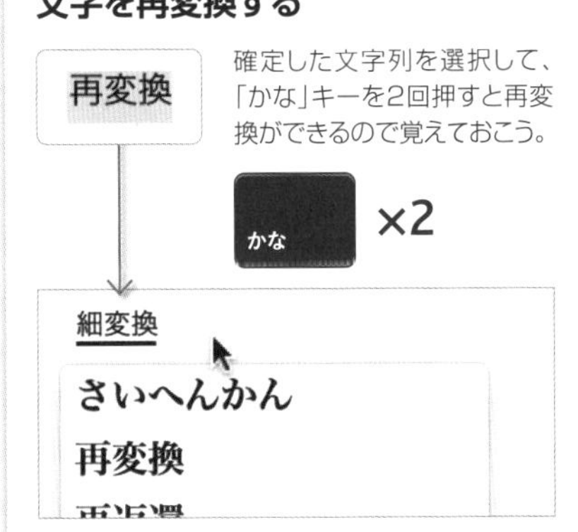

確定した文字列を選択して、「かな」キーを2回押すと再変換ができるので覚えておこう。

変換候補の書体を変更する

書体を変更
所帯を変更
諸隊を変更
フォントを変更できる

日本語入力時に表示される候補の書体は、標準設定だと「ヒラギノ明朝」が使われている。この書体を変更したい場合は、「システム環境設定」→「キーボード」→「入力ソース」の「日本語-〇〇〇入力」にある「候補表示:」のフォント設定を変えればいい。好みに応じて見やすいものにしておこう。

各種アプリを使いこなすための基礎知識

アプリの起動から終了までの基本操作を覚える

ここでは、アプリを開く、アプリを終了する、ファイルを開くなど、各種アプリケーションを扱う上で必要となる重要な基本操作を解説。アプリのランチャーであるDockやLaunchpadの使い方もしっかり身に付けておこう。

MacBookでアプリを使うために

MacBookで文章を作成したり、Webサイトを閲覧したりなど、さまざまな作業を実現するのが「アプリケーション(App)」だ。ここでは、アプリの起動や終了方法など、基本的な操作について紹介していく。まず覚えておきたいのはアプリを起動する方法だ。アプリを起動するには、「Dock」か「Launchpad」内にあるアプリのアイコンをクリックしよう。これでアプリが起動し、デスクトップにアプリウインドウが表示される。そのほかにも、アプリを開く方法はいろいろあるので確認しておこう。Dockのカスタマイズ方法やファイルの開き方の解説も要チェックだ。

アプリの基本的な起動方法

Dockからアプリを起動する

Dockに並んでいるアプリアイコンをクリックすれば、そのアプリが起動する。Dockは、頻繁に使うアプリを登録しておく場所なので、自分でカスタマイズして使いやすくしておこう。

Launchpadからアプリを起動する

Dockにある「Launchpad」を起動すると、現在MacBookに導入されているすべてのアプリが表示される(初期状態の場合)。ここから好きなアプリが起動可能だ。

DockにLaunchpadがない場合は?

DockにLaunchpadが表示されていない場合は、アプリケーションフォルダ(下のPOINT参照)を開き、Launchpadの本体をDockに追加しておこう。Dockへのアプリ追加方法は次ページで解説している。

POINT　アプリの本体はすべて「アプリケーションフォルダ」にある

Finderのメニューバーから「移動」→「アプリケーション」を選択すると、「アプリケーション」フォルダが開く。macOSでは、ほぼすべてのアプリがこのフォルダにインストールされる。DockやLaunchpadに表示されているアプリの本体はここにあるのだ。

Dockを使いやすくカスタマイズしよう

Dockの基本構造について

Dockの初期状態では、以下のような構成になっている。左側から順にFinderや各種アプリなどが配置され、右側には最近使ったアプリやDockにしまったウインドウ、ゴミ箱などが表示される。

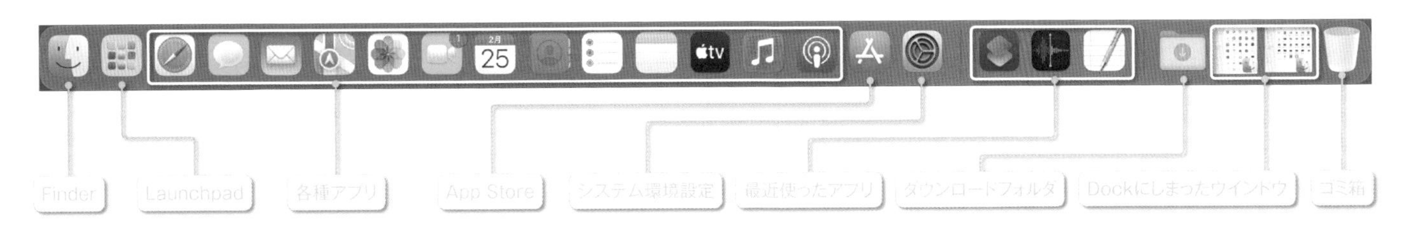

よく使うアプリをDockに配置しよう

Dockにアプリを登録したい場合は、アプリケーションフォルダなどからアプリをドラッグ&ドロップすればいい。また、Dockからアプリを削除する場合は、アプリアイコンをDock外へドラッグ&ドロップすればOKだ。

アプリをDockに追加する

Dockにアプリを追加したい場合は、アプリをDock内にドラッグ&ドロップすればいい。「アプリケーション」フォルダから、よく使うアプリを登録しておこう。

Dockのアプリを削除する

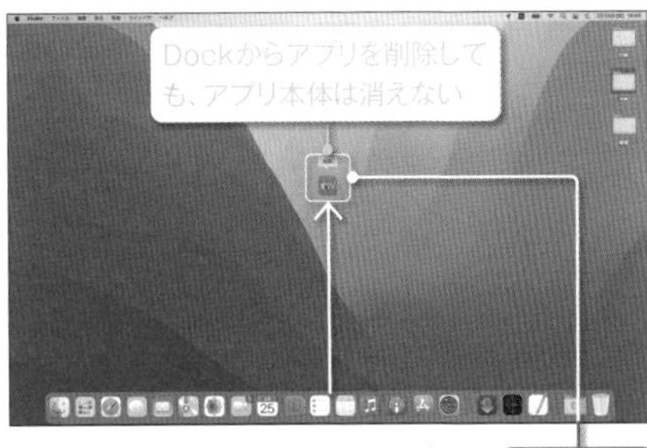

Dockから削除したいアプリがある場合は、アプリアイコンをDock外(デスクトップ中央辺り)にドラッグし、「削除」と表示されたらドロップすればいい。

Dockのアプリを並べ変える

Dock内のアイコンはドラッグ&ドロップで並べ替えができる。使いやすい順番に並べ替えておこう。なお、Finderとゴミ箱のアイコンはDockの両脇に位置が固定されており、並べ替えや削除が行えない。

Dockの表示スタイルを設定

Appleメニュー→「システム環境設定」→「Dockとメニューバー」で、Dockの表示設定が可能だ。サイズや拡大表示などの各種設定を好みに応じて変えておこう(P023で詳しく紹介)。

Launchpadを使いやすくカスタマイズしよう

アプリの整理方法を知っておこう

Launchpadでは、新しいアプリをインストールすると、そのアイコンが逐一登録されていくようになっている。アプリの数が多くなってくると、どこにどのアプリがあるかがわかりにくくなるので、フォルダ分けやページ分けなどで整理していこう。

アプリをフォルダ分けする

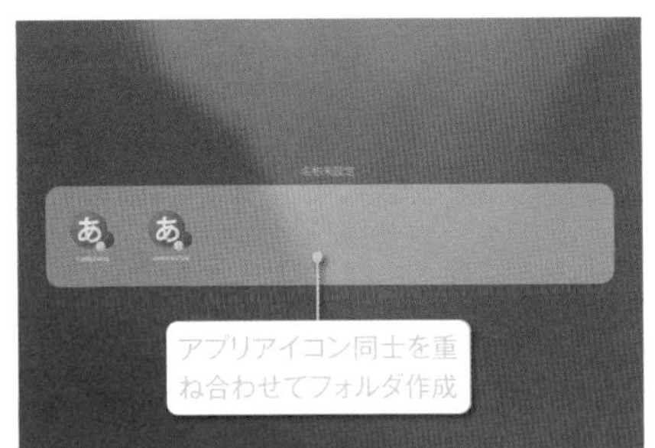

Launchpadのアプリをドラッグして別のアプリに重ねてドロップすると、フォルダが作成される。わかりやすいフォルダ名を付けて整理しておこう。

アプリを別のページに移動する

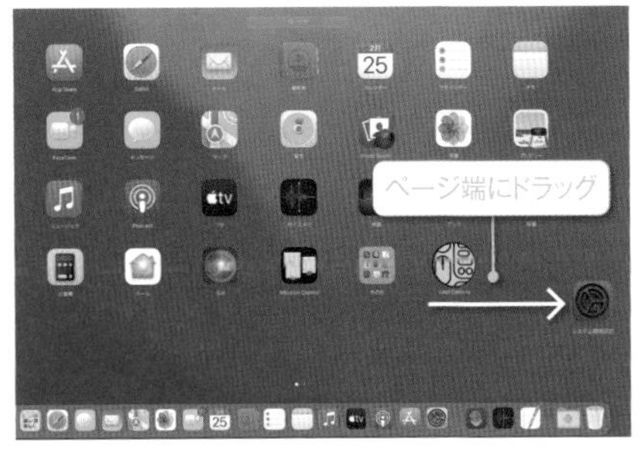

アプリアイコンを画面の右端にドラッグすると、別のページにスクロールして切り替わる。複数のページを作って、アプリを分類しておくと使いやすくなる。

アプリの追加と削除方法

Launchpadには、App Storeからダウンロードしたアプリ、またはインストーラーを使ってFinderの「アプリケーション」フォルダにインストールされたアプリが自動的に追加されるようになっている。Launchpadに追加されていないアプリがある場合は、アプリをアプリケーションフォルダ内にドラッグすればいい。また、Launchpadからアプリを削除する場合は、Launchpadのアプリアイコンを長押ししよう。アイコンが揺れ始めたら、削除したいアプリの「×」マークをクリック。これでアプリがLaunchpadだけでなく、macOSからも削除される。なお、「×」マークが表示されないアプリは削除できない。

起動したアプリの基本操作と終了方法

アプリの起動から終了までの流れ

それでは、実際にアプリを起動してみよう。アプリを起動すると、デスクトップ上にアプリウインドウが表示される。アプリの操作は、基本的にこのアプリウインドウとアプリケーションメニューで行う。アプリを終了する場合は、アプリケーションメニューから「○○○(アプリ名)を終了」を選んで終了させておこう。

1 アプリをDockなどから起動する

アプリの起動から終了までの流れを紹介しておこう。まず、Dockなどからアプリを起動する。ここではWebブラウザアプリの「Safari」を起動してみる。

2 アプリウインドウが表示される

アプリ(Safari)が起動し、デスクトップ上にアプリウインドウが表示された。上は、キーワード検索でAppleの公式サイトを検索して表示させた状態だ。

3 アプリケーションメニューから終了する

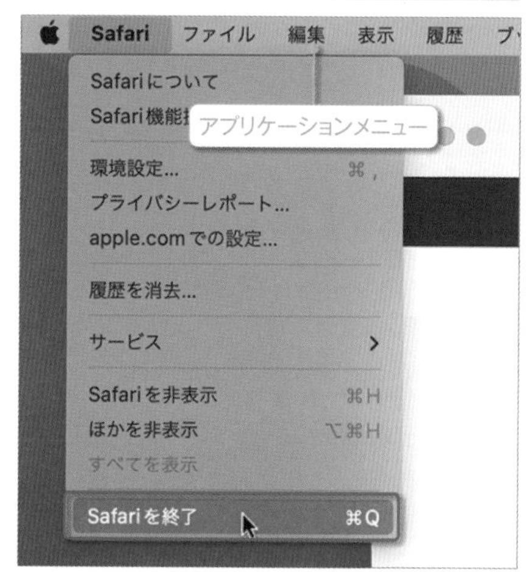

アプリを終了する場合は、アプリケーションメニューのアプリ名(ここでは「Safari」)をクリックして、「○○○(アプリ名)を終了」を選択する。アプリウインドウを閉じただけはアプリが終了しないので注意(下記事参照)。

アプリウインドウをDockにしまう

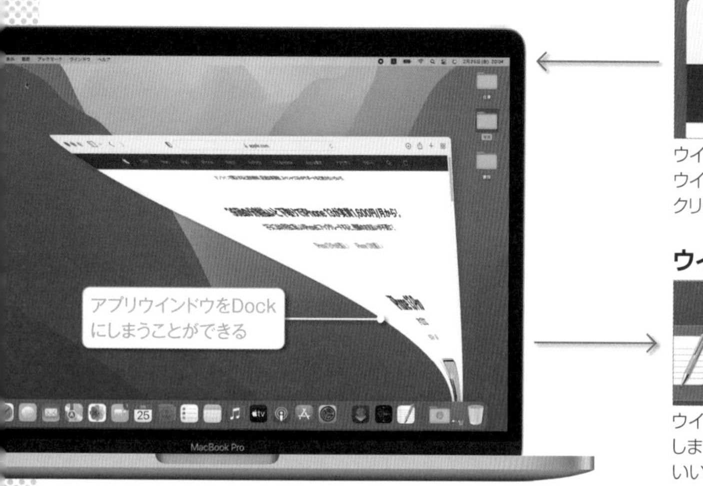

しまうボタンをクリック

ウインドウを一時的に隠したいときは、ウインドウ左上にある黄色のボタンをクリックしよう。

ウインドウを元に戻す

ウインドウをDockから出す場合は、しまったウインドウをクリックすればいい。

ウインドウを閉じてもアプリは終了していない

Windowsの場合、アプリウインドウを閉じるとアプリ自体も終了するが、macOSの場合、アプリウインドウを閉じてもアプリ自体は終了しない。ちなみに、Dockのアイコン下にインジケーター(黒丸)が表示されているアプリは、まだ起動中だ。

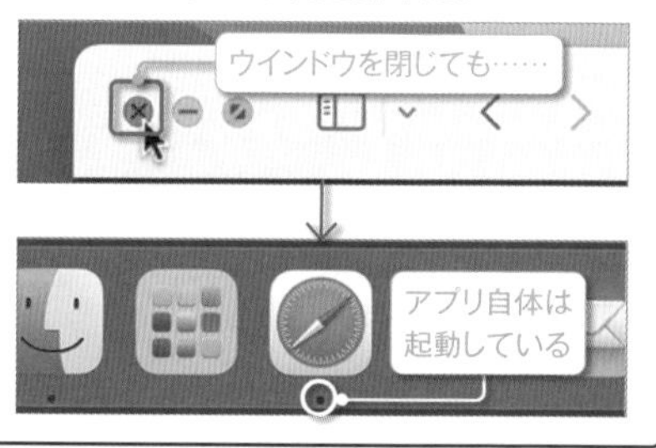

POINT

操作しているアプリによりアプリケーションメニューの内容が切り替わる

macOSでは、アプリウインドウを操作(最前面に表示)すると、アプリケーションメニューの内容がそのアプリのものに切り替わる仕組みだ。Windowsにはない仕様なので、Windowsからの乗り換えユーザーは、この仕組みに慣れておこう。

macOSのアプリケーションメニュー

macOSでは、画面の最上部にアプリケーションメニューが表示される。現在操作しているアプリごとにアプリケーションメニューの内容が切り替わる仕組みだ。

Windowsのアプリケーションメニュー

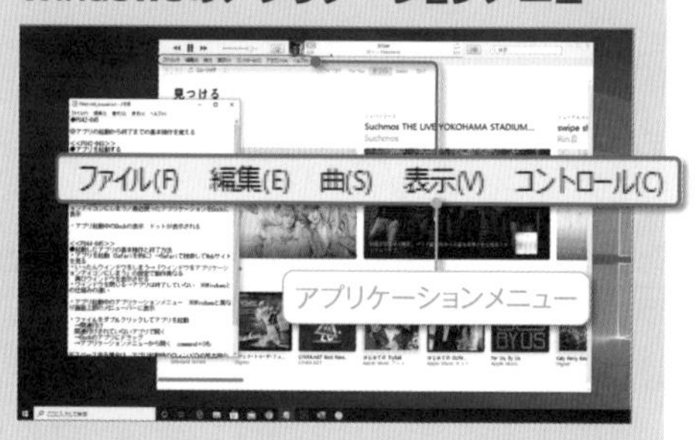

Windowsでは、アプリの各ウインドウ上部にアプリケーションメニューが表示される。アプリの操作をすべてアプリウインドウ内で完結できるのが特徴だ。

ファイルからアプリを起動する方法

ファイルの開き方にはいろいろ方法がある

ファイルをアプリで開きたい場合は、基本的にそのファイルをダブルクリックすればいい。これでファイルに関連付けられたアプリが起動する。なお、そのファイルをダブルクリックした際に開くアプリは「情報を見る」ウインドウで変更することが可能なので覚えておこう。

ファイルを開くと関連付けられたアプリで起動する

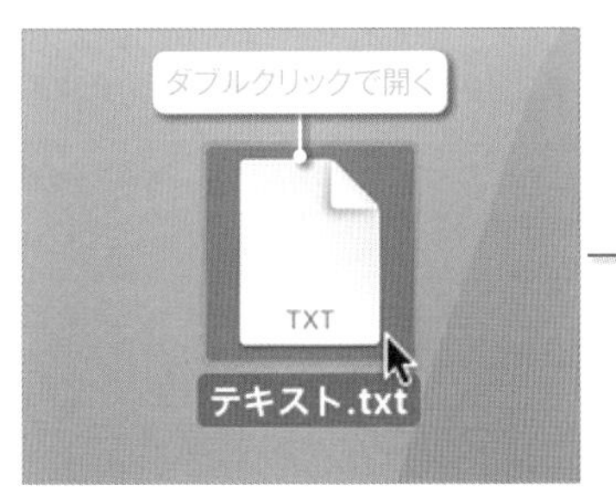

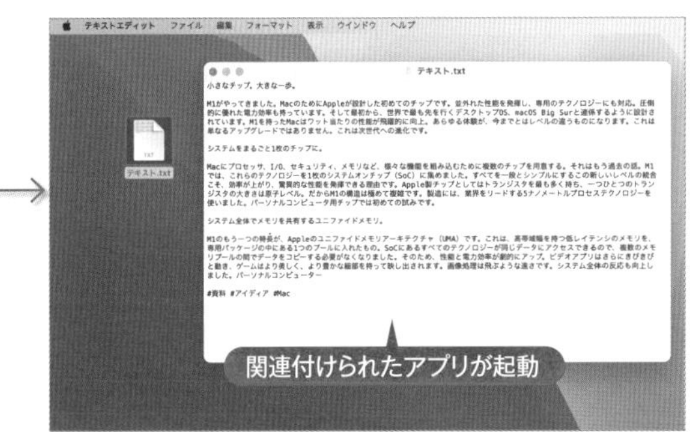

ファイルをダブルクリックすると、関連付けられたアプリが起動し、ファイルの内容が開く。

開くアプリを設定する

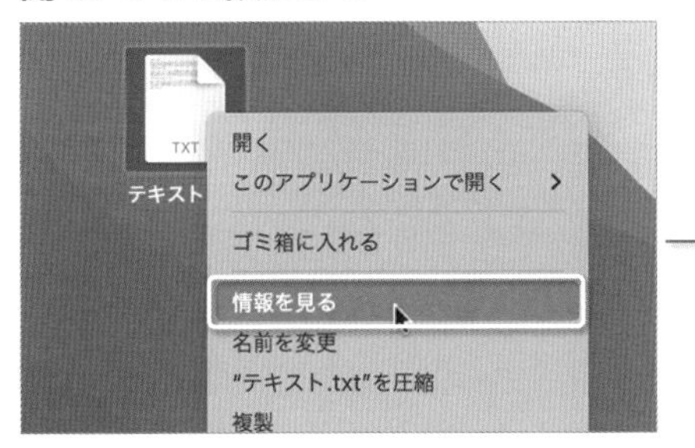

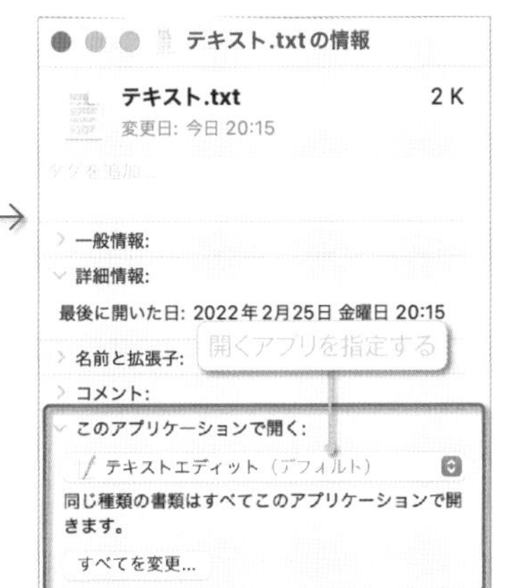

ファイルをダブルクリックで開く際に起動するアプリは変更することが可能だ。ファイルを右クリックして「情報を見る」から「このアプリケーションで開く」のアプリを変更しよう。そのファイル限定で開くアプリが変わる。また、「すべてを変更」をクリックすると、そのファイル形式全体がそのアプリに関連付けられる。

アプリアイコンにファイルをドラッグ&ドロップ

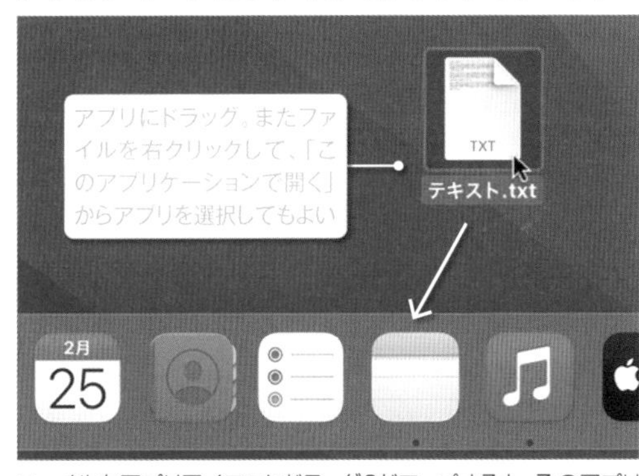

ファイルをアプリアイコンにドラッグ&ドロップすると、そのアプリでファイルを開ける。関連付けられていないアプリでファイルを開きたいときに使ってみよう。

そのほかのファイルを開き方

アプリからファイルを開く方法

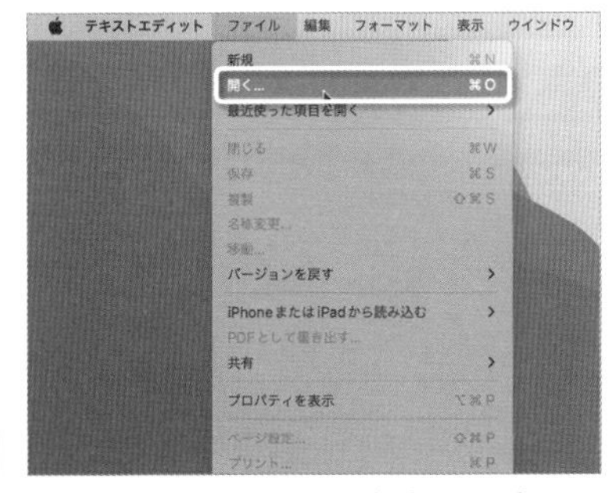

すでにアプリを起動している場合は、アプリのアプリケーションメニューにある「ファイル」→「開く」から、開くファイルを指定することが可能だ。

ファイルを選択して開く方法

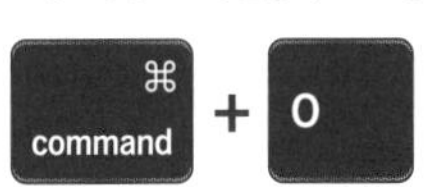

また、ファイルを選択した状態で「command」+「O」キーのキーボードショートカットを押すと、そのファイルを開くことができるので覚えておこう。

POINT アプリをフルスクリーンで起動する

アプリウインドウ左上の緑色のボタンを押すと、アプリがフルスクリーン表示に切り替わる。フルスクリーン時は画面最上部のメニューバーも消えるが、マウスポインタを画面最上部に移動すると表示される。また、フルスクリーンを解除したい場合は、画面左上にマウスポインタを移動させ、再び緑色のボタンを押せばいい。

アプリの導入と管理方法を理解しておこう

アプリのインストールとアンインストールの操作手順

macOS用アプリには、仕事に便利なツールや楽しいゲームなど多種多様なアプリが配信されている。ここでは、各種アプリのインストール方法やアンインストール方法、アップデート方法などを詳しく解説していく。

Mac用アプリには2つの種類がある

macOSには、「App Store」と呼ばれる公式のアプリストアが用意されている。スマホやタブレットのアプリストアと同じように、キーワード検索やカテゴリー覧などから目的のアプリを探し、気になったものをすぐにダウンロードしてインストールすることが可能だ。また、App Storeを介さないアプリも数多く存在しており、その場合はインストール方法がアプリによって異なる。なお、M1などのAppleシリコンを搭載したMacでは、アプリインストール時に「Rosetta 2」のインストール画面が表示されることがある。これに関してはP049で解説しているのでチェックしよう。

App Storeからアプリをインストールする

App Storeで無料のアプリを入手する

まずは、「App Store」でアプリをインストールする方法を紹介しておこう。App Storeは、Appleメニューや Dockから呼び出すことができる。初めてApp Storeを使う人は、無料のアプリをインストールして、使い方の流れを把握しておくといい。

1 Appleメニューから「App Store」を起動する

App Storeを起動するには、Appleメニューにある「App Store」を選択しよう。なお、DockやLaunchpadなどからApp Storeを起動してもOKだ。

2 App Storeの画面で目的のアプリを探してみよう

検索欄
アプリをキーワード検索できる。アプリ名や機能などで検索するといい。また、英語でも検索すると、海外製の優秀なアプリも見つけられる(キーワード例:「タスク管理」、「task」、「to do」)

サイドバー
やりたいことやカテゴリなどからアプリが探せるメニュー。なお、「Arcade」は月額600円で100本以上の最新ゲームが遊び放題になるサービスだ

これでApp Storeが起動する。画面左側にあるキーワード検索欄やサイドバーから目的のアプリを探していこう。

3 インストールしたいアプリを探して「入手」をクリック

App Storeで目的のアプリを見つけたら、内容紹介や評価などをチェック。無料アプリの場合は、「入手」→「インストール」でダウンロードが始まる。

4 Apple IDにサインインする

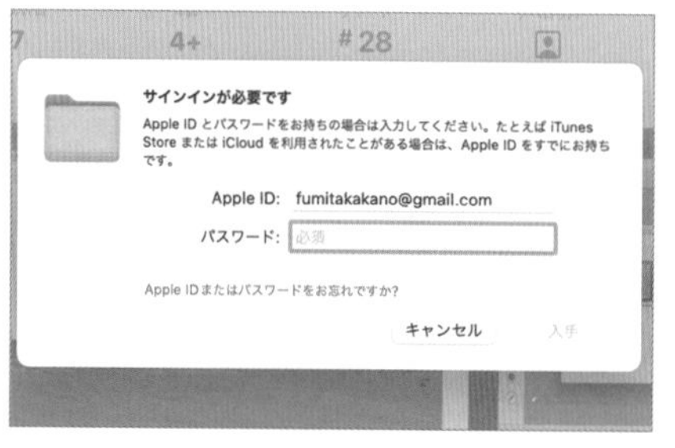

場合によっては、アプリのダウンロード前にApple IDへのサインインが求められる。上の画面が表示されたらApple IDとパスワードを入力しておこう。

5 ダウンロードが完了するとLaunchpadに登録される

アプリのダウンロードとインストールが完了すると、Launchpadにアプリが登録される。起動したいときはここから起動しよう。

App Storeから有料アプリを購入してインストールする

App Storeで有料のアプリを入手する

App Storeで有料アプリを購入するには、アプリの価格ボタンを押して認証を済ませればいい。ダウンロードが完了したら、あとはLaunchpadから起動しよう。なお、アプリを購入するには、あらかじめApple IDにクレジットカードなどの支払い情報を登録しておく必要がある。

1 インストールしたいアプリを探して価格ボタンをクリック

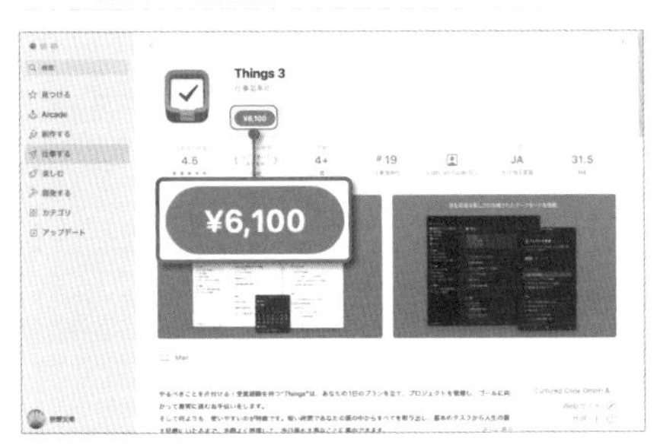

App Storeでボタンに価格が書かれているアプリは有料アプリだ。購入する場合は、価格ボタンをクリック→「APPを購入」をクリックしよう。

2 認証を済ませてアプリを購入する

購入時はアカウントの認証が必要になる。Touch IDかパスワード入力で認証を済ませよう。認証後、「購入する」をクリックすればダウンロードが始まる。

App内課金について

「入手」もしくは価格ボタンの近くに「App内課金」と記載されたアプリは、アプリ内で課金要素があることを示している。多くの場合、課金することで新しい機能やコンテンツを追加することが可能だ。購入にはApple IDの支払い情報が使われるため、手軽に購入することができる。

POINT 支払い方法を追加しておく

App Storeで有料アプリを購入するには、Apple IDへの支払い情報登録が必要。App Store画面左下のユーザー名部分をクリックし、続けて画面右上の「情報を表示」をクリック。アカウント情報画面で「お支払い情報を管理」を開き、クレジットカード情報などを登録しよう。

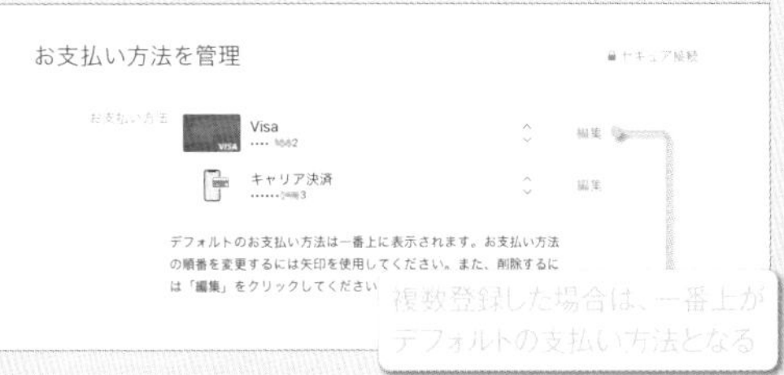

iPhoneやAndroidスマホの利用料と合算して支払える「キャリア決済」も利用可能だ。「お支払い方法追加」画面で、アンテナマークを選べばよい。

App Storeのアプリをアップデート／アンインストールする

アプリのメンテナンスを行っておこう

App Storeで公開されているアプリは、不具合の修正や新機能の追加などで新しいバージョンが配信されることがある。その際、アプリのアップデートは自動もしくは手動で行うことが可能だ。また、使わなくなったアプリをアンインストールしたい場合は、Launchpadから削除すればいい。なお、有料アプリをアンインストールしても、再インストール時は無料で入手できるので安心してほしい。

アップデートがバッジで通知される

アップデートが配信されたアプリの数が、このようにApp Storeアプリにバッジ表示される。

アプリのアップデート

1 自動アップデートを有効にしておこう

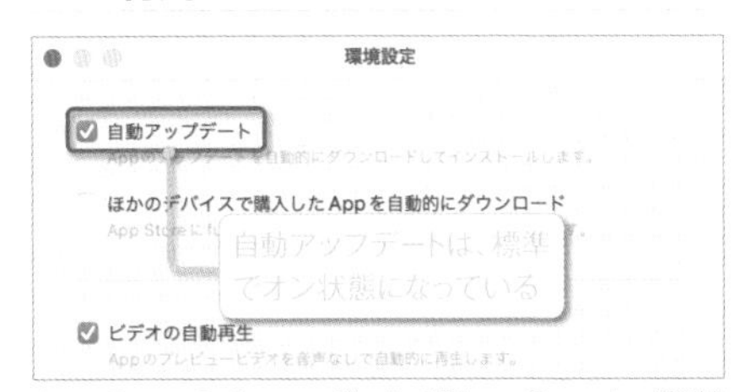

App Storeのメニューバーから「App Store」→「環境設定」を表示したら、「自動アップデート」を有効にしておく。これで自動的にアプリがアップデートされる。

2 手動でアップデートする場合

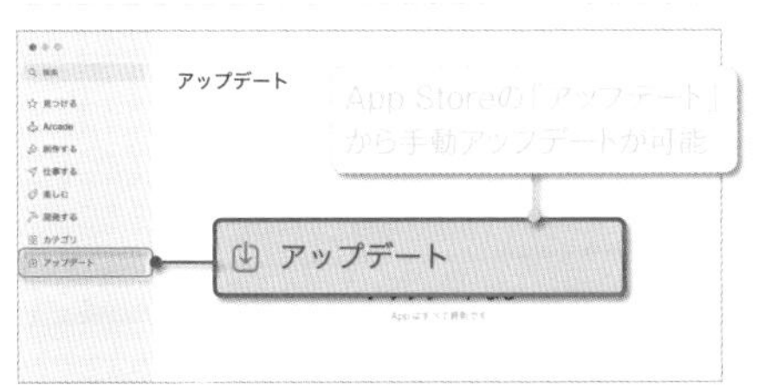

手動でアップデートを行いたい場合は、自動アップデートを無効にして、App Storeアプリのサイドバーにある「アップデート」から行おう。

アプリのアンインストール

1 Launchpadで「×」をクリック

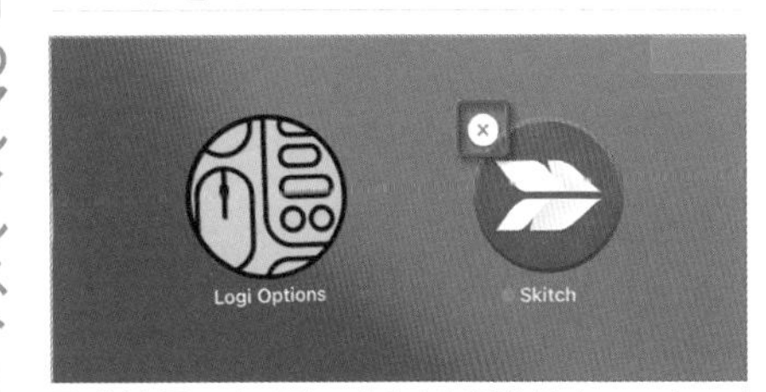

アプリをアンインストールしたい場合は、Launchpadを表示し、アプリアイコンを長押しする。アプリが揺れ始めたら、削除するアプリの「×」マークをクリックしよう。

2 「削除」をクリックしてアンインストール完了

上のような表示が出るので、アプリを削除して問題なければ「削除」をクリックしよう。これでアプリがMacからアンインストールされる。

App Store以外からアプリをインストールする

Safariでアプリを入手してダウンロードフォルダを開く

アプリは、App Store以外の場所(各種アプリメーカーのWebサイトなど)からでも入手できる。その場合、SafariなどのWebブラウザでダウンロードすることが多いので、操作方法を覚えておこう。また、アプリが配布される際のファイル形式も把握しておくこと。

1 アプリのファイルをSafariでダウンロードする

Safariで各種アプリメーカーの公式サイトや配布サイトにアクセスしたら、アプリのファイルを探してダウンロードしよう。ダウンロードしたファイルはダウンロードフォルダに保存される。ダウンロードフォルダはDockから開くことが可能だ。

2 アプリが配布される際のおもなファイル形式

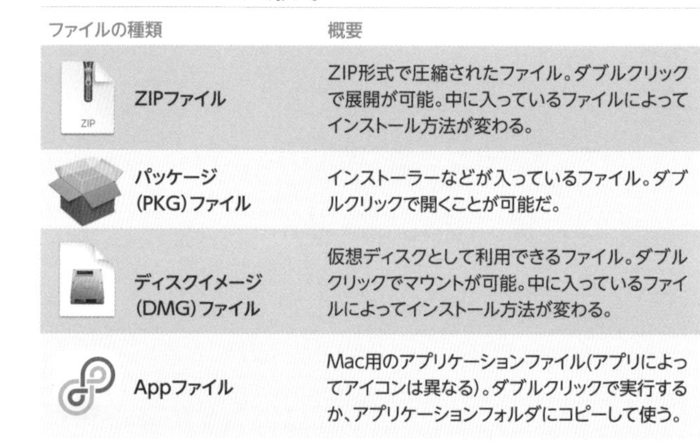

ファイルの種類	概要
ZIPファイル	ZIP形式で圧縮されたファイル。ダブルクリックで展開が可能。中に入っているファイルによってインストール方法が変わる。
パッケージ(PKG)ファイル	インストーラーなどが入っているファイル。ダブルクリックで開くことが可能だ。
ディスクイメージ(DMG)ファイル	仮想ディスクとして利用できるファイル。ダブルクリックでマウントが可能。中に入っているファイルによってインストール方法が変わる。
Appファイル	Mac用のアプリケーションファイル(アプリによってアイコンは異なる)。ダブルクリックで実行するか、アプリケーションフォルダにコピーして使う。

アプリが配布される際のファイル形式は、おもに上のようなものが使われる。それぞれインストール方法が違うが、多くの場合はダブルクリックして開けばいい。ファイルの種類ごとのインストール手順は下で解説しているのでチェックしよう。

ファイルの種類によってインストール方法が変わる

Macでは、Appファイル(WindowsにおけるEXE形式のようなもの)がアプリ本体のファイル形式となるが、Appファイルのまま配布しているところは少ない。多くの場合は、ZIPファイルやパッケージファイル、ディスクイメージファイルなどで配布されている。それぞれのインストール手順を覚えておこう。

ZIPファイルの場合

ZIPファイルは、ダブルクリックして展開すればいい。中身が入ったフォルダが開くので、ファイルの種類に応じて引き続きインストール作業を行おう。

パッケージファイルの場合

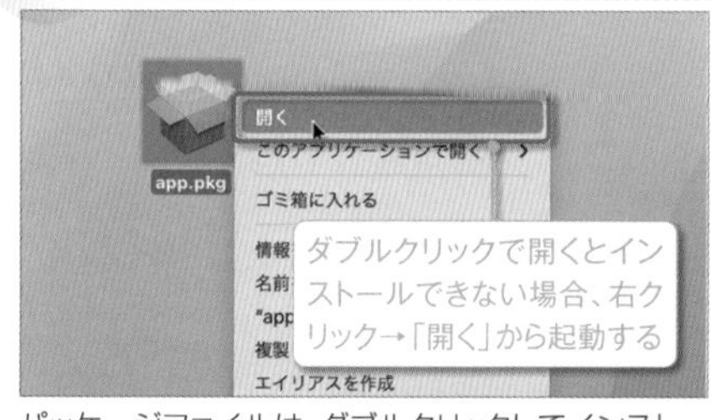

パッケージファイルは、ダブルクリックしてインストーラーを起動しよう。「キャンセル」ボタンしか表示されない場合は、右クリック→「開く」から起動すればいい。

ディスクイメージファイルの場合

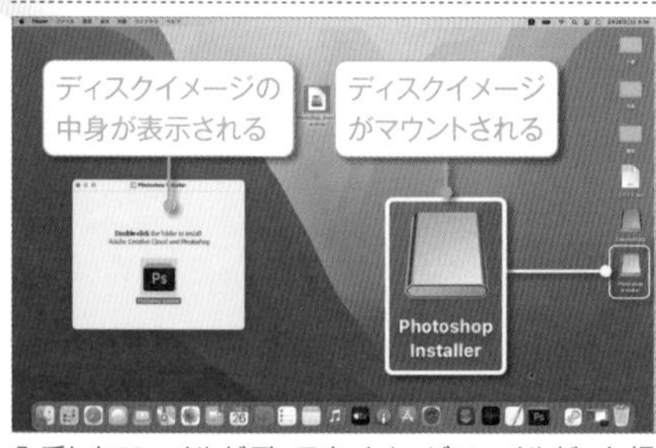

入手したファイルがディスクイメージファイルだった場合は、DMGファイルをダブルクリックして開こう。すると、ディスクイメージがマウントされ、中身が表示される。中にはアプリケーションファイルが入っていることが多いので、引き続きインストール作業を行おう。

インストーラー用Appファイルの場合

Appファイルの場合は、ひとまずダブルクリックしてみよう。インストーラーが起動したときは、そのままインストール作業を行えばいい。

通常のAppファイルの場合

アプリによっては、Appファイルを「アプリケーション」フォルダ(P042参照)に直接ドラッグ&ドロップしてインストールするものもある。多くの場合は、フォルダに説明が書かれているので、それに従うこと。

開発元が未確認のアプリを開く

アプリを開こうとしたとき、「○○○は、開発元が未確認のため開けません」と表示されて実行できないときがある。この場合は、アプリのAppファイルを直接右クリックして「開く」を選び、表示されたダイアログで「開く」を実行すれば起動できる。

Appファイルを右クリックして「開く」を選択してみよう。なお、Launchpad上では右クリックができないので、アプリケーションフォルダなどからApp本体のファイルを探すこと

App Store以外から入手したアプリのアップデートとアンインストール

アプリを手動でアップデートする方法

App Store以外から入手したアプリをアップデートするには、ほとんどの場合、手動でのアップデートとなる。アプリの公式サイトで最新版が配信されていないか確認し、必要に応じて最新版にアップデートしておこう。なお、アプリによっては、最新版のチェックや自動アップデート機能を搭載しているものもある。アプリケーションメニューで「最新版をチェック」や「Check for Update」といったメニュー項目がないか確認しておこう。

手動でアプリをアップデートする場合

1 アプリのバージョンを調べる

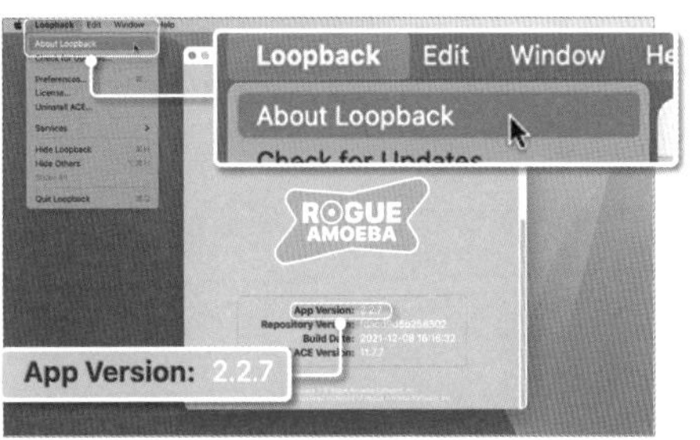

まずは、アプリのバージョンを調べておこう。たいていのアプリでは、メニューバーにあるアプリ名のメニューから「○○○について」または「About ○○○」を開けば、バージョンがわかる。

2 公式サイトから最新版のインストーラーを入手してインストールする

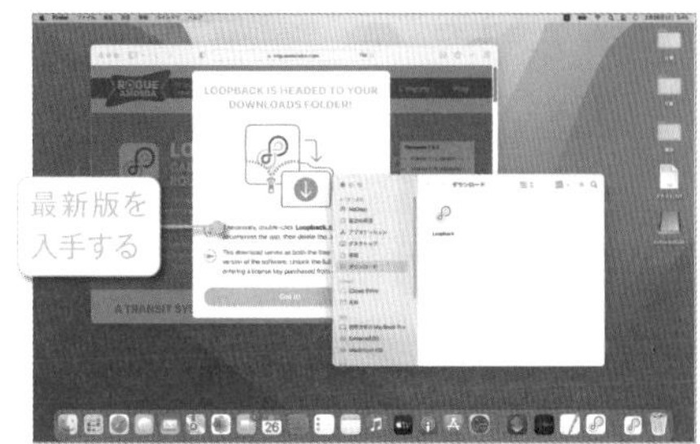

アプリの公式サイトをチェックして、最新版があればインストーラーをダウンロードしておこう。あとは、前ページと同じような方法で、アプリを上書きインストールすればいい。

不要なアプリをアンインストールする方法

App Store以外で入手したアプリは、P047で紹介したアンインストール方法（Launchpadからの削除）では削除できないことが多い。もし、アプリ公式のアンインストーラーかアンインストール機能がある場合は、それを使って削除しよう。アンインストーラーが付属していないアプリの場合は、Appファイル自体をゴミ箱に入れて削除してしまえばいい。ただし、アプリの設定ファイルなどは残ったままとなる。完全に消したい場合は、「App Cleaner」などのアンインストールアプリを使おう（P115参照）。

Appファイルを削除してアンインストール

公式のアンインストール機能がある場合はそれを使って削除する

アプリに公式のアンインストーラーやアンインストール機能が用意されているが場合は、それを使って削除するのが一番簡単だ。

アンインストーラーがない場合はアプリケーションフォルダから削除する

アンインストール機能がないアプリの場合は、Finderのメニューバーから「移動」→「アプリケーション」を開き、不要なアプリをゴミ箱に捨てればいい。

目的のAppファイルが見つからない場合は

たいていのアプリは「アプリケーション」フォルダ内にインストールされるが、アプリによっては別の場所に保存されていることもある。目的のアプリ（Appファイル）がアプリケーションフォルダで見つからない場合は、Finderの検索機能で探そう。

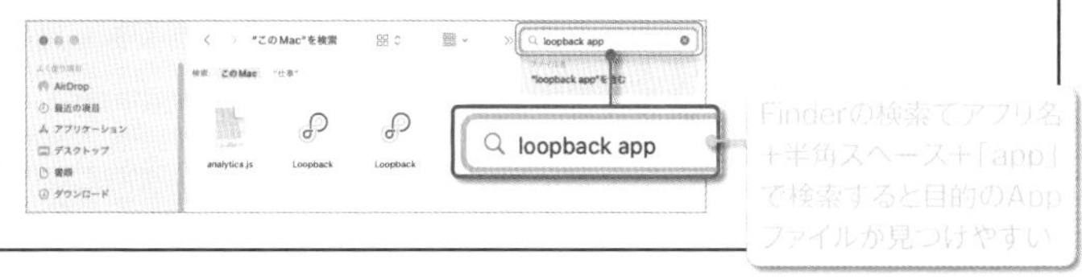

POINT Appleシリコンを搭載した MacBookで従来のアプリを使うには?

2020年以降に発売された一部MacBookでは、M1などのAppleシリコンが搭載されている。旧Macで搭載されていたIntelプロセッサとはまったく違うものなので、Intelプロセッサ用に開発されている従来のアプリもそのままだと使えない。そこでAppleシリコンを搭載したMacBookでは、互換性を保つために「Rosetta 2」と呼ばれる変換ソフトウエアが用意されている。あらかじめインストールしておけば、Intelプロセッサ用に開発されたアプリもAppleシリコンを搭載したMacBookで動作するようになる（P098でも解説）。

Apple M1を搭載したMacBookで、Intelプロセッサ用に開発されたアプリをインストールしようとすると、初回のみRosetta 2をインストールするかどうか聞かれることがある。一度インストールしておけば、あとはバックグラウンドで自動的に動作してくれる。

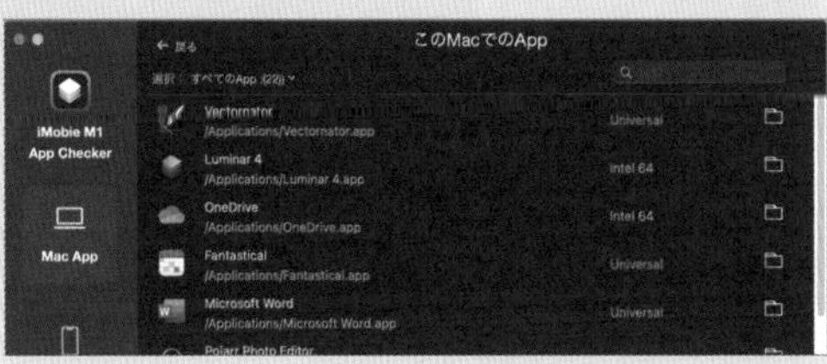

アプリがAppleシリコンに対応しているかどうか調べる「iMobie M1 App Checker」というアプリもある。詳しくはP098で解説。

macOSに組み込まれている多彩なツール

macOSならではの便利な機能を利用しよう

macOSには他にも役立つ機能がたくさん用意されている。Touch Barや通知センター、Siriといった macOS特有の便利機能をしっかり使いこなしてみよう。

一段と操作がはかどるお役立ち機能たち

MacBookには、使わなくても特に支障はないが、使いこなすと操作がはかどる機能がいくつかある。ここでは、そんな便利機能をいくつか紹介しよう。たとえば、一部のMacBook Proに搭載されている「Touch Bar」。タッチ操作が可能なこのバーは、使用状況に応じて最適なボタンが表示されるのが特徴だ。自分で使いやすいようにカスタマイズもでき、意識して使いこなすと作業効率がアップする。また、各種通知やウィジェットを表示する「通知センター」も要注目。メールやFaeTimeなどの重要な通知をいつでもチェック可能だ。iPhoneでもお馴染みの音声アシスタント「Siri」もますます賢くなっている。その他、コントロールセンターやSpotlight、スクリーンショット、Montereyで搭載された「集中モード」や「クイックメモ」といった便利機能をひと通り試してみよう。

Touch Bar 機能が変化するタッチディスプレイ

タッチ操作で直感的に扱えるTouch Bar

一部のMacBook Proに搭載された「Touch Bar」は、状況に応じてさまざまなボタンやスライダーが表示され、タッチ操作を行える機能だ。右側のControl Strip部分でシステムの音量を調整したり、Siriを利用したりなどの操作を実行できるほか、左側のAppコントロール部分は、利用中のアプリ専用のボタンや機能が表示され各種操作を素早く行える。うまく使いこなして、さまざまな操作を効率化しよう。

Control Stripで音量や明るさなどを調整

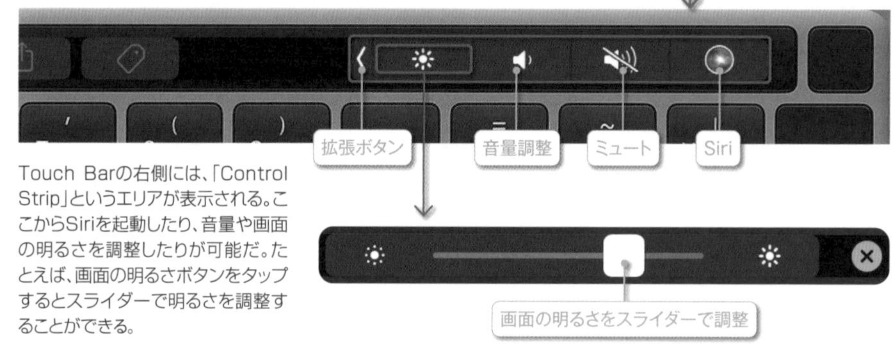

Touch Barの右側には、「Control Strip」というエリアが表示される。ここからSiriを起動したり、音量や画面の明るさを調整したりが可能だ。たとえば、画面の明るさボタンをタップするとスライダーで明るさを調整することができる。

Control Stripを拡張する

Control Stripの左端にある拡張ボタンをタップすると、エリアが拡張され、Mission ControlやLaunchpad、メディア再生など、そのほかの操作ボタンが表示される。

拡張したControl Stripを常に表示する

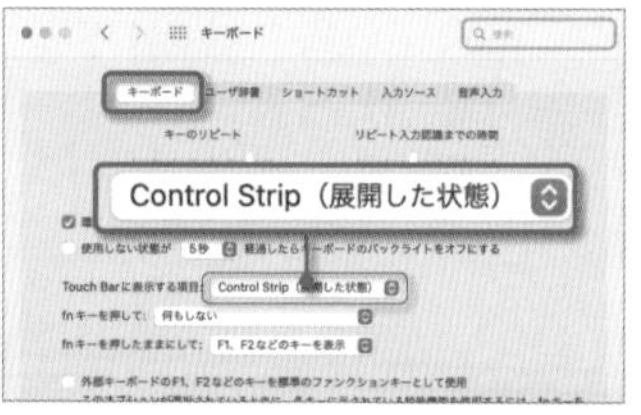

システム環境設定の「キーボード」にある「キーボード」画面で、「Touch Barに表示する項目」を「Control Strip（拡張した状態）」にすると、常に拡張したControl StripをTouch Barに表示できる。

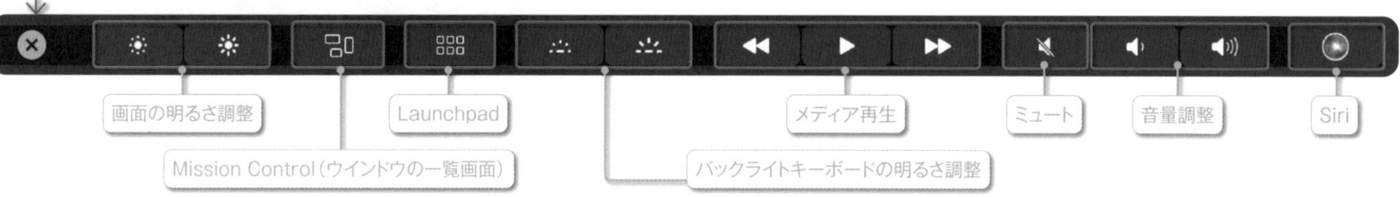

Touch Barを使いこなしてみよう

実際にTouch Barではどのような項目が表示されるのか、いくつか例を見てみよう。Safariでは、表示しているページによって項目が変わり、YouTube再生中はシークバーなどが表示される。また、「fn」キーを押すことで、ファンクションキーを表示させることが可能だ。

Safariで新規ウインドウを表示した場合

Touch Barの内容は、使用しているアプリや状況によって変化する。たとえば、Safariで新規ウインドウを表示した場合、お気に入りのサイトがTouch Barに一覧表示される。

SafariでYouTubeを再生した場合

同じSafariでも、YouTubeにアクセスして動画を再生しているときは、以下のようにシークバーで再生位置を調整できる。タッチ操作で再生位置をシークできるのは便利。

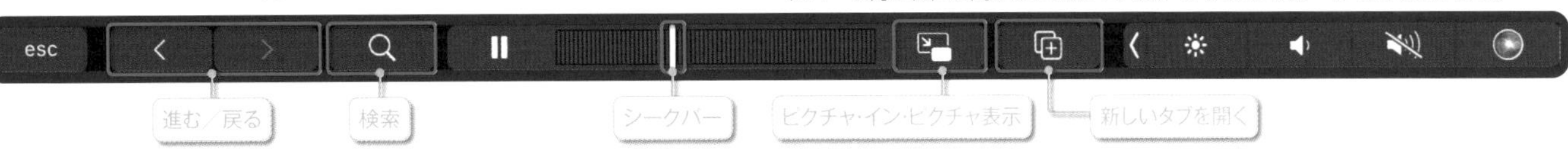

他のアプリを使用中に再生コントロールを表示する

ミュージックやビデオの再生中は、他のアプリを使っていても、Control Stripの一番左のボタンを押せば再生コントロールを表示可能だ。

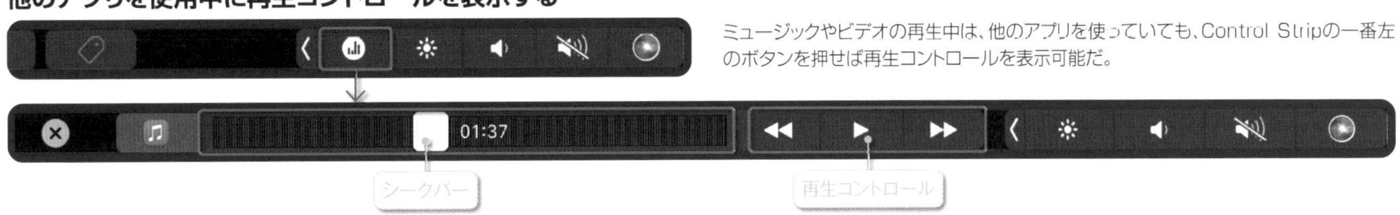

Touch Barにファンクションキーを表示する

「fn」キーを押すと、Touch Bar全体にF1～F12までのファンクションキーが表示される。

ファンクションキーを常に表示させる

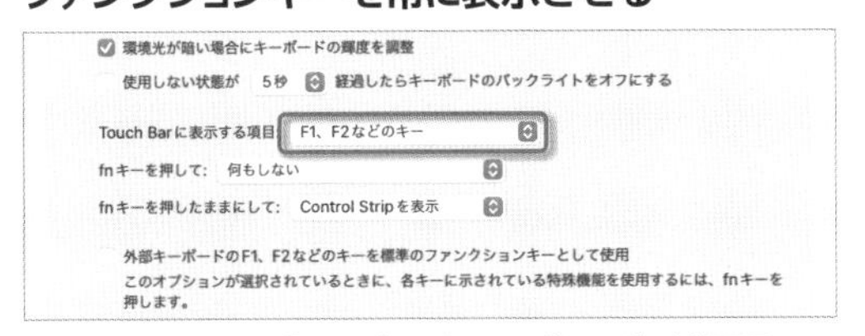

システム環境設定の「キーボード」にある「キーボード」画面で、「Touch Barに表示する項目」を「F1、F2などのキー」にすると、Touch Barにファンクションキーを常に表示できる。

「fn」キーを押したままにしたときの動作を設定する

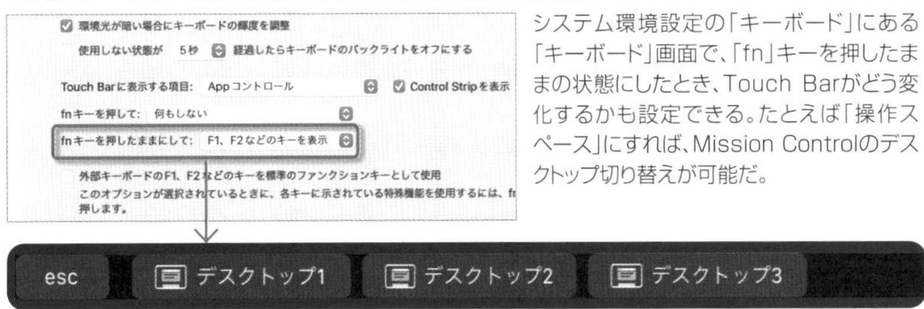

システム環境設定の「キーボード」にある「キーボード」画面で、「fn」キーを押したままの状態にしたとき、Touch Barがどう変化するかも設定できる。たとえば「操作スペース」にすれば、Mission Controlのデスクトップ切り替えが可能だ。

POINT Touch Barの内容をカスタマイズする

Touch Barに表示される項目は、自由にカスタマイズすることが可能だ。Control Stripの項目はシステム環境設定の「キーボード」から、アプリごとの項目（Appコントロール）は各アプリの「表示」メニュー→「Touch Barをカスタマイズ」から変更しよう。

Control Stripをカスタマイズする

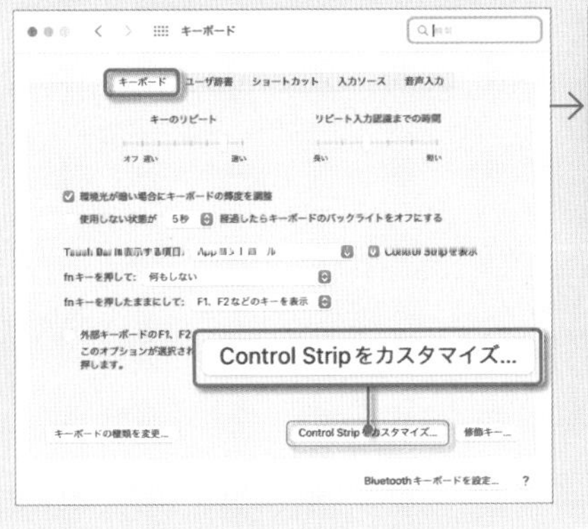

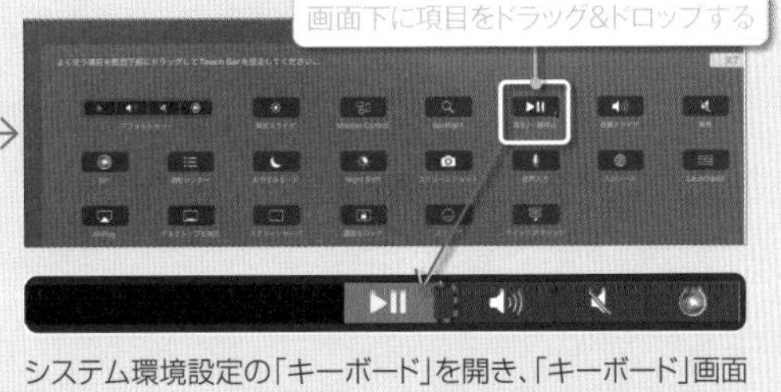

システム環境設定の「キーボード」を開き、「キーボード」画面にある「Control Stripをカスタマイズ」ボタンを押そう。すると、画面下にControl Stripの全項目が表示されるので、好きな項目を画面下にドラッグ&ドロップ。すると、Touch BarのControl Stripに配置することができる。Control Stripを拡張した状態にも配置することが可能だ。

Appコントロールをカスタマイズする

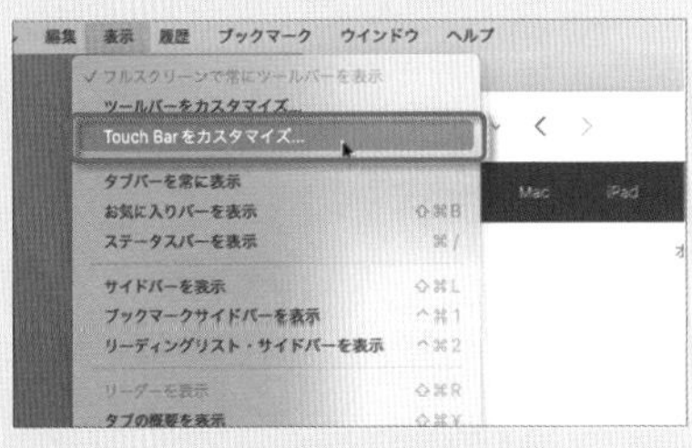

アプリごとに表示されるTouch Barの項目（Appコントロール）をカスタマイズする場合は、各アプリの「表示」メニューから「Touch Barをカスタマイズ」を実行しよう。配置したい項目をTouch Bar上にドラッグ&ドロップすればいい。

通知センター 通知やウィジェットでアプリの新着情報を確認する

2月25日(金) 15:39

日時をクリックすると通知センターが開く

新着メールなどアプリの通知を確認できる。クリックすると該当アプリが起動する。またカーソルを合わせると「再通知」「返信」などのオプションメニューで直接アクションできる通知もある

カレンダーや天気などのウィジェットが表示される

グループ化された通知を開く

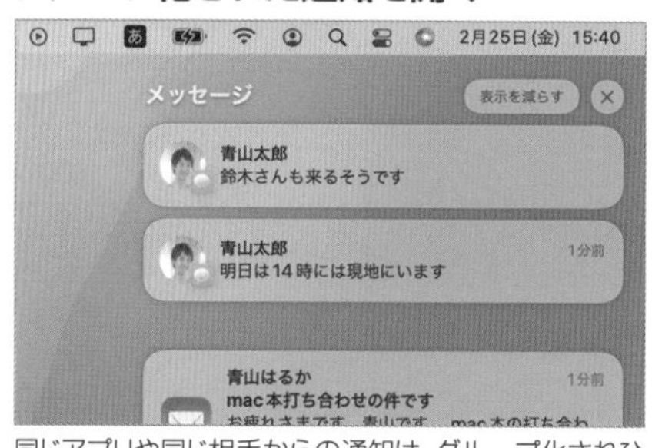

同じアプリや同じ相手からの通知は、グループ化されひとまとめに表示される。グループ化された通知をクリックすると、すべての通知が展開される。

通知を消去する

通知をクリックしてアプリを起動すると、その通知は消える。また通知にカーソルを合わせて、左上の「×」をクリックすると消去できる。

通知とウィジェットをまとめて表示できる画面

メニューバー右上の日時をクリックするか、トラックパッドの右端から2本指で左にスワイプすると、「通知センター」を表示できる。ここでは、メールやメッセージをはじめ、さまざまなアプリの通知履歴が一覧表示され、見逃した通知も後から確認することが可能だ。ただし通知が多すぎると、本当に必要な通知が埋もれてしまって見つけづらいので、通知の確認が不要なアプリは通知機能をオフにしておこう。またこの画面では、時計や天気予報、カレンダー、ニュースなど、さまざまな情報をパネル状のツールで確認できる「ウィジェット」も配置しておける。これもよく利用するものだけ配置し、自分で使いやすいように整理しておこう。ウィジェットの編集方法は次ページで解説する。

通知の環境設定を変更する

Appleメニューの「システム環境設定」→「通知と集中モード」を開くと、アプリごとに通知の表示方法を設定できる。

各通知から通知設定を変更する

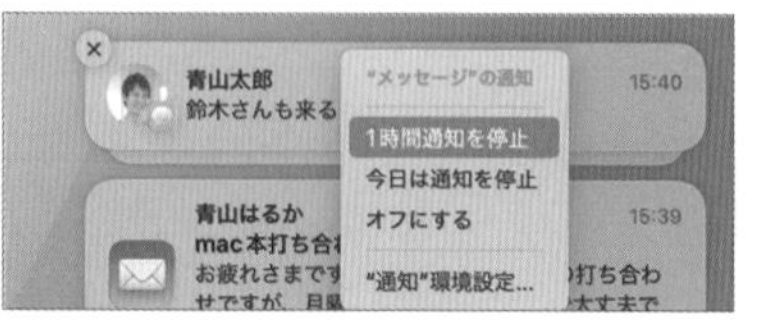

各通知の右クリックメニューからも通知設定を変更できる。「1時間通知を停止」「今日は通知を停止」で一時的に通知を停止できるほか、通知が不要なら「オフにする」を選択しよう。「"通知"環境設定」で上記の通知設定画面が開く。

通知をオフにする

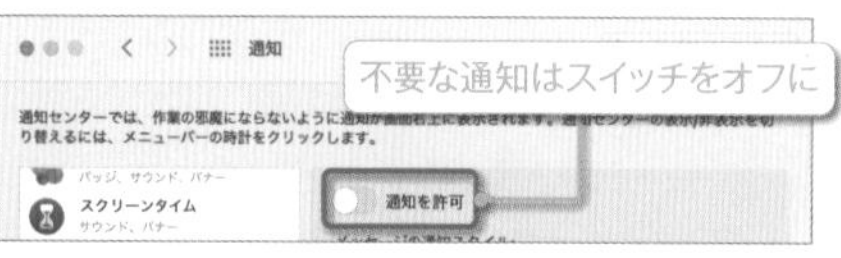

左メニューでアプリを選んで「通知の許可」をオフにすると、このアプリの通知を無効にできる。頻繁に通知が届いてわずらわしいアプリなどはオフにしておこう。

通知スタイルを変更する

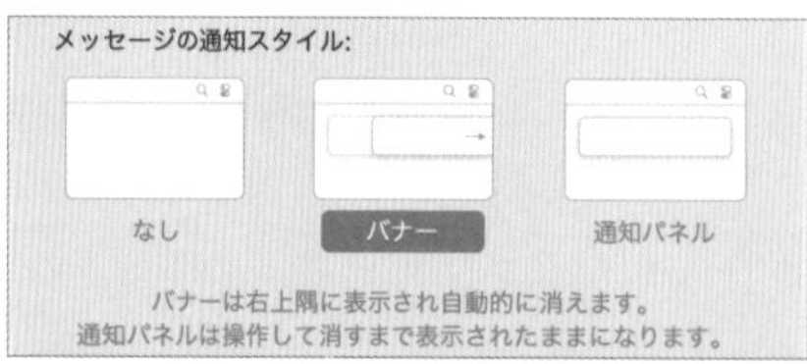

通知があった際に、デスクトップ右上に表示される通知のスタイルを変更する。「バナー」は自動的に消えるが、「通知パネル」の場合はなにか操作するまで消えないので、重要なアプリは「通知パネル」に変更しておこう。

通知に内容を表示させない

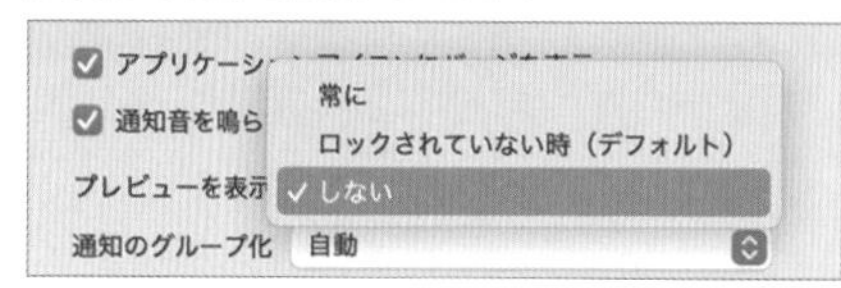

メッセージやメールの通知は、内容の一部が通知画面に表示される。これを表示したくないなら、「プレビューを表示」をクリックし「しない」を選択しておこう。

通知をグループ化しない

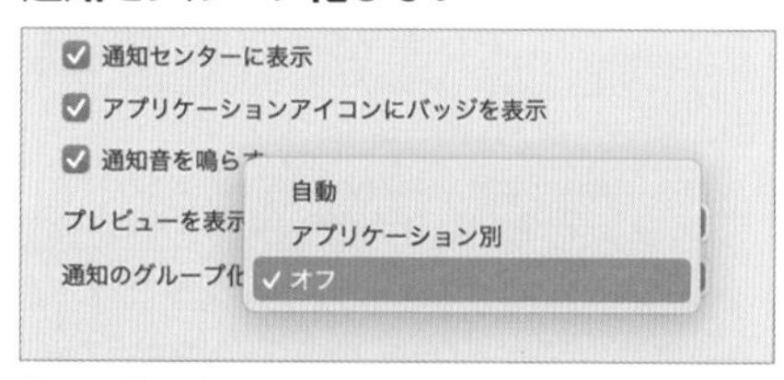

同じアプリや相手からの通知をひとまとめに表示せず、個別に通知を表示したいなら、「通知のグループ化」をクリックし「オフ」を選択しておこう。

POINT

通知音を変更するには

macOSの通知音には、通知センターに表示される通知音と、エラー時に鳴る警告音の2種類がある。「システム環境設定」→「サウンド」で変更できる通知音は警告音のほうで、通知センターとは関係がない。通知センターの通知音は、アプリごとに個別に用意された設定で変更する必要がある。通知音を変更可能なアプリはあまり多くないが、例えば「メッセージ」なら、「環境設定」→「一般」→「メッセージ受信サウンド」で変更が可能だ。「なし」を選択して通知音を鳴らさないようにもできる。

好きなウィジェットを配置する

通知センターで表示できる「ウィジェット」は、天気やニュースなどのアプリの情報を簡易的に表示する機能だ。ウィジェットを配置しておけば、アプリを起動しなくても、通知センターを開くだけで内容を素早くチェックできる。App Storeからインストールしたアプリも、ウィジェット機能に対応していれば通知センターに配置でき、並び順やサイズも変更可能だ。よく使うアプリはウィジェットに追加し、自分で見やすいようにカスタマイズしよう。

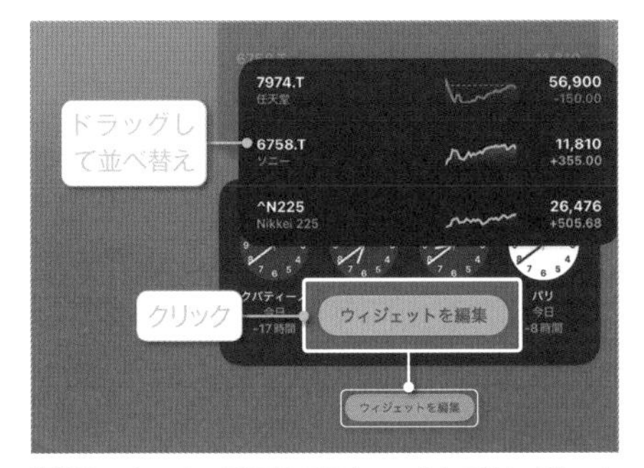

通知センターを一番下までスクロールして「ウィジェットを編集」ボタンをクリックすると、ウィジェットを編集できる。なお、表示中のウィジェットをドラッグして並べ替えることもできる。

ウィジェットの編集方法

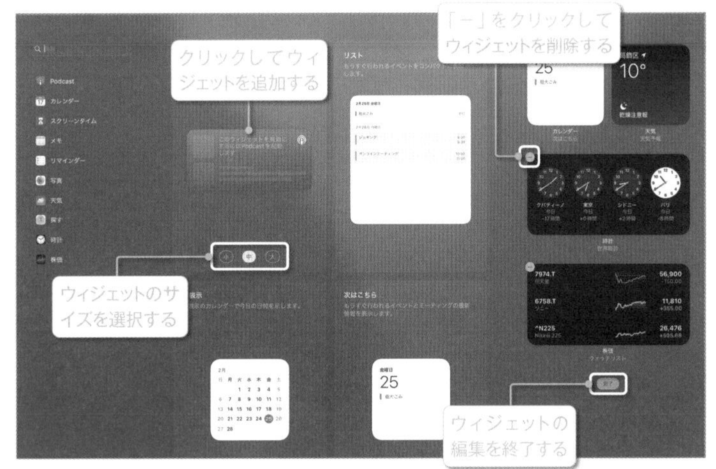

これは、「ウィジェットを編集」をクリックして表示される編集画面。中央にウィジェットのプレビューが一覧表示されるので、サイズを選択した上で追加したいウィジェットをクリックしよう。右欄の追加済みウィジェットを削除したい場合は、カーソルを合わせて左上の「－」ボタンをクリックすればよい。右下の「完了」をクリックすると編集を終了する。

POINT ウィジェット対応アプリの探し方

ウィジェット機能を備えたアプリを探すには、App Storeで「ウィジェット」や「Widget」をキーワードに検索すればよい。ただし、macOS Big Surからウィジェットの表示形式が一新されたので、新しいウィジェット形式に非対応のアプリも混在する点に注意しよう。とりあえずインストールしてみて、ウィジェットの編集画面でリストに追加されていれば対応している。

コントロールセンター よく使う機能や設定に素早くアクセスする

ワンクリックで主要な機能を呼び出せる

Wi-FiやBluetoothのオン／オフ、音量や画面の明るさの変更、おやすみモードのオン／オフなど、よく使う機能や設定に素早くアクセスできる画面が「コントロールセンター」だ。メニューバーのコントロールセンターボタンをクリックすることで開くことができる。各機能をクリックするとサブメニューが表示され、Wi-Fiの接続先を変更したり、集中モードの時間を選択したり、iPadを2台めのディスプレイとして接続するSidecar機能を利用できる（P128で解説）。

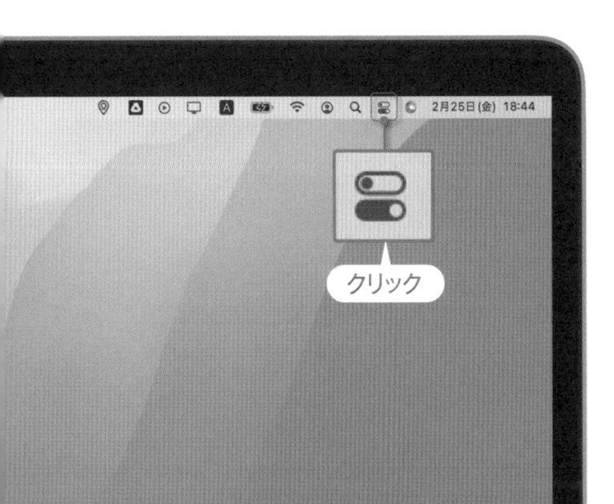

コントロールセンターで表示される機能

左上はネットワーク関係のトグルボタン。アイコンをクリックするとオン／オフを切り替えできるほか、機能名をクリックすると接続先などを変更できる。右上は集中モードの切り替えと、キーボードの輝度の変更、AirPlayミラーリングの設定。その下は、ディスプレイの輝度やSidecarの設定、主音量と音声出力先の変更、ミュージックの再生コントローラになっている。

他の項目を追加する

コントロールセンターに他の項目を追加することも可能だ。「システム環境設定」→「Dockとメニューバー」で、「その他モジュール」から追加したい機能を選び「コントロールセンターに表示」にチェックしよう。

メニューバーに表示させる

コントロールセンターの項目は、ドラッグすることでメニューバーに追加することができる。削除したいときは「command」キーを押しながらメニューバーの下にドラッグすれば良い。

Siri 何でも頼める音声アシスタント

情報検索やアプリの起動など多彩な用途に使える

「Siri」は、バージョンアップを重ねてますます賢く便利になっている、音声アシスタント機能だ。メニューバーのSiriボタンをクリックするか、「Hey Siri」の呼びかけで起動できる。メールの作成や、FaceTimeの発信、カレンダーへのイベント追加、アプリの起動といった使い方以外にも、通貨や単位を変換したり、流れている曲の名前を教えてもらうなど、さまざまなシーンで活躍する。何らかの作業中に、音量や画面の明るさを調整するといったちょっとした操作をSiriにまかせてもよい。

Siriを起動する

メニューバーのSiriボタンをクリックするか、「command」+「スペース」キーを長押しすると、Siriが起動する。この状態でSiriに話しかけると、質問に応えてくれたり、アプリを操作してくれる。MacBook Proでは、Touch Barの一番右にあるSiriボタンから起動することもできる。

「Hey Siri」の呼びかけで起動する

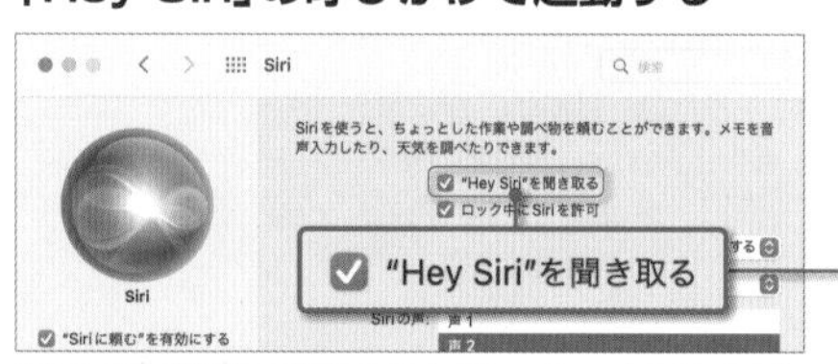

2018年以降に発売されたMacBookであれば、MacBookに「Hey Siri」と呼びかけてSiriを起動できる。2018年以前のMacBookでも、第2世代移行のAirPodsがペアリングされていれば、「Hey Siri」機能を利用可能だ。まず「システム環境設定」→「Siri」をクリックし、「"Hey Siri"を聞き取る」にチェックしよう。

画面の指示に従ってSiriに何度か話しかければ、自分の声が登録されて「Hey Siri」で起動できるようになる。また「ロック中にSiriを許可」にチェックしておけば、画面がロック中でも「Hey Siri」の呼びかけでSiriを起動できる。

POINT Montereyでは一部操作を実行できない

macOS Montereyでは、以前にSiriで行えた操作が一部できなくなっている。具体的には、「PDFファイルを探して」などのファイル検索や、「このMacの空き領域は?」などシステム情報の確認、「昨日撮った写真を見つけて」など写真アプリの検索ができない。

Siriに頼める便利な使い方

システム環境設定を変更する
「プライバシー設定を見せて」「デスクトップの壁紙を変える」など、システム環境設定の画面を素早く呼び出せる。

通貨を変換する
例えば「60ドルは何円?」と話しかけると、最新の為替レートで換算してくれる。また各種単位換算もお手の物だ。

流れている曲名を知る
「この曲は何?」と話しかけ、MacBookで再生中の曲や外部で流れている曲を聞かせることで、その曲名を表示させることができる。

曲をリクエスト
「おすすめの曲をかけて」などで曲を再生してくれる。Apple Musicを利用中なら、Apple Music全体から選曲する。

リマインダーを登録
「8時に○○に電話すると覚えておいて」というように「覚えておいて」と伝えると、用件をリマインダーアプリに登録してくれる。

家族の名前を登録
例えば「妻にメール」と話しかけて、連絡先の名前を伝えると、家族として登録され、以降「妻に○○」で各種操作を行える。

おみくじやサイコロ
「おみくじ」で占ってくれたり、「サイコロ」でサイコロを振ってくれるなど、遊び心のある問いかけにも反応してくれる。

「さようなら」で終了
Siriを終了させるには、Siriのアイコンをクリックするか「×」ボタンを押せばよいが、「さようなら」と話しかけることでも終了可能だ。

クイックメモ どの画面からも手軽にメモを作成できる

画面右下から素早くメモを呼び出す

思いついたアイデアをすぐにメモしたい時は、画面の右下にポインタを移動させよう。右下角に現れるタブをクリックすると、他のアプリを使用中でも最前面にクイックメモが開き、素早くメモを作成できる。Safariやアプリのリンクを追加したり、画像の貼り付けも可能だ。クイックメモは前回と同じものが開くが、「メモ」→「環境設定」→「最後のクイックメモを再開する」のチェックを外すと、常に新規メモが開く。作成したメモは、標準の「メモ」アプリに保存される。

クイックメモの起動方法

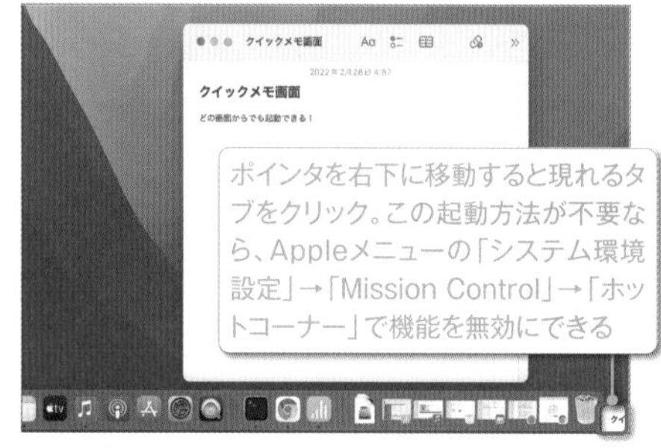

ポインタを画面右下に動かすと小さなタブが表示され、これをクリックするとクイックメモが開く。「Q」+「Fn」キーを押しても起動する。

クイックメモにリンクを追加する

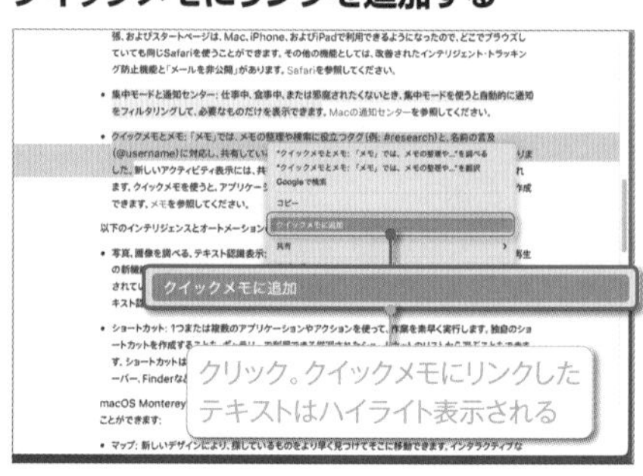

Safariでテキストを選択し、右クリックメニューから「新規クイックメモ」や「クイックメモに追加」を選択すると、クイックメモにリンクが挿入される。

Spotlight あらゆるデータを探し出す検索ツール

ファイルの内容も含めて検索できる

あのデータがどこにあるか分からない、という時に頼りになるのが「Spotlight」だ。ファイル名での検索はもちろん、ファイルの内容やアプリ、メール、ブックマーク、Webなど、さまざまな情報を探し出せる強力な検索機能だ。ただ、検索対象が広すぎて関係ない情報もヒットしがちだ。ファイルを探したいだけなら、Finderの右上の検索ボックスを使って、MacBook内やフォルダを対象に検索したほうが早い。

キーワードで目的のデータを見つけ出す

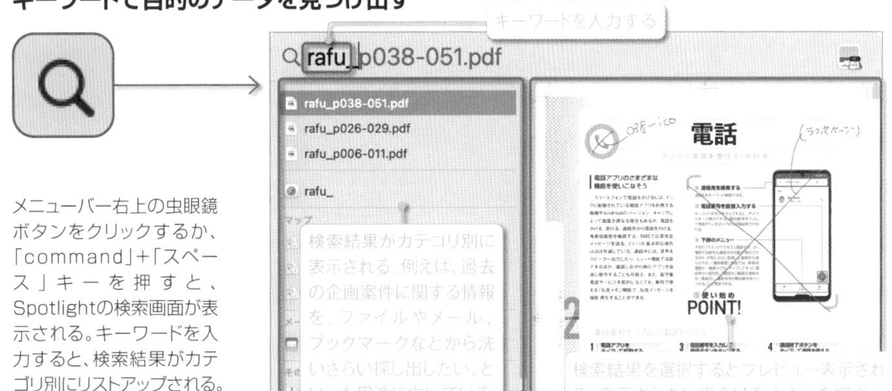

メニューバー右上の虫眼鏡ボタンをクリックするか、「command」+「スペース」キーを押すと、Spotlightの検索画面が表示される。キーワードを入力すると、検索結果がカテゴリ別にリストアップされる。

集中モード 仕事や睡眠中は自動で通知をオフにする

集中したいシーンごとに細かな通知設定が可能

仕事や勉強に集中している時に、メールやSNSの通知で邪魔されたくないなら、「集中モード」を設定しておこう。「おやすみモード」「仕事」「睡眠」「パーソナル」といった集中したいシーンに合わせて、自動的に通知をオフにするスケジュールを設定できるほか、特定の場所に移動したりアプリを起動した時に自動で集中モードを有効にすることもできる。集中モードのオン／オフは、コントロールセンターから手動で切り替えることも可能だ。

集中モードを設定する

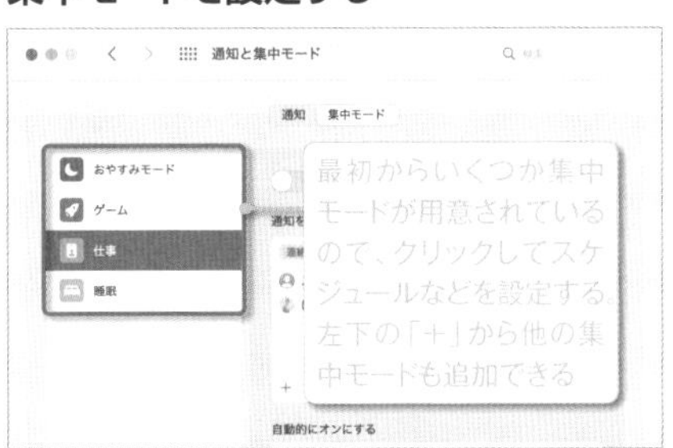

Appleメニューの「システム環境設定」→「通知と集中モード」で「集中モード」タブを開く。左欄で集中モードを選択し、自動で有効にするスケジュールや、集中モード中でも通知を許可する連絡先などを設定しておこう。

集中モードを手動で切り替える

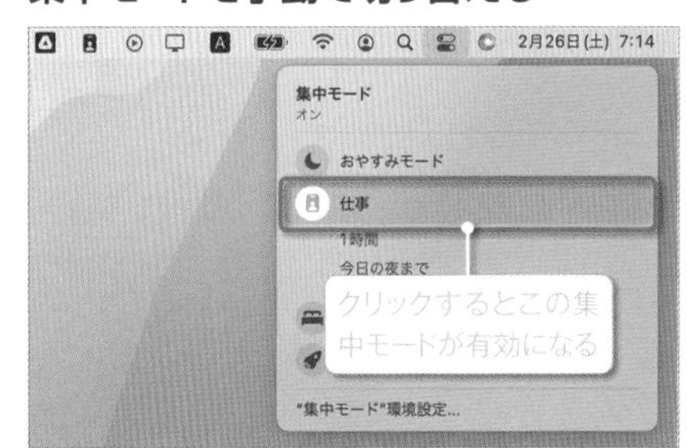

コントロールセンターを開いて「集中モード」をクリックすると、「おやすみモード」「仕事」などの集中モードが一覧表示される。これをクリックすると、手動で集中モードのオン／オフを切り替えできる。

スクリーンショット MacBookの画面を画像として保存する

ショートカットキーを使って撮影しよう

MacBookで表示中の画面を、画像として保存できる機能が「スクリーンショット」だ。エラー画面を保存して誰かに相談したり、気になるWeb記事を保存したりと、何かと利用する機会のある機能なので、操作方法を覚えておこう。「shift」+「command」キーに加えて、画面全体を保存するなら「3」、一部を保存するなら「4」を同時に押すと覚えておけばよい。また、「5」を同時に押せば、保存先の変更やタイマー設定などを行えるツールが表示される。さらにTouch Bar搭載機種では、「6」を同時に押してTouch Barのスクリーンショットを保存できる。

フルスクリーンまたはエリア指定で撮影

フルスクリーンを撮影

⇧ shift + ⌘ command + 3 # あ

エリアを指定して撮影

MacBookの画面を撮影する基本は、この2つのショートカットキーだ。「shift」+「command」と「3」を同時に押すと画面全体を撮影する。「4」を同時に押すと十字型のカーソルをドラッグした範囲を撮影する。または、「4」を同時に押してから「スペース」キーを押すと、カーソルのあるウインドウが選択状態になり、クリックして撮影できる。ウインドウの影を含めず撮影したい時は、「option」キーを押しながらクリックする。

オプションで保存先の変更やタイマー設定

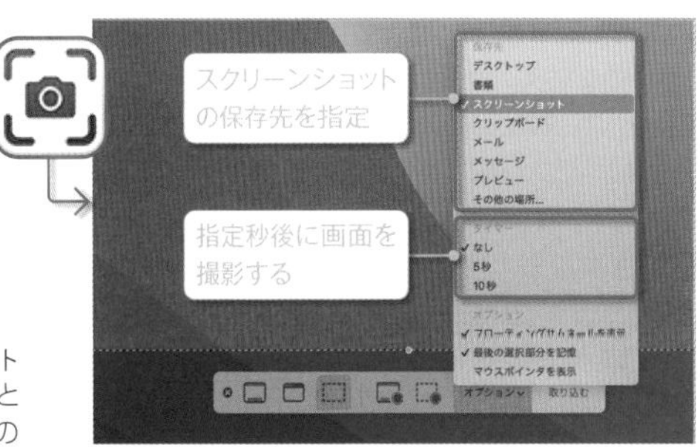

Launchpadの「その他」にある「スクリーンショット」を起動するか、「shift」+「command」+「5」を同時に押すと、ツールが表示される。スクリーンショットの保存先は標準だとデスクトップになるが、「オプション」から保存先を変更したり、タイマーを設定することが可能だ。

標準で使える便利なクラウドサービス

iCloudでさまざまなデータを同期&バックアップする

「iCloud（アイクラウド）」とは、Appleが提供するクラウドサービスだ。MacBookで使う標準アプリなどのデータが自動で保存され、iPhoneやiPadなど他のデバイスからも同じデータを利用することができる。

iCloudでは何ができる?

Apple IDを作成すると、Appleのクラウドサービス「iCloud」を利用できるようになる。iCloudは、無料で5GBまで使えるクラウドサービスで、MacBookでは標準アプリのデータを同期することが主要な役割だ。Safariやメール、連絡先、カレンダー、写真などのデータをiCloud上に保存することで、同じApple IDを使ったiPhoneやiPadの標準アプリとデータが同期し、同じブックマークや連絡先データ、スケジュールなどにアクセスできるようになる。標準アプリの同期については、P065で詳しく解説している。また、MacBookならではのiCloudの利用法として、デスクトップや「書類」フォルダをまるごとiCloud上に保存できる点にも注目しよう。この機能を使えば、デスクトップ上に保存した仕事の書類をiPhoneで開いて編集した上、メールする……といった使い方も簡単に実現できる。右ページでその手順を詳しく解説している。

iCloudの役割を理解しよう

iCloudの各種機能を有効にする

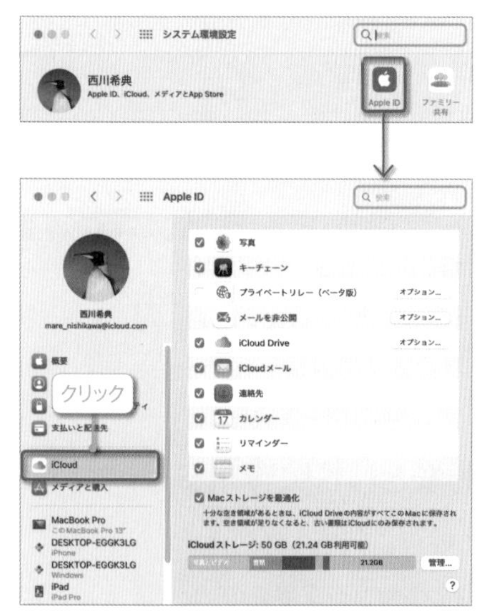

Apple ID（P013で解説）でサインインした上で、Appleメニューから「システム環境設定」→「Apple ID」をクリック。「iCloud」画面にiCloudを使用するアプリやサービスが一覧表示され、チェックした項目が同期されるようになる。「iCloud Drive」をオンにしておけば、ユーザ辞書なども同期される。下部の「管理」ボタンをクリックすると、iCloudに保存済みのデータを確認したり、不要なデータの削除も可能だ。

iCloudでできること

1 iPhoneやiPadとの同期

「写真」「iCloudメール」「連絡先」「カレンダー」などの標準アプリは、iCloudで同期を有効にすることで、iPhoneやiPadでも同じデータを扱える。例えばiPhoneで撮影した写真をMacBookで閲覧したり、MacBookのカレンダーで作成した予定をiPadでも確認することが可能だ。これら標準アプリのデータは、常に最新の状態でiCloudに保存されるので、実質的なバックアップとしても機能する。MacBookが故障してメールや連絡先を開くことができなくなっても、最新のデータ自体はiCloud上に保存されているため、新しいMacBookで同じApple IDを使ってサインインすれば、すぐにメールや連絡先を復元できる。

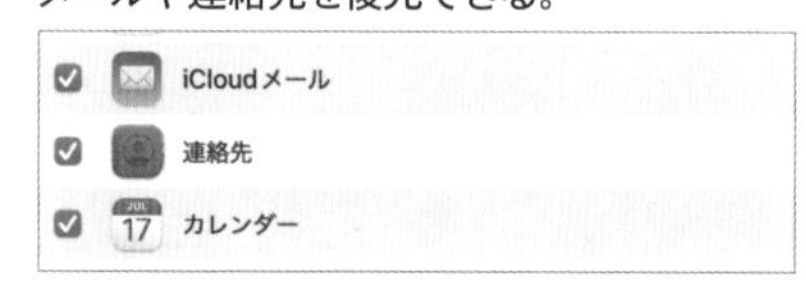

P065で詳しく解説

2 デスクトップや書類の保存、同期

右ページで詳しい手順を解説するが、MacBookのデスクトップや書類フォルダに保存されたファイルを、iCloudに保存して同期することもできる。同期を有効にすると、iCloud Drive上に「デスクトップ」と「書類」フォルダが作成される。これがMacBookの「デスクトップ」「書類」フォルダの本体になるので、MacBook上でデスクトップや書類フォルダにファイルを作成すれば、特に意識しなくても、自動的にiCloud上に保存されることになる。他のiPhone、iPad、パソコンのWebブラウザなどからも、デスクトップや書類フォルダにあるファイルにアクセスして利用することが可能だ。

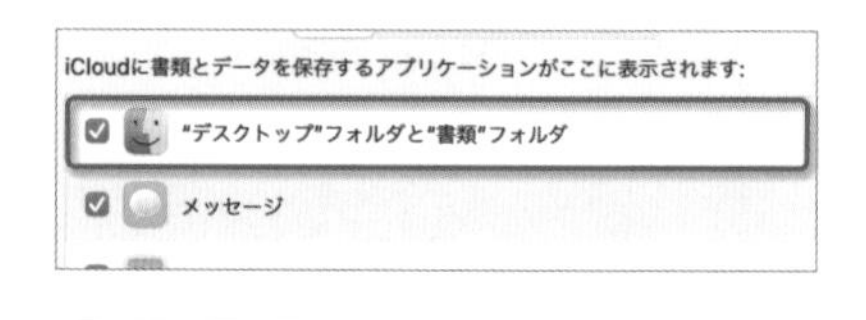

右ページで詳しく解説

POINT　iPhoneやiPadのようなバックアップは作成できない

iPhoneやiPadは、本体のバックアップもiCloudに保存しておけるが、MacBookでは保存できない。MacBookで本体の設定を含めたバックアップを作成するには、「Time Machine」機能（P102で解説）を使って外部ディスクに保存するのが基本だ。

デスクトップや書類をiCloudに保存する

MacBookで機能を有効にする

「システム環境設定」→「Apple ID」→「iCloud」を開き、「iCloud Drive」の「オプション」ボタンをクリックする。

「"デスクトップ"フォルダと"書類"フォルダ」にチェック。これで、MacBookの「デスクトップ」フォルダと「書類」フォルダがiCloud Drive上に移動する。

iPhoneやiPadの設定を確認する

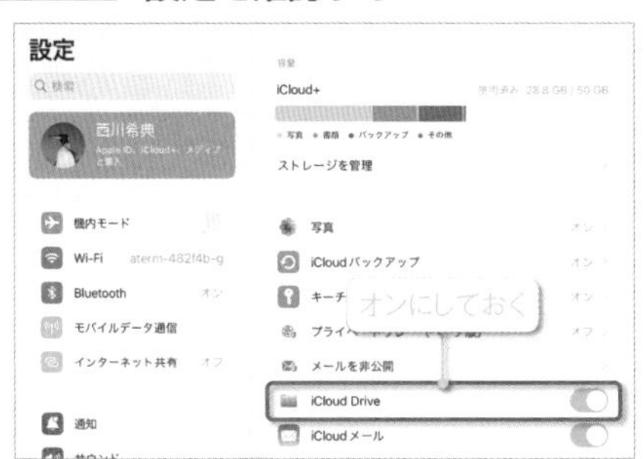

iPhoneやiPadでは、「設定」の一番上のApple IDを開いて「iCloud」をタップ。「iCloud Drive」のスイッチをオンにしておく。

デスクトップにあったファイルの移動先

デスクトップ上に元々あったファイルは、デスクトップ上に新しく「○○のMacBook」といった名前のフォルダが作成され、その中にまとめて保存される。

通常通りデスクトップにファイルを置く

「○○のMacBook」の中身をデスクトップに出した状態。作業中のフォルダを置いたり、添付ファイルを保存したり、デスクトップを同期前と同じように利用できる。

デスクトップと書類のファイルはiCloudに保存

今後はデスクトップ上や「書類」にファイルを置いた場合、そのファイルの保存先はiCloud Driveになる。削除するとiCloud上からも消える。

iPhoneやiPadから書類にアクセスする

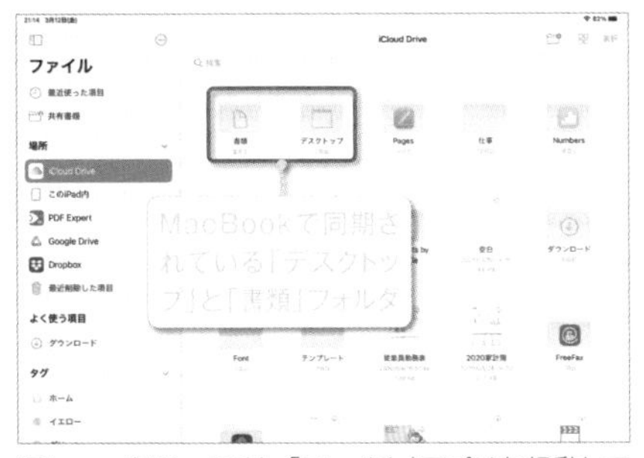

iPhoneやiPadでは、「ファイル」アプリを起動してiCloud Driveを開く。「デスクトップ」や「書類」フォルダを開くと、MacBookで保存したファイルにアクセスできる。

iCloud.comからもアクセスできる

会社のWindowsパソコンなどから操作したい時は、Webブラウザでicloud.com(https://www.icloud.com/)にアクセスし、「iCloud Drive」をクリックして開けばよい。

iCloudストレージの容量を増やすには

iCloudの容量が足りなくなったら、iCloudの設定画面で「管理」ボタンをクリック。「さらにストレージを購入」をクリックすれば容量を買い足せる。

POINT

デスクトップと書類の同期をオフにするとどうなる?

MacBookで扱うファイルは、ほとんどデスクトップに保存するという人は多い。その場合、「デスクトップ」や「書類」を同期すると、iCloudのストレージ容量をかなり圧迫してしまう。iPhoneやiPadからデスクトップや書類にアクセスできる利便性を重視しないのなら、同期はオフにしておこう。いったん同期を有効にした状態からオフにすると、MacBookのデスクトップ上からファイルが削除され、ローカル上に空の「書類」フォルダが作成される。データが消えたように見えるが心配はいらない。iCloud Drive上の「デスクトップ」や「書類」フォルダにはデータが残っているので、MacBook上のデスクトップと「書類」フォルダへコピーすればよい。

はじめにチェック!

まずは覚えておきたい設定&操作法

ここまでの記事で解説しきれなかった、確認しておくべき設定ポイントや覚えておくべき操作法を総まとめ。

01 MacBookの基本情報を確認する

「このMacについて」に情報がまとまっている

Appleメニューの一番上にある「このMacについて」を開いてみよう。搭載しているプロセッサやメモリなどの基本スペックの他、シリアル番号やインストールしているmacOSのバージョンなど、MacBookの基本情報をまとめて確認できる。画面上部のメニューの「ストレージ」でストレージの利用状況も表示可能。

1 Appleメニューで「このMacについて」を開く

「概要」にMacBookの基本情報が表示される。「システムレポート」ではさらに詳細なスペックを確認できる。

2 その他の情報を表示する

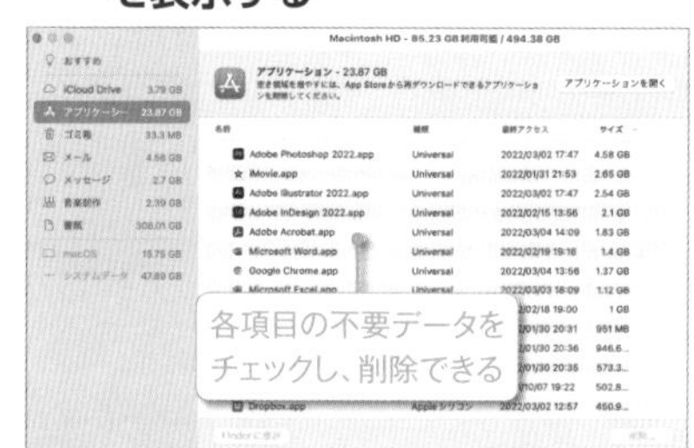

「ストレージ」を開いて、続けて「管理」をクリックすれば、ファイルの種類別に詳細なストレージ利用状況を確認できる。

02 システム環境設定を一通りチェックしておく

画面や音、操作法などの設定が集約されている

AppleメニューやDockにある「システム環境設定」には、ディスプレイやサウンド、トラックパッドの操作法など、さまざまな項目に関する設定が集約されている。iPhoneやiPadの「設定」アプリのような画面だ。どのメニューにどんな設定項目があるかあらかじめ一通り目を通しておくことをおすすめしたい。

1 Appleメニューで「システム環境設定」を開く

各項目をクリックして設定できる内容をチェックしよう。右上の「Apple ID」からiCloudの設定も開くことができる。

2 設定項目がどこにあるかキーワード検索も可能

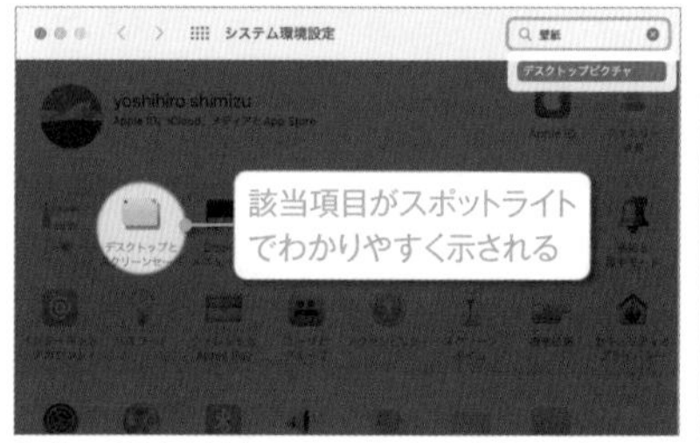

目的の設定がどこにあるかわからない時は、画面右上の検索ボックスでキーワード検索を行える。

03 メニューバーに日付と音量を表示する

時刻と並べて日付や音量をわかりやすく表示

画面上部のメニューバーには、バッテリー残量や現在時刻が表示されているが、さらにここに今日の日付と音量も表示しておこう。わざわざカレンダーアプリを起動したり、音量の状態を確認するために音量キーを押してみる必要がなくなり非常に便利だ。なお、これらの項目は、環境によってはあらかじめ表示されている。

1 日付と曜日、音量の表示をそれぞれ有効にする

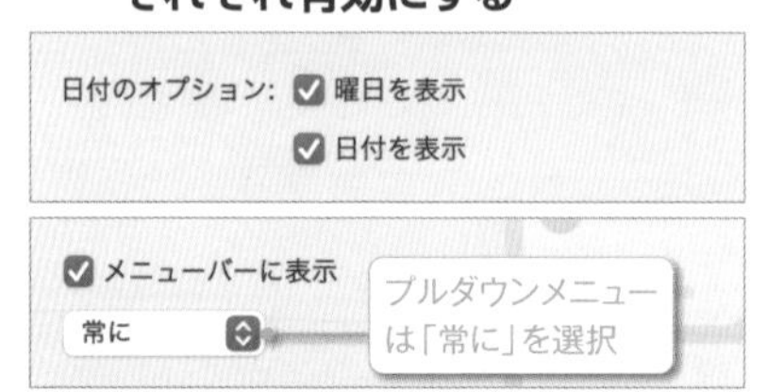

Appleメニューの「システム環境設定」→「Dockとメニューバー」→「時計」で、「曜日を表示」と「日付を表示」にチェック。また、「Dockとメニューバー」→「サウンド」で、「メニューバーに表示」にチェックする。

2 日付と曜日、音量がメニューバーに表示された

今日の日付と曜日、音量の状態がメニューバーで即座に確認できるようになった。

04 自動でスリープするまでの時間を設定する

省電力やセキュリティを考慮して設定する

MacBookは一定時間操作を行わないと、自動的に画面が消灯しスリープ状態に移行する。このスリープするまでの時間は変更可能だ。省電力やセキュリティと使い勝手のバランスを考えて設定しよう。なお、スリープしてロックがかかるまでの時間も別途設定可能だ(このページの記事05で解説)。

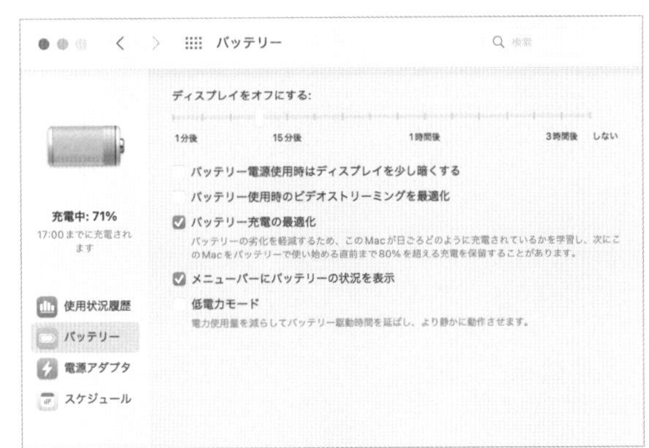

Appleメニューの「システム環境設定」→「バッテリー」を開き、バッテリー使用時と電源アダプタ接続時それぞれのスライダーで時間を設定する。「電源アダプタ」の「ディスプレイがオフのときに〜」にチェックを入れると、画面消灯後もスリープせず、実行中の処理を継続できる。機種によっては、その他にも細かな設定項目があるのでチェックしておこう。

05 ディスプレイを閉じたら即座にロックする

閉じると共にスリープし同時にロックがかかる

MacBookは、スリープした後ロックがかかるまでの猶予時間も別途設定可能だが、セキュリティを重視するなら、スリープと同時にロックを有効にしたい。そうすることで、ディスプレイを閉じた瞬間にロックがかかる状態にでき、安全性が高まるのだ。ディスプレイを開いたら、ロック画面での指紋認証などが必要だ。

1 設定で「すぐに」を選択しておく

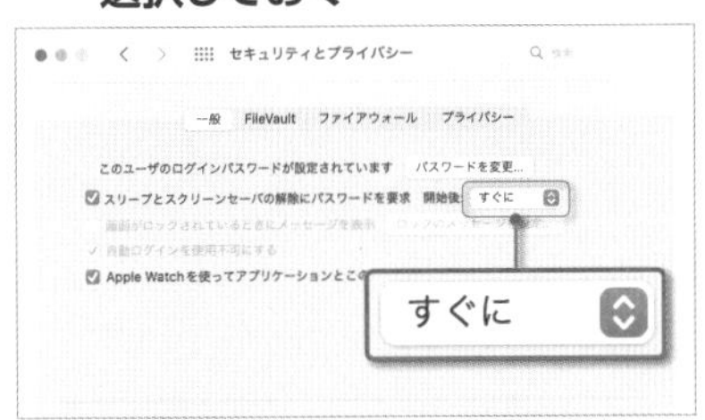

「システム環境設定」→「セキュリティとプライバシー」の「一般」にある、「スリープとスクリーンセーバの解除に〜」にチェックを入れ、「開始後:」を「すぐに」に設定する。

2 スリープした瞬間にロックがかかる

ディスプレイを閉じたり、自動スリープした瞬間にロックがかかるようになり、セキュリティの強度が高まる。

06 Touch IDに指紋を登録する

ロック解除用に3つまで指紋を登録できる

初期設定でTouch IDを設定しなかった場合や、指紋を追加登録したい場合は、Appleメニューの「システム環境設定」→「Touch ID」で設定を行える。「指紋を追加」をクリックして、キーボード右上角のTouch IDセンサーに読み取りたい指紋を当て、画面の指示に従っていけばよい。指紋は3つまで登録可能だ。

登録済みの「指紋1」にポインタを合わせ、続けて左上に表示される「×」をクリックすれば、その指紋を削除できる。また、その下のチェック項目で、指紋認証をApple Payや各種ストアでの認証に使うかどうかも設定可能だ。

07 Wi-Fiに接続する

ネットワークを選んでパスワードを入力するだけ

初期設定でWi-Fiに接続していない場合や、外出先でWi-Fiに接続したい時も操作は簡単だ。メニューバーのWi-Fiマークをクリックし、ネットワーク(SSID)名を選択し、表示される画面でパスワードを入力するだけだ。iPhoneやiPadが接続中のWi-Fiなら、パスワードの自動入力も行える。

1 手動でパスワードを入力する

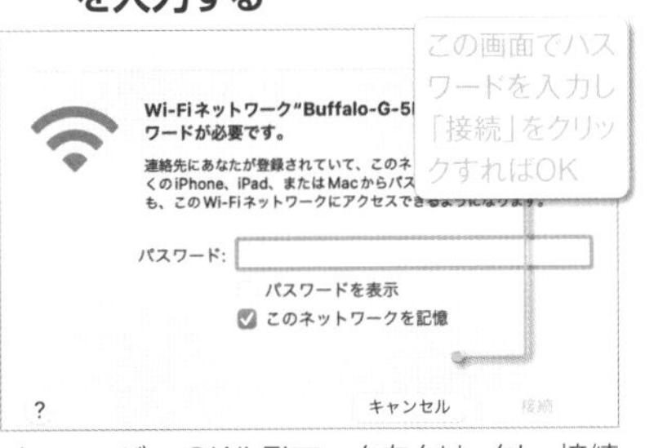

メニューバーのWi-Fiマークをクリックし、接続したいネットワーク名を選択。パスワードを入力しよう。

2 パスワードの共有機能で自動入力する

iPhoneやiPadがそのネットワークに接続中であれば、ネットワークを選ぶとパスワード共有機能が作動する。

08 MacBookの音量を調整する

各種操作で主音量をコントロールする

音楽や動画をはじめ、MacBookから鳴るサウンドの音量は、メニューバーまたはコントロールセンターにあるサウンドのスライダで調整する。また、ファンクションキーやTouch Barでも調整可能だ。スライダを一番左にドラッグするか、キーボードやTouch Barの消音キーを押せば消音にすることもできる。

1 メニューバーやコントロールセンターを操作

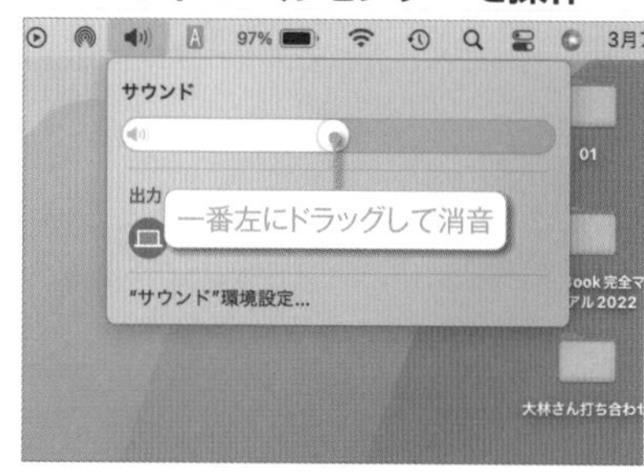

メニューバーの音量アイコンやコントロールセンターをクリックして、音量スライダをドラッグする。

2 ファンクションキーやTouch Barで音量を調整

ファンクションキーは、右から音量上げる、音量下げる、消音キー。Touch Barは、右のボタンが消音で、左のボタンをタップするとスライダが表示され、音量を操作できる。

09 通知音の音量や各種設定を変更する

主音量とは別のスライダを操作する

メッセージの通知音や誤った操作を行った際に鳴る通知音(警告音)については、記事08で解説した主音量とは別に音量を設定できる。ただし、主音量を変更しても通知音の音量は変わってしまう。通知音の音量は、「主音量」と「通知音の音量」の設定を掛け合わせたボリュームになるので気をつけよう。

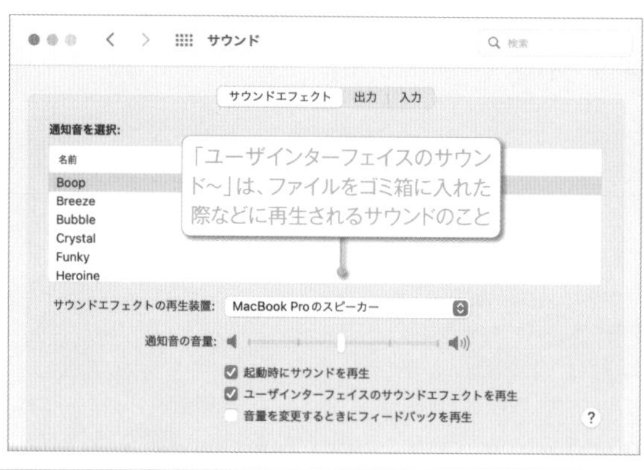

通知音の音量や種類を変更する

「システム環境設定」→「サウンド」の「サウンドエフェクト」で「通知音の音量」スライダを調整。一番左へドラッグすると通知音のみ消音にできる。「通知音を選択」では、(メッセージなどの通知音ではなく)許可されていない操作を行った際などに再生される警告音を変更できる。

10 画面の黄色っぽさが気になる場合は

Turue Toneをオフにしよう

MacBookに搭載される「True Tone」は、周辺の環境光を感知し、ディスプレイの色や彩度を見やすいように自動調整する機能。この機能を有効にすると、特に室内では画面が黄色っぽい暖色系になりがちだ。気になる場合は機能をオフにしよう。オフにすると、青っぽいクールな色合いになる。

ディスプレイの設定でTrue Toneをオフにする

「システム環境設定」→「ディスプレイ」の「ディスプレイ」画面にある「True Tone」をオフにすると黄色っぽさはなくなる。なお、True Toneは、iPhoneやiPadにも搭載されている機能だ。

11 ファイアウォールを有効にする

セキュリティの強化に必須の機能

外部からの不正アクセスからMacBookを守る「ファイアウォール」機能。標準ではオフになっているので、有効にしておこう。特に外出先でフリーWi-Fiを多用するユーザーには、機能の有効を推奨したい。「ファイアウォールオプション」も環境によって変更しよう。

1 設定のロックを解除する

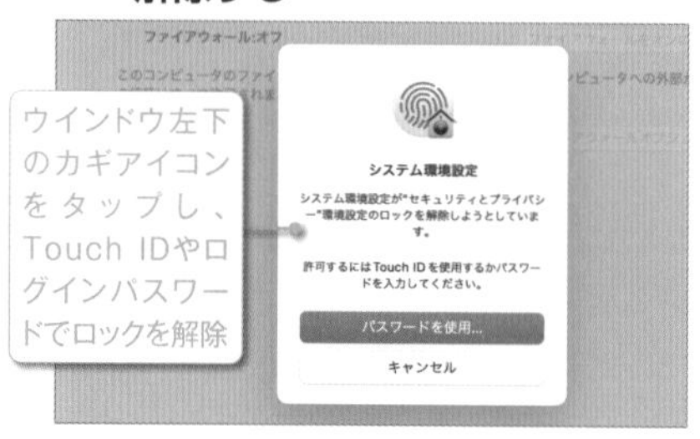

「システム環境設定」→「セキュリティとプライバシー」→「ファイアウォール」を開き、カギアイコンをクリックする。

2 ファイアウォールをオンにする

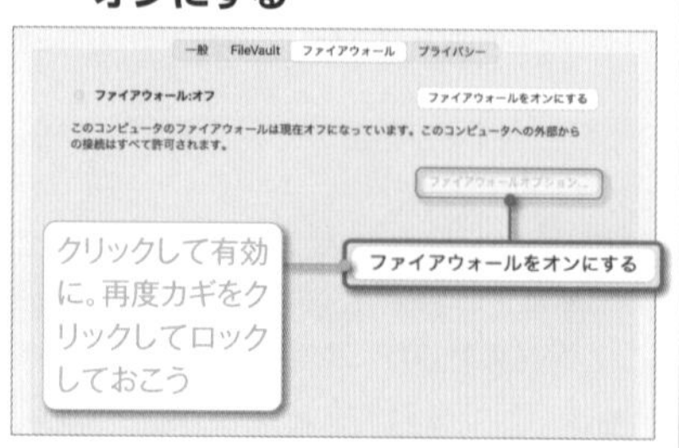

「ファイアウォールをオンにする」をクリックし機能を有効にする。必要に応じて「ファイアウォールオプション」もチェック。

12 電源アダプタを外した際に画面を暗くしない

省電力を重視しないなら機能をオフにする

MacBookがバッテリーで動作している時は、電源アダプタ接続中よりもディスプレイが若干暗くなるよう設定されている。これは省電力に配慮した仕組みなのだが、電源アダプタ接続中と外した際の画面の明るさの差異が気になる場合は、この機能をオフにしよう。電源アダプタを外しても明るさの変化がなくなる。

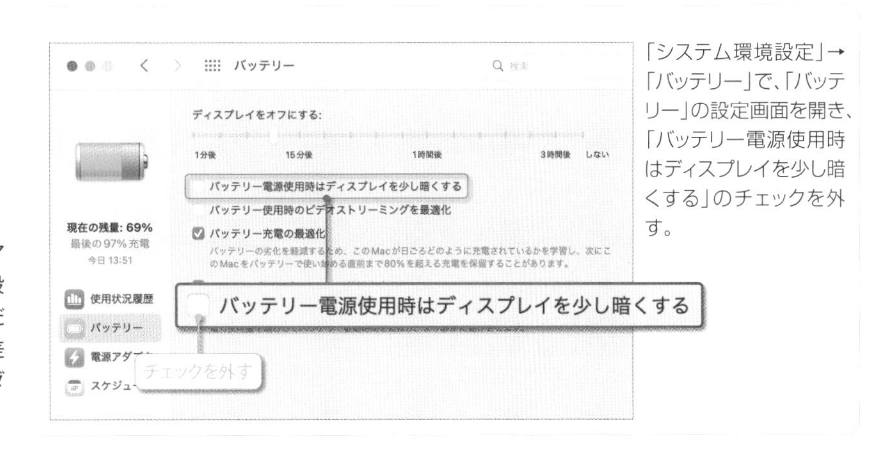

「システム環境設定」→「バッテリー」で、「バッテリー」の設定画面を開き、「バッテリー電源使用時はディスプレイを少し暗くする」のチェックを外す。

13 Dockでアプリの長押しメニューを利用する

目当てのウインドウが見つからない時にも便利

Dockのアプリを長めにクリックすると、さまざまなメニューが表示される。このメニューには、各アプリのよく使う機能や操作のショートカットが割り当てられている。また、アプリで開いている書類やウインドウも一覧表示される(ただし、P063の22の記事で解説している設定を有効にしている場合に限る)。

1 アプリの機能や操作を素早く利用できる

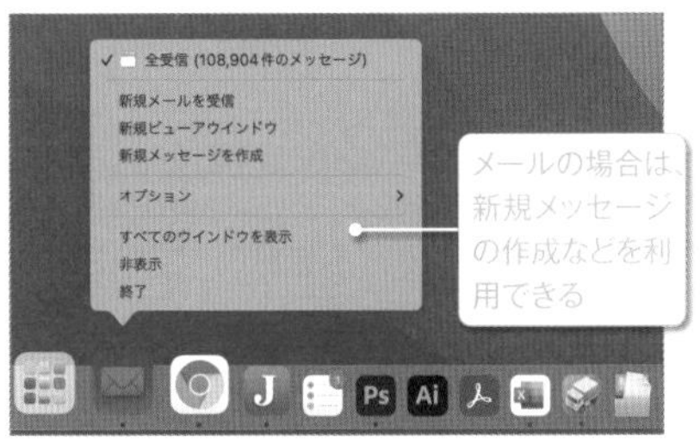

Dockのアプリを少し長めにクリック。このようなメニューが表示される。

2 見当たらないウインドウをここから表示

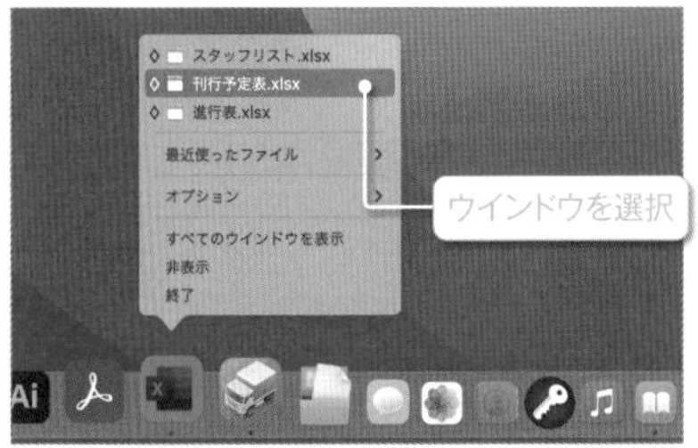

アプリで開いている書類やウインドウ一覧が表示される。目当てのウインドウを選択して表示させよう。

14 本体の起動と同時に指定したアプリを起動させる

必ず確認したいアプリも同時に起動させる

カレンダーやリマインダー、デスクトップに表示させるスティッキーズなど、MacBookを使う際に必ず確認したいアプリは、MacBookのログインと同時に起動するよう設定できる。起動の手間が省けるのはもちろん、さまざまな情報のチェックし忘れの防止にも役立つ。同期が必要なクラウドアプリでも利用したい。

1 「ユーザとグループ」の設定画面を開く

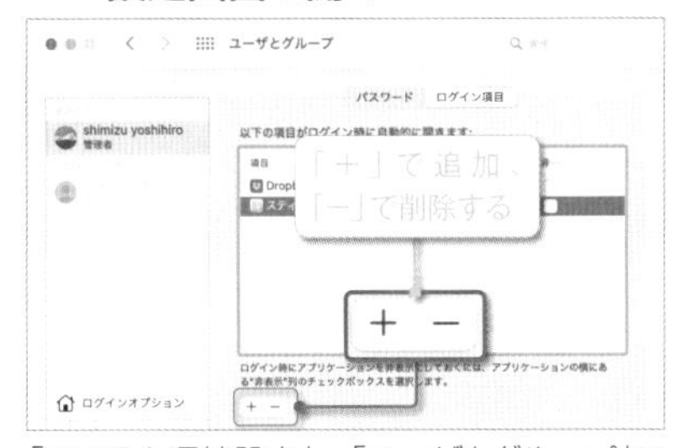

「システム環境設定」→「ユーザとグループ」で「ログイン項目」を開き、「+」ボタンをクリック。

2 アプリを選択しログイン項目に追加

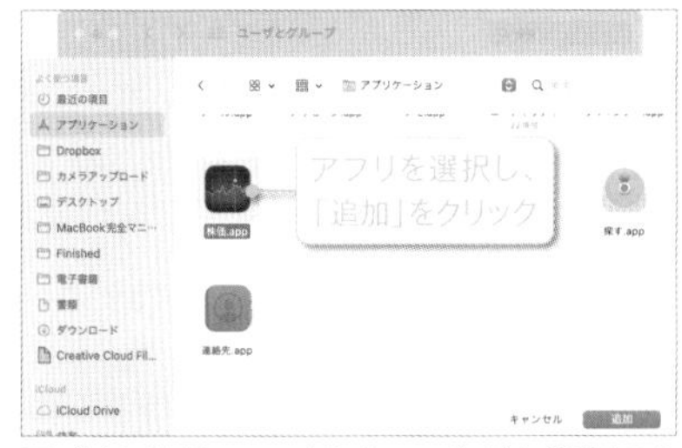

アプリを選択。ファイルやフォルダも選択できるので、備忘録のテキストを表示させるといった使い方も可能。

15 共有メニューからファイルや情報を送信する

右クリックメニューや共有ボタンを利用する

Finderやアプリに備わっている共有機能を使えば、ファイルや見ているWebサイトのリンクなどを簡単に家族や友人に送信できる。Finderの場合は、ファイルを右クリックして、メニューから「共有」を選ぶか、ウインドウ上部の共有ボタンをクリック。送信手段が表示されるので選択すればよい。

1 Finderでファイルを送信したい場合は

Finderウインドウでファイルを選択。右クリックか画面上部の共有ボタンをクリックし、送信手段を選択。

2 Webサイトのリンクを送信したい場合は

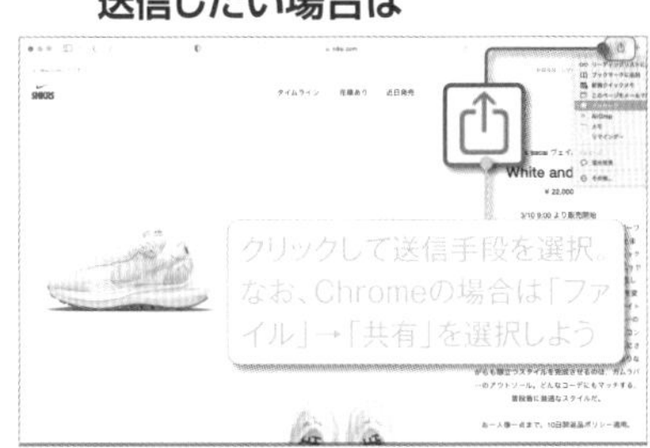

SafariでWebサイトのリンクを送信したい場合も、共有ボタンを利用しよう。

16 ファイルを圧縮／解凍する

macOS標準機能でzipファイルを扱う

macOSは、標準機能でファイルの圧縮や解凍を行える。圧縮したいファイルやフォルダを右クリックし、メニューから「"○○"を圧縮」を選択すれば、元のファイルやフォルダに重なるようにzip形式の圧縮ファイルが作成される。zipファイルを解凍したい時は、ダブルクリックすればよい。

1 ファイルやフォルダを圧縮する

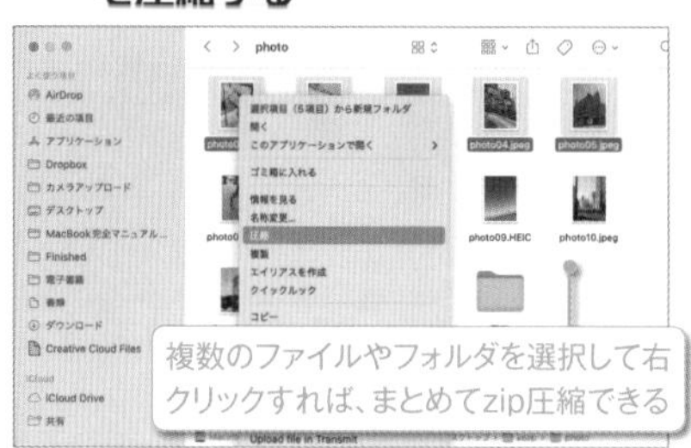

ファイルやフォルダを右クリックして「"○○"を圧縮」を選択すれば、「.zip」ファイルが作成される。

2 zipファイルを解凍する

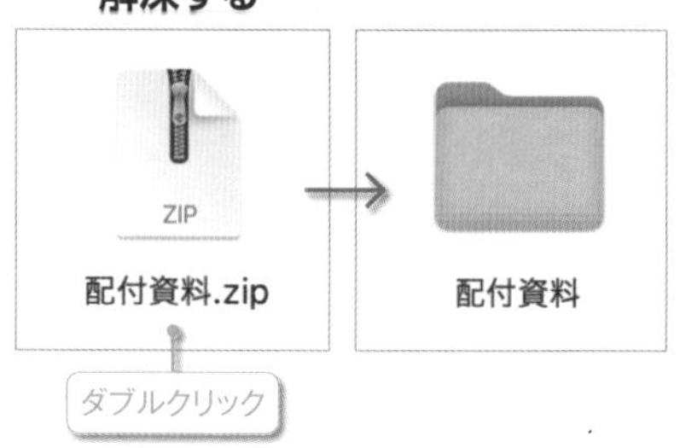

メールの添付ファイルなど、zip形式のファイルを解凍する際は、ダブルクリックするだけでよい。

17 Bluetoothで周辺機器を接続する

マウスやヘッドフォンなどワイヤレス機器を接続する

MacBookには、Bluetooth対応のマウスやヘッドフォン、スピーカーなどのワイヤレス機器を簡単に接続できる。「システム環境設定」→「Bluetooth」設定画面でBluetoothをオンにし、周辺機器をペアリング待機状態にする。Bluetooth設定画面に周辺機器名が表示されたら、「接続」をクリックすればよい。

1 Bluetooth機器を接続する

周辺機器をペアリング待機状態にし、設定画面に周辺機器名が表示されたら「接続」をクリックする。

2 Bluetooth機器の接続を解除する

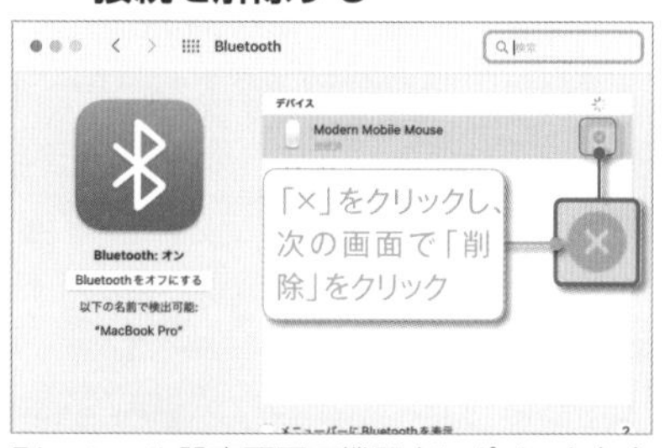

Bluetooth設定画面で機器名にポインタを合わせ、右端に表示される「×」をクリックすれば接続を解除できる。

18 複数のファイルを簡単にフォルダにまとめる方法

ファイルを効率的に整理できる操作法

通常、複数のファイルをフォルダにまとめるには、まず右クリックメニューからフォルダを作成し、選択したファイルをフォルダ内へ移動させるという手順が必要だ。ところが、ここで紹介する操作法を使えば、もっと少ない手順でファイルをフォルダにまとめることができる。ぜひ覚えておこう。

1 複数ファイルを選択して右クリックする

複数のファイルを選択し、右クリックする。続けて「選択項目(○項目)から新規フォルダ」を選択する。

2 選択したファイルをまとめたフォルダができた

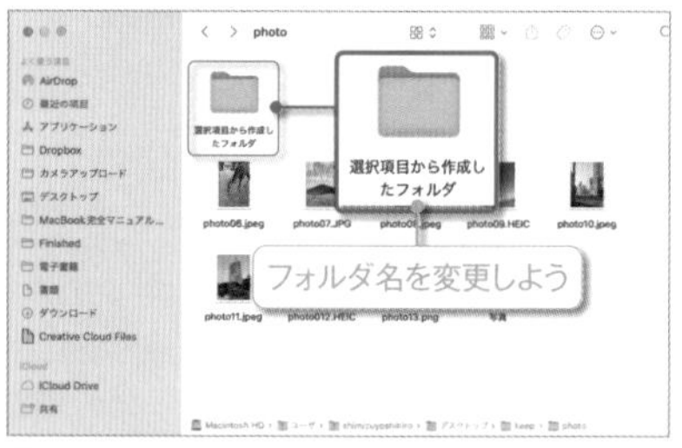

選択したファイルをまとめて格納したフォルダが作成された。

19 ファイルやフォルダのエイリアスを作成する

さまざまに活用できる便利なショートカット機能

macOSの「エイリアス」は、Windowsの「ショートカット」と同じ機能だ。ファイルやフォルダの分身のような存在で、ダブルクリックすると本体を開くことができる。ファイルやフォルダ本体の保存場所を移動させることなく、別の仕分け方でフォルダにまとめておきたい際などに便利な機能だ。

1 右クリックメニューからエイリアス作成

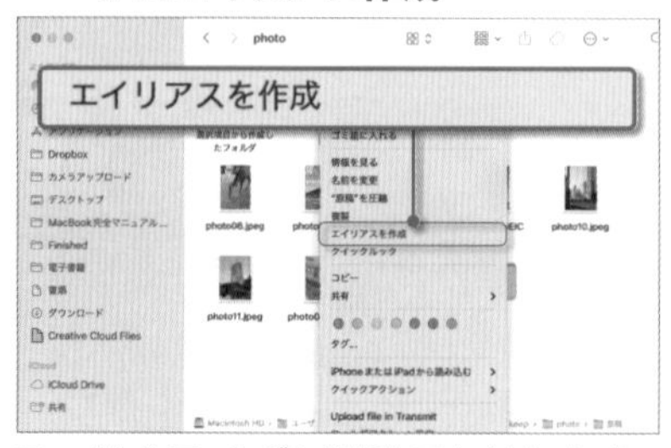

ファイルやフォルダを選択して右クリック。「エイリアスを作成」を選択する

2 フォルダの分身が作成された

「○○のエイリアス」という名前でエイリアスが作成された。このエイリアスをダブルクリックすれば、本体を開くことができる。エイリアスは、どこに移動させてもいいし削除しても本体に影響はない。

20 メニューバーを常に表示させておく

時刻やバッテリー残量もすぐに確認したい場合は

画面上部のメニューバーは常に表示させておくこともできる。「システム環境設定」→「Dockとメニューバー」で「Dockとメニューバー」の項目を開き、「デスクトップにメニューバーを自動的に表示／非表示」のチェックを外せばよい。いちいちポインタを画面上部に移動させなくても、常時表示されるようになる。

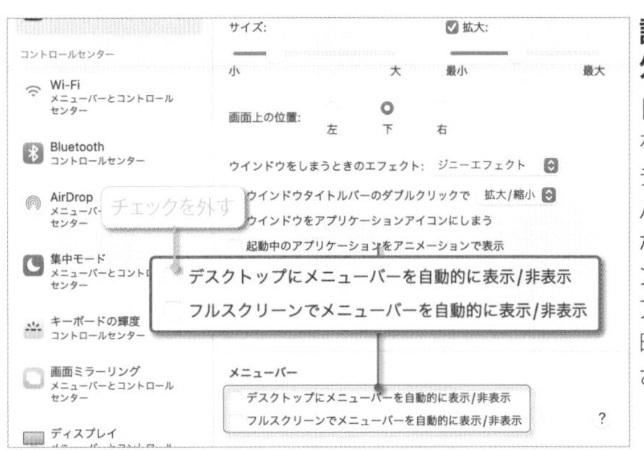

設定のチェックを外しておく

「デスクトップにメニューバーを自動的に表示／非表示」のチェックを外すとメニューバーが常時表示されるようになる。その下の「フルスクリーンで〜」のチェックを外せば、アプリのフルスクリーン表示時もメニューバーが常に表示される

21 開いているすべてのウインドウを見渡す

Mission Controlで一覧表示させる

ファイルやフォルダを開きすぎて、目当てのウインドウを見つけにくい場合は、トラックパッドを3本指で上へスワイプしてみよう。開いているウインドウがサムネイルで俯瞰的に一覧表示され、必要なウインドウをクリックして最前面に表示できる。複数のアプリやファイルを往復しながら作業するときに使いたい機能だ。

1 目当てのウインドウが見つからない時は

デスクトップで目当てのウインドウを探しにくい時は、トラックパッドを3本指で上へスワイプしてみよう。

2 すべてのウインドウが一覧表示される

Mission Control機能で、開いている全ウインドウが俯瞰的に一覧表示される。なお、Mission Controlの他の機能はP095で解説。

22 ウインドウのDockへのしまい方を変更する

それぞれのアプリのアイコンへ収納する

ウインドウ左上の黄色いボタンをクリックして、アプリやFinderのウインドウをしまうと、通常はDockの右端にいったん収納される。数が増えると表示がわずらわしいといった場合は、各アプリのアイコンへしまうようにすることもできる。「システム環境設定」の「Dockとメニューバー」を開き、設定を変更しよう。

1 Dockの設定項目にチェックを入れる

「システム環境設定」→「Dockとメニューバー」の「Dockとメニューバー」項目を開き、「ウインドウをアプリケーションアイコンにしまう」にチェックを入れる。

2 Dockのアプリアイコンにウインドウがしまわれる

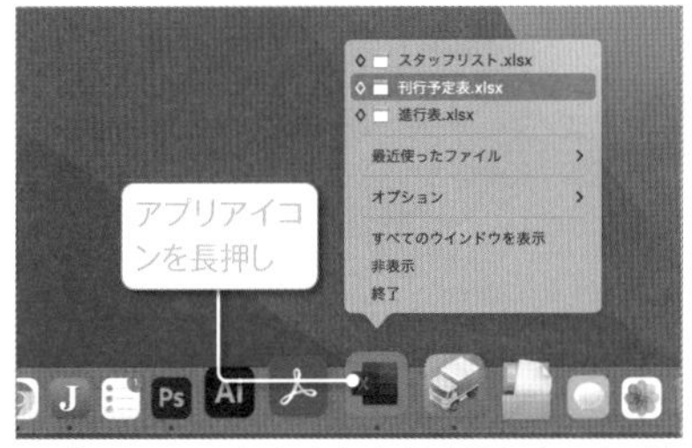

アプリアイコンにしまわれるようになった。複数ウインドウがしまわれている場合は、長押しメニューから選択して開こう。

23 macOSの自動アップデートをオフにする

内容を確認してアップデートしたい場合は

macOSは、定期的に不具合の解消や新機能の追加を行ったアップデートが配信される。改善を目的としたアップデートだが、環境によってはトラブルが起こることもある。アップデートの内容を精査した上で、手動でインストールしたい場合は、自動でアップデートしないようあらかじめ設定を変更しておこう。

1 自動アップデートのチェックを外す

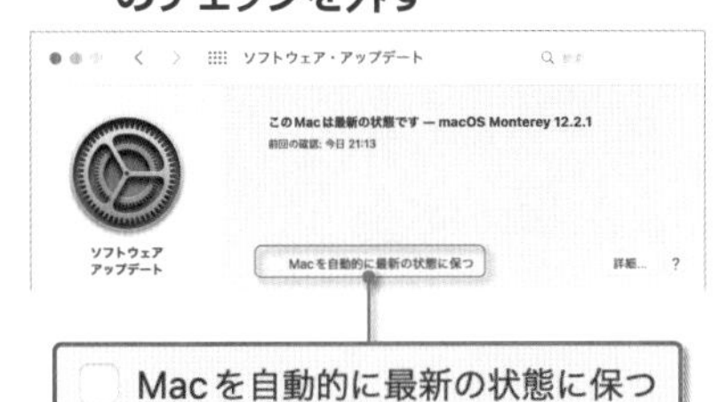

「システム環境設定」→「ソフトウェア・アップデート」を開き、「Macを自動的に最新の状態に保つ」のチェックを外す。

2 詳細設定もチェックしておく

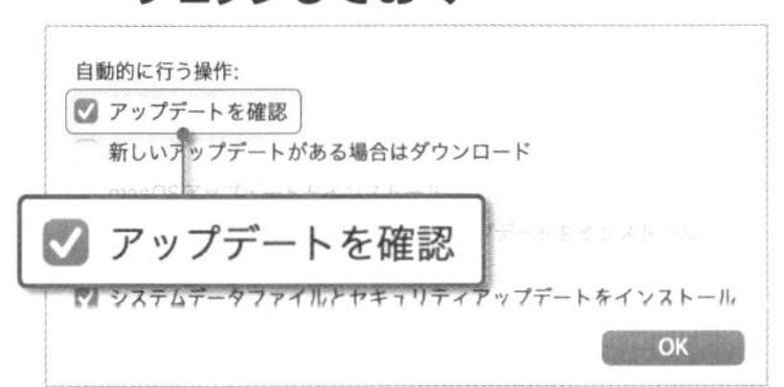

インストールは手動でも、アップデートの配信開始を知らせて欲しい場合は、「詳細」の画面で「アップデートを確認」にチェックを入れておこう。必要に応じてその他の項目もチェックしておこう。

SECTION

02

標準アプリ操作ガイド

本体とmacOSの仕組みや基本操作を覚えたら、はじめからMacBookにインストールされている標準アプリを使ってみよう。標準のメールアプリやWebブラウザのSafari、iPhoneともやり取りできるメッセージやFaceTimeなど、主力として使える良質なアプリが揃っている。ぜひ操作法をマスターしよう。

基本を確認

標準アプリとiCloudの関係を理解しておこう

アプリとiCloudの同期はバックアップにもなる

MacBookに標準インストールされているアプリのいくつかは、「iCloud」というAppleのクラウドサービスと「同期」できるようになっている。iCloudとは、Apple IDを作成すると、自動的に無料で5GBまで使えるようになるインターネット上の保管スペースのこと。同期とは、写真やメールといった標準アプリのデータを、常に最新に状態でiCloud上に保存しておき、同じApple IDを使ったiPhoneやiPadでも同じデータを見ることができるようにする機能のことだ。標準アプリのデータは、常にiCloud上に保存されることになるので、つまりiCloudには標準アプリのバックアップが自動的に作成されているとも言える。万一MacBookが壊れてしまっても、標準アプリのデータ本体はiCloud上にあるため、すぐに復元できる。iPhoneやiPadを使っていなくても便利な機能なので、iCloudの容量が許す限り標準アプリのiCloud同期は有効にしておこう。

標準アプリをiCloudと同期すると

iCloudの設定画面を確認する

Apple ID(P013で解説)でサインインした上で、Appleメニューから「システム環境設定」→「Apple ID」をクリック。サイドバーの「iCloud」でiCloudの管理画面が開く。

ここでチェックした標準アプリのデータは、常に最新の状態でiCloud上に保存される。iCloudの空き容量に対して標準アプリのデータが大きすぎる場合はチェックできない。

各アプリで同期、バックアップされる内容

写真

「iCloud写真」を有効にすることで、「写真」アプリで管理している写真やビデオがiCloud上に保存され、iPhoneやiPadで撮影した写真をMacBookでも表示して楽しめるようになる(P126で解説)。

iCloudメール

iCloudメール(「@icloud.com」のアドレス)のメールのみiCloud上に保存される。iCloudメールをまだ持っていない場合は、チェックを入れると新しいiCloudメールを作成できる。

連絡先

iCloudアカウントに追加された連絡先のみiCloud上に保存される。「連絡先」アプリで新しく作成した連絡先の追加先は、「環境設定」→「一般」→「デフォルトアカウント」で変更できる。

カレンダー

iCloudカレンダーに追加されたイベントのみiCloud上に保存される。「カレンダー」アプリでイベントを作成する際は、イベント名の横にあるボタンで追加先のカレンダーを選択できる。

リマインダー

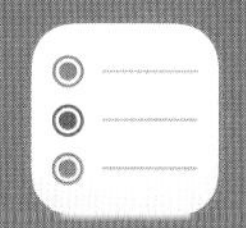

「リマインダー」アプリに登録したタスクや作成したリスト、実行済みやフラグなどの状態はすべてiCloud上に保存される。通知を許可しておけば各デバイスに同時にリマインダーが届く。

Safari

「Safari」のブックマークやリーディングリスト、表示中のタブ、履歴などがiCloud上に保存される。MacBookのSafariで見ていたWebサイトを、iPhoneのSafariで開き直すといった操作も簡単。

メモ

iCloudアカウントに追加されたメモのみiCloud上に保存される。複数アカウントを追加している場合は、サイドバーでiCloudのフォルダを選択するとiCloudアカウントにメモを作成できる。

POINT 「キーチェーン」の同期も確認

「iCloudキーチェーン」は、一度ログインしたWebサービスのユーザー名やパスワード、登録したクレジットカード情報などをiCloud上に保存しておき、次回からはTouch IDなどで認証するだけで自動入力できるようにする機能だ。iCloudの同期を有効にしておくことで、iPhoneやiPadでも同じログイン情報やクレジットカード情報を使って自動入力できるようになる。iCloudキーチェーンに保存されたログイン情報は、Safariの「環境設定」→「パスワード」をクリックし、コンピュータアカウントのパスワードを入力すれば確認できる。

Safari

Webサイトを見るための標準Webブラウザ

Webサイトを閲覧する基本操作を知ろう

MacBookでWebサイトを閲覧するには、標準Webブラウザの「Safari」を使おう。Safariのアドレス欄は「スマート検索フィールド」と呼ばれ、キーワード検索ボックスとしても使える。そのほか、タブの切り替えやブックマーク登録、ダウンロードなど基本操作を覚えておこう。複数のタブをグループ化してまとめて管理できる「タブグループ」や、標準で用意されていない機能をあとから追加できる「機能拡張」も活用したい。

使い始めPOINT

起動時に前回開いていたウインドウを表示する

Safariで開いていたタブを残したまま次回も開くようにするには、Safariのメニューバーから「Safari」→「環境設定」→「一般」タブを開き、「Safariの起動時」を「最後のセッションの全ウインドウ」にしておけばよい。ただし、Safariのウインドウ左上の「×」をクリックすると、アプリは終了せずウインドウが閉じてしまうため(P044で詳しく解説)、次回起動時にはウインドウを閉じる前の状態を復元できない。ウインドウを開いたままで、メニューバーから「Safari」→「Safariを終了」で終了するようにしよう。

Safariの起動時: 最後のセッションの全ウインドウ

Webサイトにアクセスして閲覧する

1 スマート検索フィールドにURLやキーワードを入力

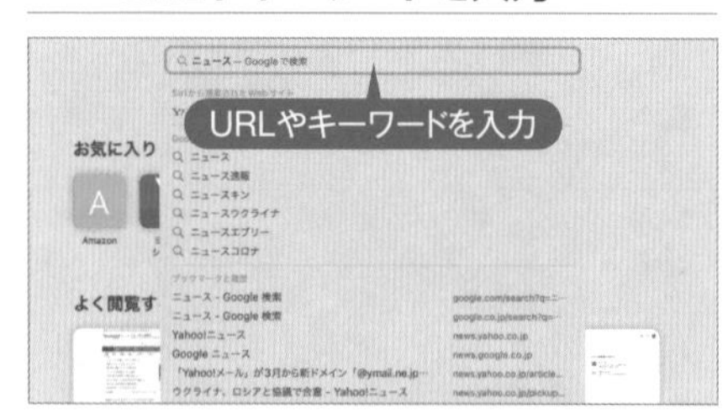

スマート検索フィールド(アドレス欄)は、URLを入力して直接Webサイトにアクセスできるほか、キーワードを入力するとGoogleの検索結果が表示される。

2 URLやキーワードの候補から選択する

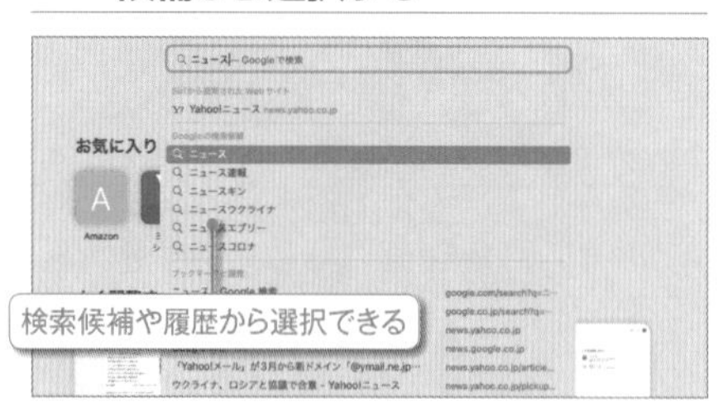

URLやキーワードを入力した際は下部にメニューが開き、よく使われる検索候補や、履歴などが表示される。これら候補から選択してクリックしても良い。

3 リンクをクリックしてリンク先を開く

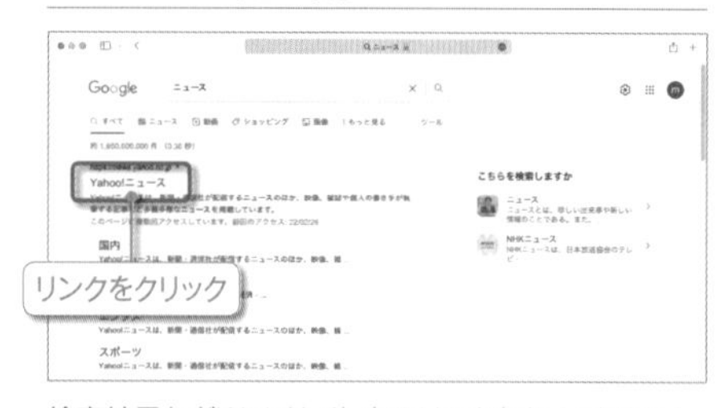

検索結果などWebサイト内のリンクをクリックすると、そのリンク先にアクセスし、Webサイトを表示することができる。

4 前のページに戻る、次のページに進む

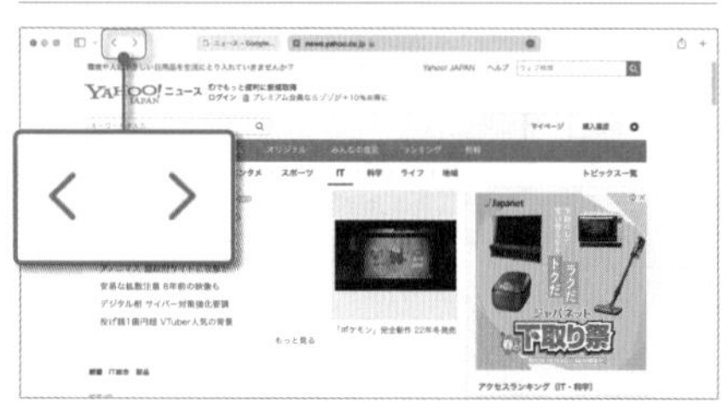

ツールバー左上の「<」をクリックすると直前に開いていたページに戻る。戻ったあとに「>」をクリックすると次のページに進む。

5 サイドバーを表示する

サイドバーボタンでサイドバーを開くと、タブグループの切り替えや「あなたと共有」(P075で解説)の確認、ブックマークやリーディングリストの管理を行える。

使いこなしヒント

トラックパッドのジェスチャで操作する

トラックパッドを2本指でダブルタップすると、Webサイトを拡大縮小できる(スマートズーム)。また2本指で左右にスワイプすると、前後のページを表示できる。このようなトラックパッドのジェスチャで誤操作が多いなら、Appleメニューの「システム環境設定」→「トラックパッド」で該当のジェスチャをオフにしておこう。

複数のWebサイトをタブで切り替えて表示する

1 新しいタブを開く

Safariでは、新しいWebサイトを「タブ」で開き、複数のWebサイトを切り替えて表示できる。右上の「+」ボタンをクリックすると、新しいタブが開く。

2 他のタブに表示を切り替える

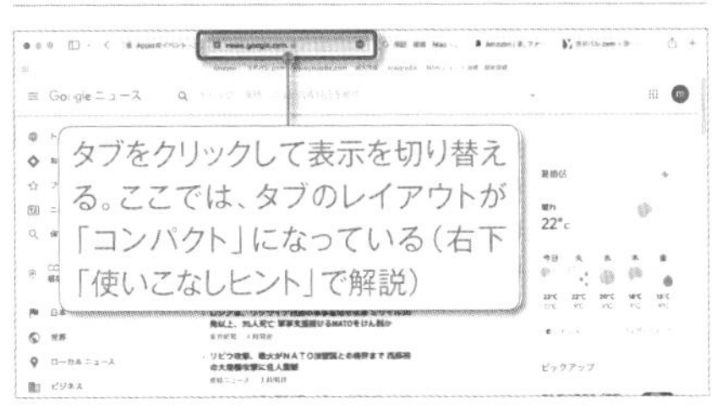

元のWebサイトを残したまま、新しいタブで別のWebサイトを表示できる。タブをクリックすることで、表示するWebサイトを切り替えできる。

3 リンク先を新しいタブで開く

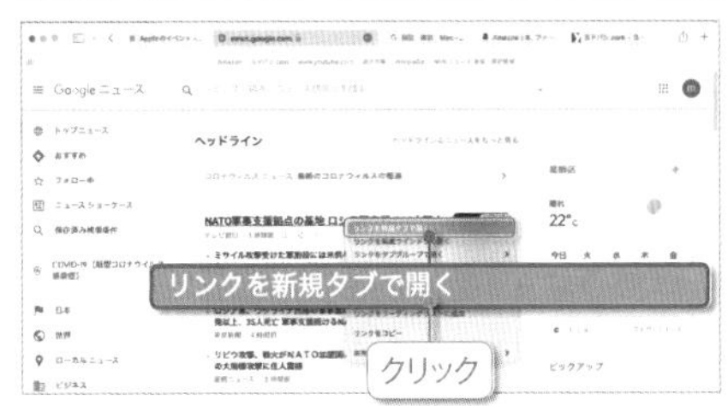

リンクを右クリックして「リンクを新規タブで開く」を選択すると、リンク先を新しいタブで開くことができる。

4 不要なタブを閉じる

タブにカーソルを重ねると、「×」ボタンが表示される。これをクリックすれば、不要なタブを閉じることができる。

5 新規タブグループを作成する

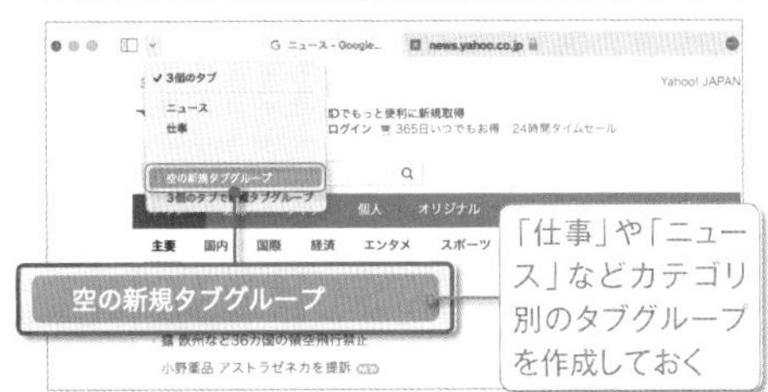

タブをカテゴリ別にグループ分けできる機能が「タブグループ」だ。サイドバーボタン横の「∨」→「空の新規タブグループ」でタブグループを作成しておこう。

6 タブを別のグループに移動する

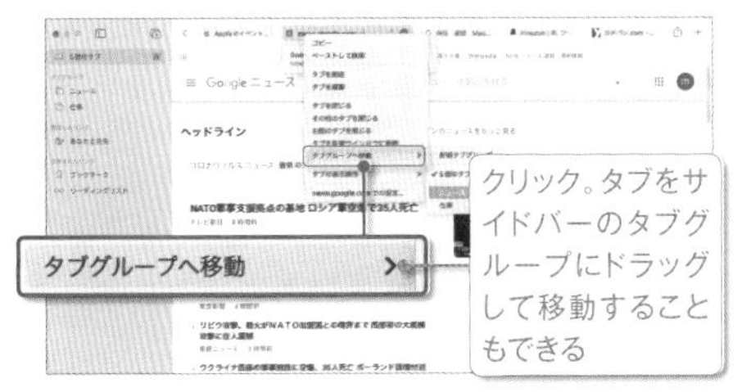

開いているタブを別のグループに移動するには、タブの右クリックメニューから「タブグループへ移動」で移動したいタブグループを選択すればよい。

7 タブグループを切り替える

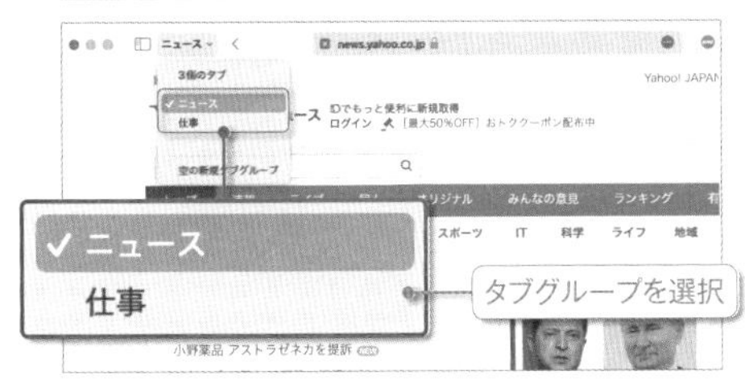

タブグループの表示を切り替えるには、サイドバーからタブグループを選ぶか、サイドバーボタン横の「∨」ボタンをクリックしてタブグループを選択する。

8 開いているタブを一覧表示する

サイドバーでタブグループ選択時に表示される「タブの概要を表示」ボタンをクリックすると、開いているすべてのタブがサムネイルで一覧表示される。

使いこなしヒント

タブの表示スタイルを変更する

タブの表示スタイルは、スマート検索フィールドとタブが一体化した「コンパクト」と、スマート検索フィールドの下に別途タブが並ぶ「セパレート」から選択できる。メニューバーの「Safari」→「環境設定」→「タブ」の「タブのレイアウト」で自分が使いやすいスタイルに設定しておこう。

お気に入りの登録とお気に入りバーの表示

1 Webサイトをお気に入りに登録

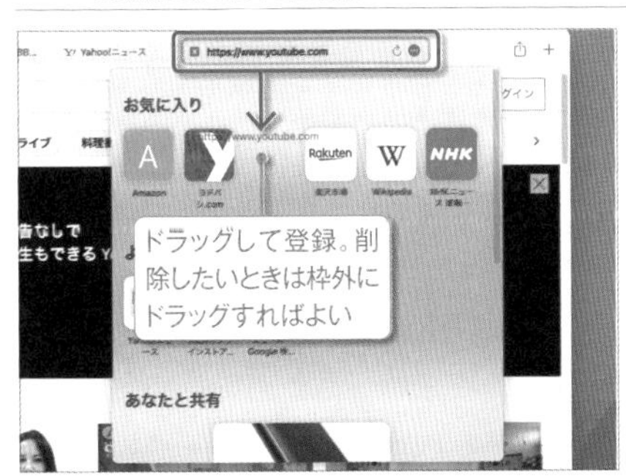

Webサイトを表示してスマート検索フィールドをクリックすると、「お気に入り」が表示される。この「お気に入り」欄にアドレス欄のURLをドラッグすると、表示中のページをお気に入りに登録できる。「お気に入り」は新しいタブを開いた際などにも表示されるので、よく使うWebサイトを素早く開けるようになる。

2 お気に入りバーを表示する

Safariのメニューバーから「表示」→「お気に入りバーを表示」を選択すると、ツールバーの下にお気に入りバーが表示される。お気に入りに登録したWebサイト名が表示され、クリックすればすぐに開くことが可能だ。アドレス欄のURLをお気に入りバーにドラッグして、お気に入りに登録することもできる。

Webサイトをブックマークに追加する

1 スマート検索フィールドの「…」をクリック

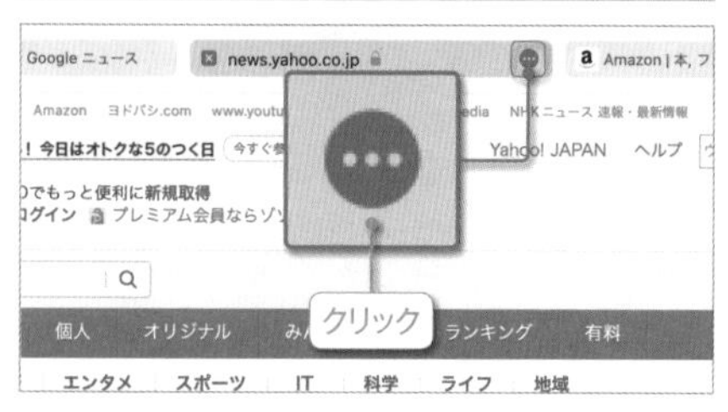

表示中のWebサイトを「お気に入り」以外の場所にブックマーク登録したい場合は、スマート検索フィールドの右端にある「…」をクリックする。

2 「ブックマーク」で追加先を選択する

開いたメニューの「ブックマーク」で、作成済みのブックマークフォルダがリスト表示されるので、追加したいフォルダを選択しよう。

3 ブックマークからWebサイトを開く

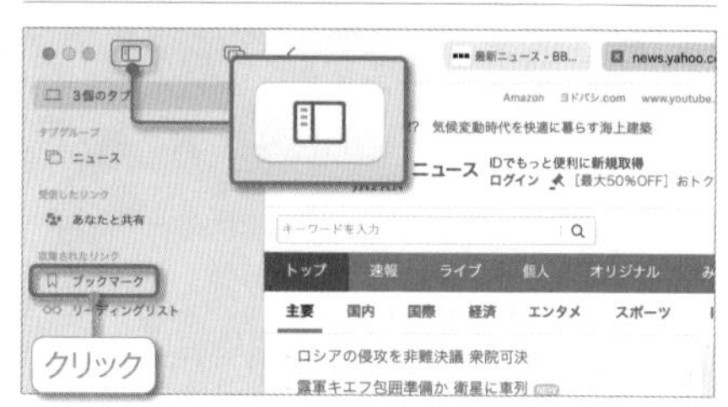

「サイドバー」ボタンをクリックして「ブックマーク」をクリックすると、ブックマークが一覧表示される。Webサイト名をクリックするとすぐにアクセスできる。

4 ブックマークを編集する

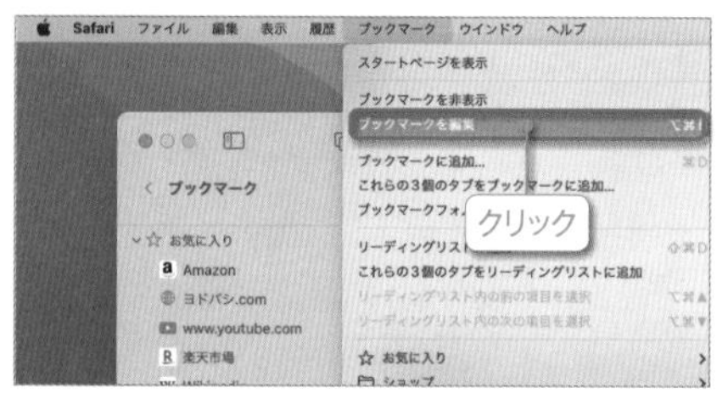

登録したブックマークをフォルダで分類して整理するには、Safariのメニューバーから「ブックマーク」→「ブックマークを編集」をクリックしよう。

5 フォルダを作成して整理する

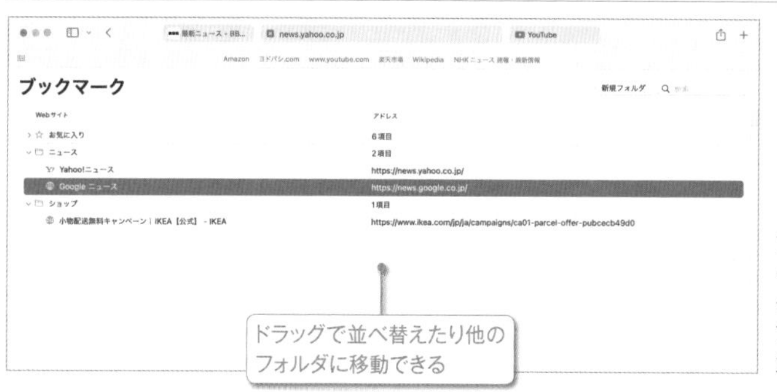

ブックマークの編集画面が開く。「新規フォルダ」でフォルダを作成したり、フォルダやブックマークをドラッグして並べ替える事ができる。

見ているWebサイトを家族や友人に共有する

1 共有ボタンで共有方法を選択

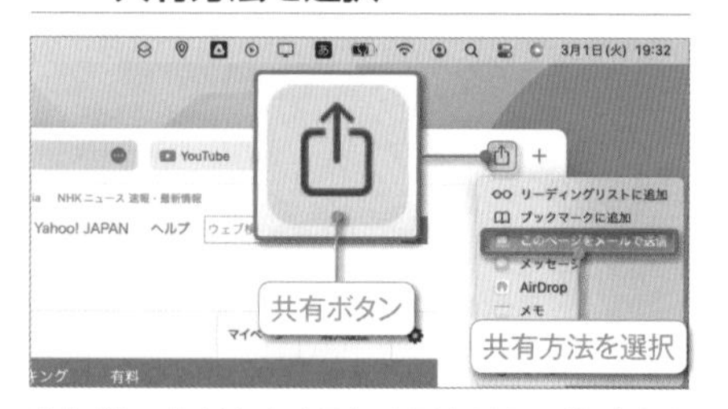

共有ボタンをクリックすると、表示中のWebサイトをさまざまな方法で共有できる。メールやメッセージ、AirDropなど共有に使うアプリや手段を選択しよう。

2 Webサイトをメールで送信する

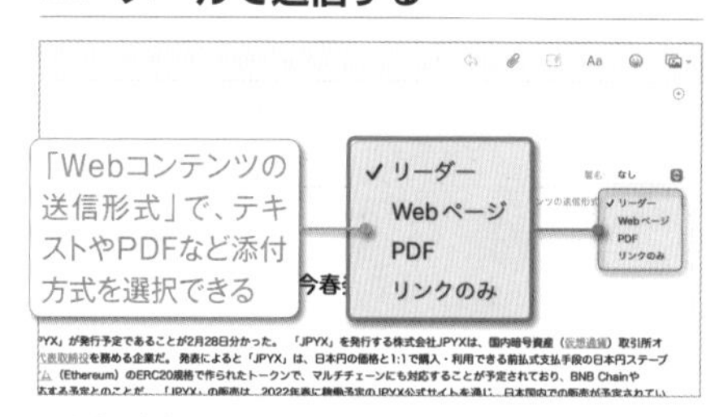

たとえば、気になる記事を家族や友人にメールで伝えたい時は、「このページをメールで送信」をクリック。Webサイトが添付された状態でメール作成画面が開く。

3 共有に使うアプリを追加する

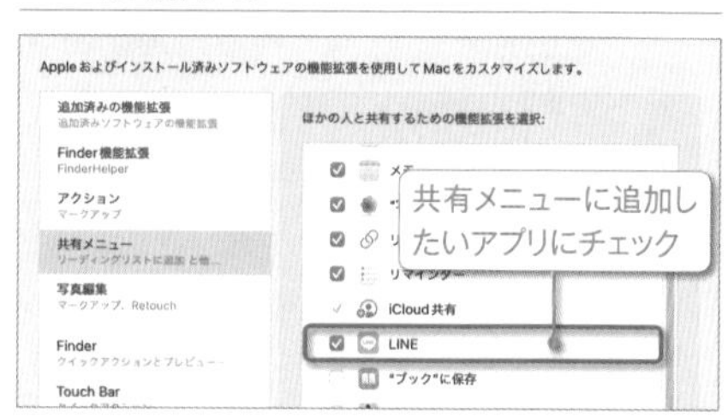

共有に使いたいアプリが表示されない場合は、「その他」をクリック。チェックを入れたアプリが共有メニューに表示されるようになる。

拡張機能を追加してSafariをより便利に使う

「入手」や価格ボタンをクリックしてインストールする

Safariは拡張機能にも対応しており、標準で用意されていない機能を追加できる。まずSafariのメニューバーで「Safari」→「Safari機能拡張」をクリック。App StoreでSafari機能拡張ページを開いたら、追加したい拡張機能を探してインストールしよう。

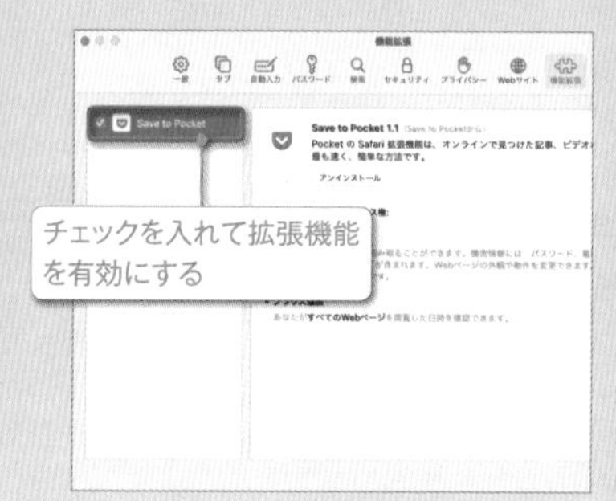

Safariのメニューバーで「Safari」→「環境設定」をクリックし、「機能拡張」画面を開くと、インストール済みの拡張機能が一覧表示される。チェックボックスにチェックを入れると、その拡張機能が有効になりSafariで利用できるようになる。

Webサイトからファイルをダウンロードする

1 リンク先をダウンロードする

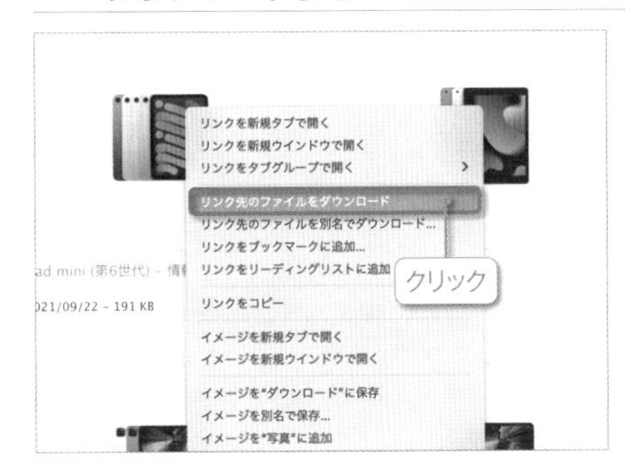

SafariでPDFやZIPなどのファイルを保存するには、リンクを右クリックして、「リンク先のファイルをダウンロード」をクリックすればよい。ダウンロードを開始するとツールバーの右上に「ダウンロードを表示」ボタンが表示され、クリックするとダウンロードの進捗状況が表示される。

2 ダウンロードしたファイルを確認

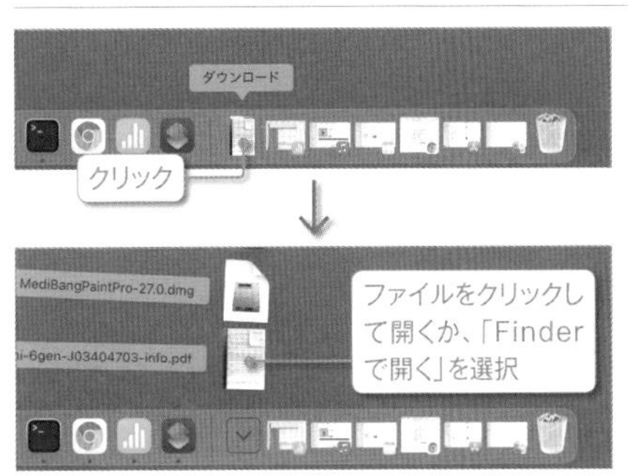

ダウンロードしたファイルは、Dockに配置されているダウンロードスタックをクリックすると、すぐに開くことができる。また、「Finderで開く」を選ぶと、保存先の「ダウンロード」フォルダを開くことができる。

使いこなしヒント

ダウンロードしたファイルの保存先を変更する

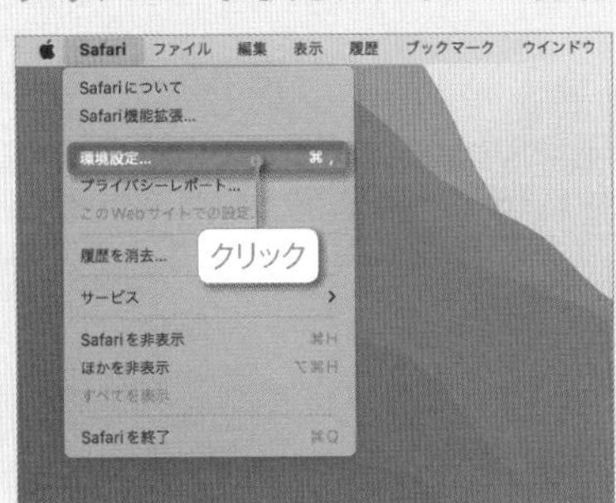

ダウンロードしたファイルの保存先を変更することもできる。Safariのメニューバーから「Safari」→「環境設定」をクリック。

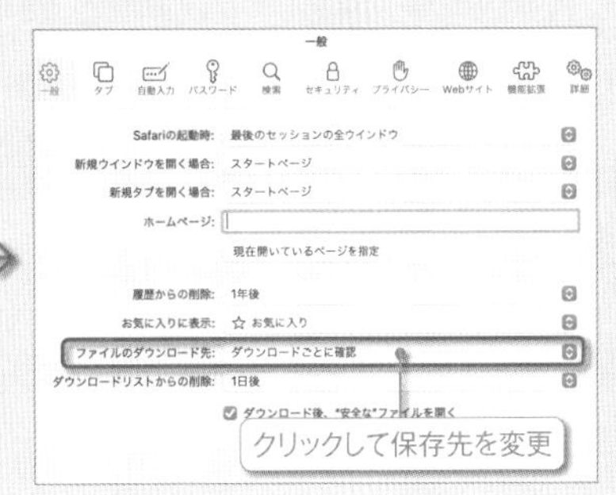

「一般」タブの「ファイルのダウンロード先」で保存先を変更しよう。「ダウンロードごとに確認」を選択すれば、毎回保存先を選択できる。

デフォルトのWebブラウザをGoogle Chromeに変更する

WindowsやスマートフォンなどでGoogle Chromeを使い慣れているなら、MacBookのデフォルトのWebブラウザをGoogle Chromeに変更することも可能だ。メールやTwitterでURLをクリックすると、Google Chromeが起動するようになる。またGoogleアカウントでサインインして同期を有効にすれば、ブックマークや拡張機能などもMacBookで利用できるようになる。

Google Chrome
作者／Google
価格／無料
入手先／https://www.google.com/chrome/

1 システム環境設定の一般をクリック

Google Chromeのインストールを済ませたら、Appleメニューの「システム環境設定」→「一般」をクリック。

2 デフォルトのWebブラウザを変更する

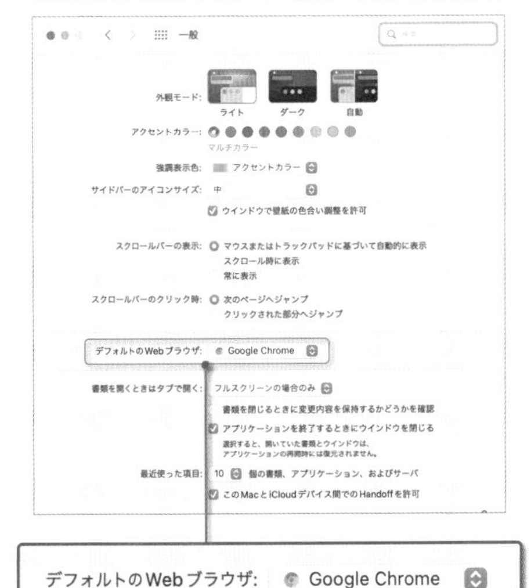

「デフォルトのWebブラウザ」をクリックし、Google Chromeを選択すれば、以降はSafariに変わってGoogle Chromeが標準のWebブラウザになる。

使いこなしヒント

ChromeとSafariの間でHandoffを利用できる

MacBookやiPhone、iPad間でアプリの作業を引き継げる「Handoff」機能(詳しくはP123で解説)。MacBookの標準WebブラウザをGoogle Chromeにし、iPhoneやiPadではSafariを使っている場合も問題なく連携可能だ。右の通り、iPhoneのAppスイッチャーでHandoffのバナーをタップすれば、MacBookのChromeで開いているサイトを開き直すことができる。

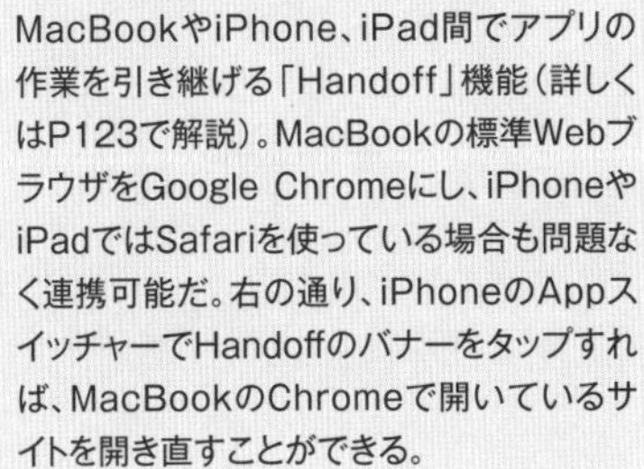

メール

自宅や会社のメールをまとめて管理

メールを効率的に整理する さまざまな機能を備える

MacBookに標準搭載されている「メール」は、自宅のプロバイダメールや会社のメール、iCloudメールやGmailといったメールサービスなど、複数のメールアカウントを追加して、まとめて管理できる便利なアプリだ。複数アカウントのメールを効率的に整理するさまざまな機能を備えているので、まずは普段使っているメールアカウントをすべて追加しておこう。メールの送受信や整理など、基本的な使い方も解説する。

使い始めPOINT

メールアプリに アカウントを追加する

メールアカウントは、メールのメニューバーから「メール」→「アカウントを追加」をクリックして登録する。iCloudメールやGmailならアカウントとパスワードの入力で簡単に登録できるが、自宅や会社のメールはPOPサーバーやSMTPサーバなどの情報を入力する必要がある。

Gmailを追加するなら「Google」、会社などのプロバイダメールを追加するなら「その他〜」にチェックし、設定を進めていく。

自宅や会社のメールを送受信できるようにする

1 その他のメール アカントを選択

メニューバーから「メール」→「アカウントを追加」をクリックし、「その他のメールアカント」にチェックして「続ける」をクリック。

2 アカウント情報を 入力する

メール送信時に使用する名前と、自宅や会社のメールアドレス、パスワードを入力し、「サインイン」をクリックする。

3 メールサーバーの 情報を入力する

ユーザー名やアカウントの種類、受信用メールサーバ、送信用メールサーバの情報を入力し、「サインイン」でアカウントを追加できる。

使いこなしヒント

追加したアカウントを確認する

追加したメールアカウントは、メニューバーの「メール」→「環境設定」の「アカウント」タブで確認できる。「アカウント情報」の「このアカウントを使用」のチェックを外せば、メールアプリでのこのアカウントの使用を停止できる。

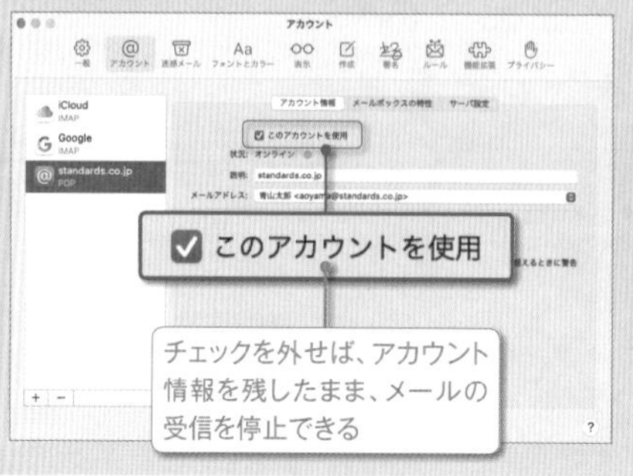

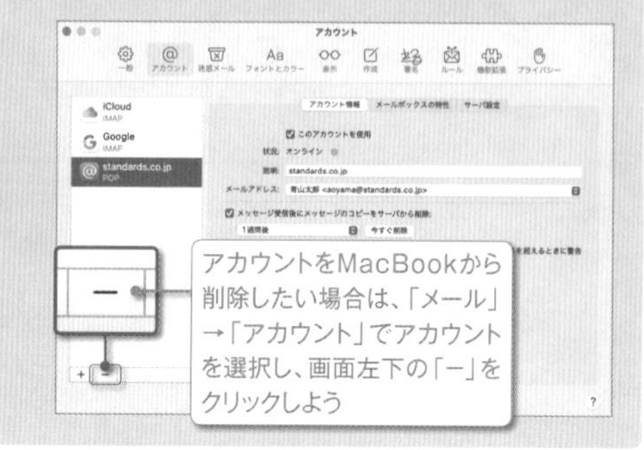

受信したメールを操作する

1 メールを受信する

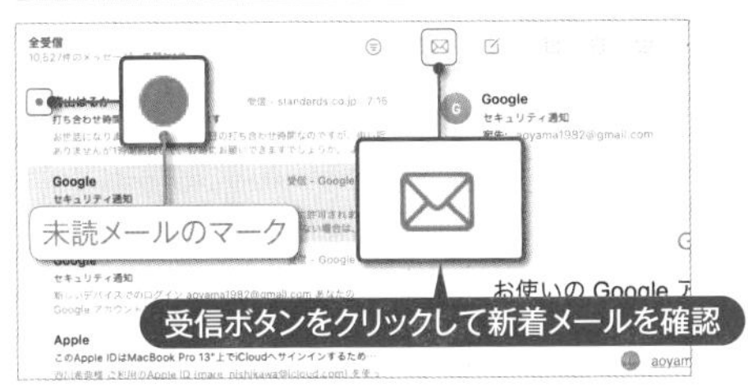

メールが届くと自動的に受信されるが、今すぐ新着メールを確認したい時は、上部の受信ボタンをクリックすればよい。未読メールには青いマークが付く。

2 受信したメールを読む

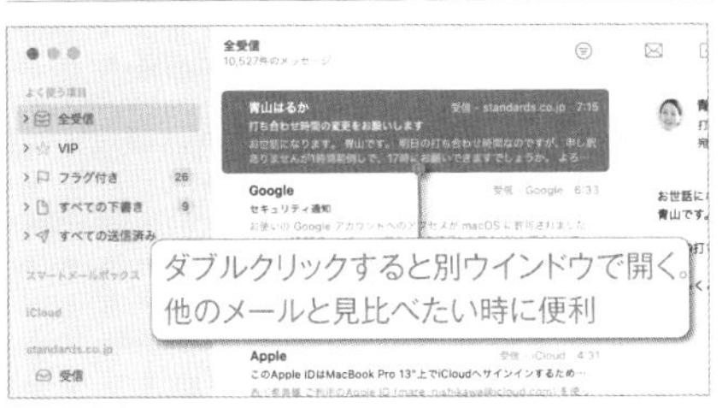

受信メールのリストからメールを選択すると、右欄にメール内容が表示される。リストのメールをダブルクリックすると別ウインドウで表示できる。

使いこなしヒント

アカウントごとにメールを確認する

複数アカウントを追加している場合は、メールボックスを開いて「全受信」の矢印ボタンをクリックすると、アカウントごとに受信メールを確認できる。

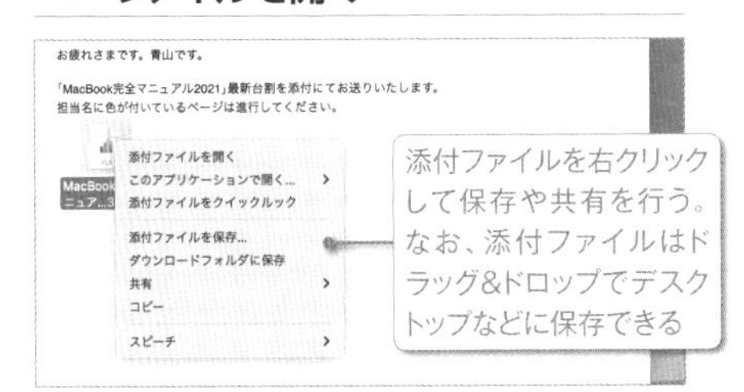

3 返信や転送メールを作成する

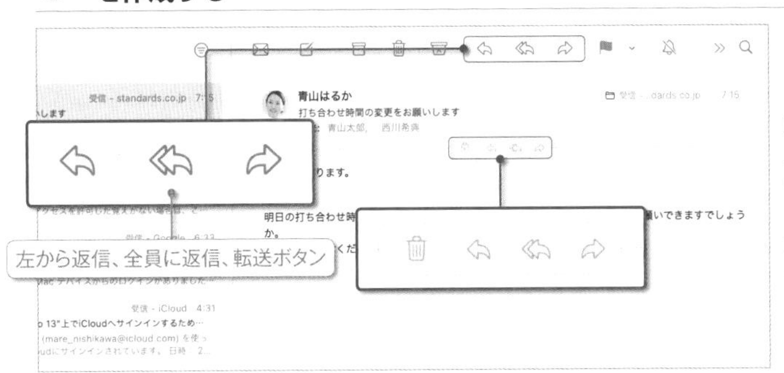

開いたメールに対して返信メールを送りたい時は、上部の矢印ボタンをクリックすれば良い。左から、返信、全員に返信、転送ボタンとなっている。なお、メール本文のヘッダ部分にカーソルを合わせても、返信や転送ボタンが表示される。

4 添付されたファイルを開く

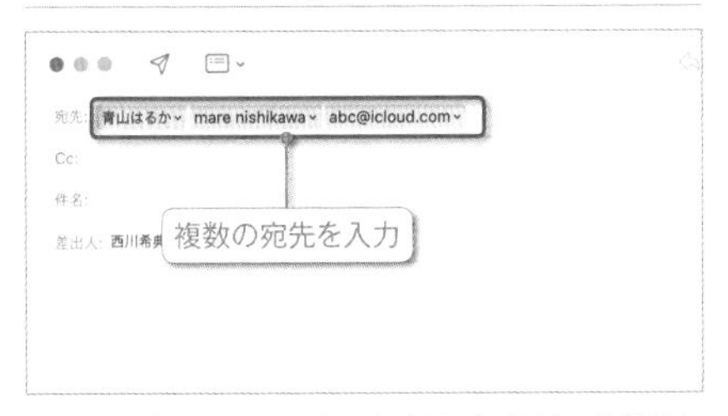

メールに添付されたファイルはダブルクリックで開くことができる。また、右クリックすれば、アプリを指定して開いたり、保存や共有などの操作を行える。

新規メールを作成して送信する

1 新規メールを作成する

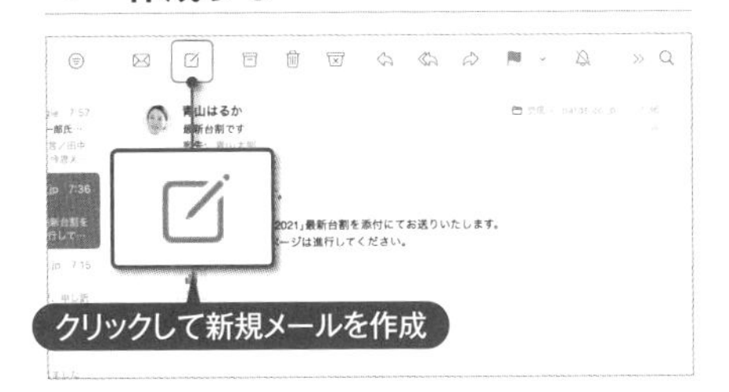

新規メールを作成するには、メールのツールバーにある、新規メッセージボタンをクリックしよう。メールの作成画面が開く。

2 メールの宛先を入力する

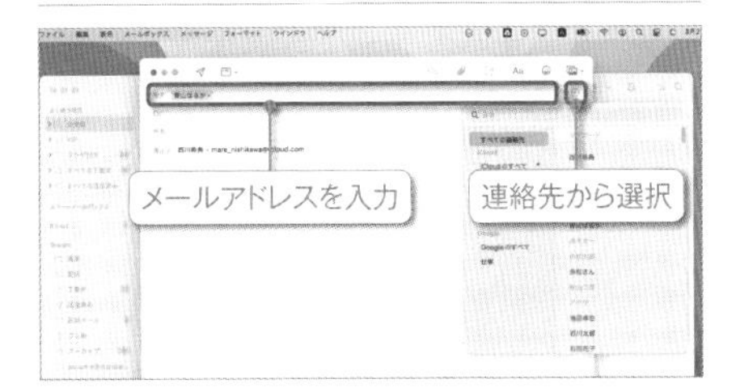

「宛先」欄にメールアドレスを入力するか、入力途中に表示される候補から選択しよう。または、右端の「+」ボタンで連絡先から選択できる。

3 複数の相手に同じメールを送信する

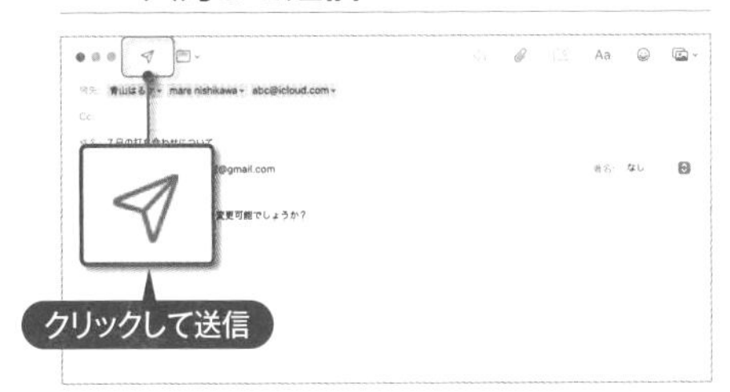

宛先を入力してreturnキーをクリックすると、自動的に宛先が区切られて、複数の宛先を追加入力することができる。

4 CcやBccで複数の宛先にメールを送信する

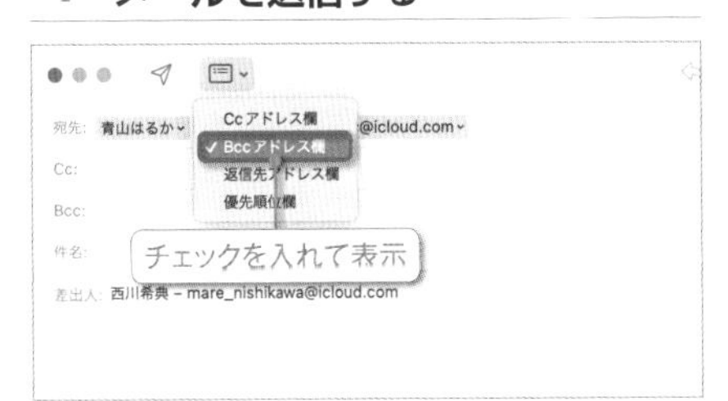

CcやBccで複数の相手にメールを送ることもできる。CcとBccの宛先欄が表示されていない場合は、ツールバーのヘッダ欄ボタンから表示させることができる。

5 差出人アドレスを変更する

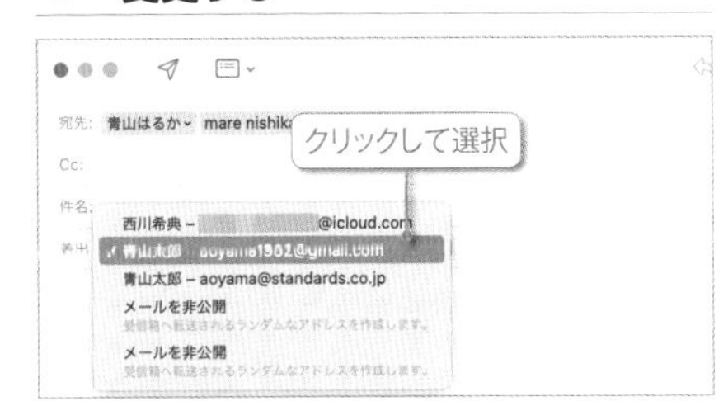

複数のアカウントを設定しており、差出人アドレスを変更したい場合は、「差出人」欄をクリックし、差出人アドレスを選択すればよい。

6 件名や本文を入力して送信

宛先と差出人を設定したら、あとは件名と本文を入力して、左上の送信ボタンをクリックすれば、メールを送信できる。

メールにファイルを添付する

1 添付ボタンでファイルを添付

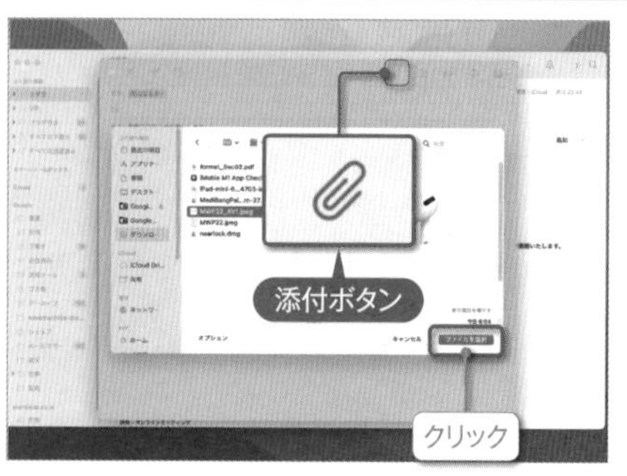

ツールバーにある添付ボタンをクリックすると、画像や書類などさまざまなファイルをメールに添付できる。添付したいファイルを探して、「ファイルを選択」をクリックしよう。フォルダをそのまま添付することも可能だ。ツールバー右端の「写真ブラウザ」ボタンから写真を添付することもできる。

2 ドラッグ&ドロップでも添付できる

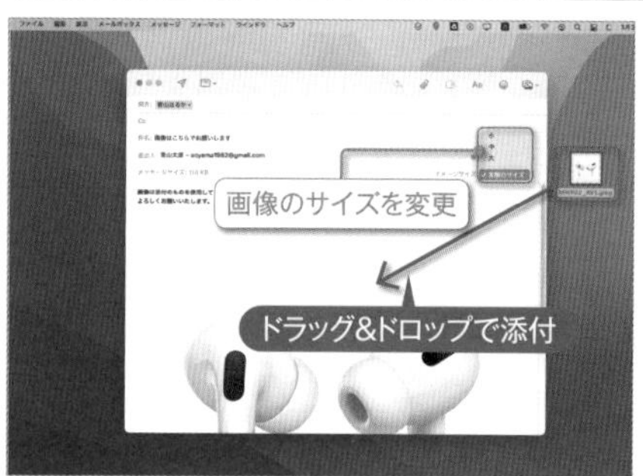

メールウインドウにファイルをドラッグ&ドロップしても添付できる。添付ファイルが画像の場合は、ウインドウの本文内に画像が貼り付けられる。「イメージサイズ」のメニューで、添付する画像のサイズを小中大に変更することも可能だ。画像を削除したい時は、文字と同じようにdeleteキーを押せばよい。

使いこなしヒント

大きなサイズのファイルを送信する

添付ファイルのサイズが大きすぎる場合は、送信時に「Mail Dropを使用」という画面が表示される。この機能を使うと、ファイルがiCloudに一時的にアップロードされ、相手にはダウンロードリンクのみが送信される。アップロードされたファイルは最大30日間保存されるので、相手は30日以内ならいつでもダウンロードが可能だ。

メールを検索する

1 キーワードでメールを検索する

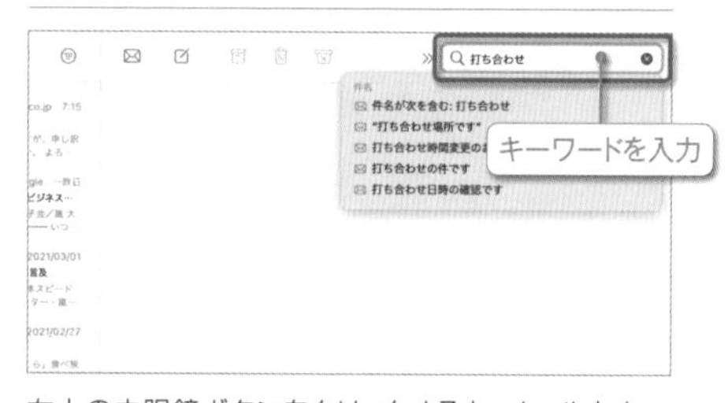

右上の虫眼鏡ボタンをクリックすると、メールをキーワード検索できる。「昨日青山さんから」といった自然な文体でも検索することが可能だ。

2 フィルタボタンでメールを抽出する

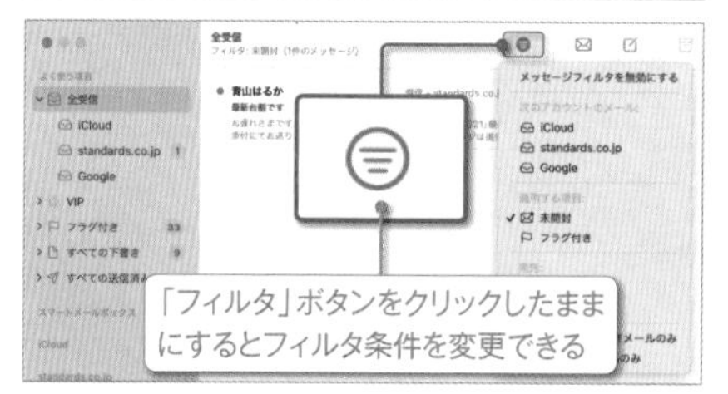

メッセージリストの上部にある「フィルタ」ボタンをクリックすると、未開封やフラグ付き、VIPからのメールのみといった条件でメールを抽出できる。

3 重要なメールにフラグを付ける

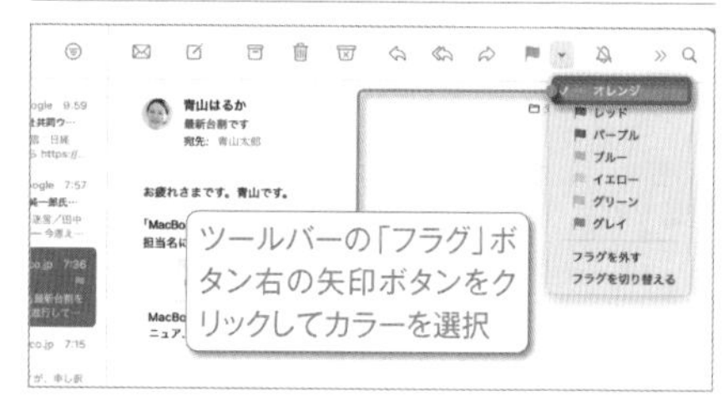

重要なメールには好きな色の「フラグ」を付けておこう。フラグを付けたメールには、メール一覧や宛先の横に旗のマークが表示されるようになる。

4 重要な相手をVIPに登録する

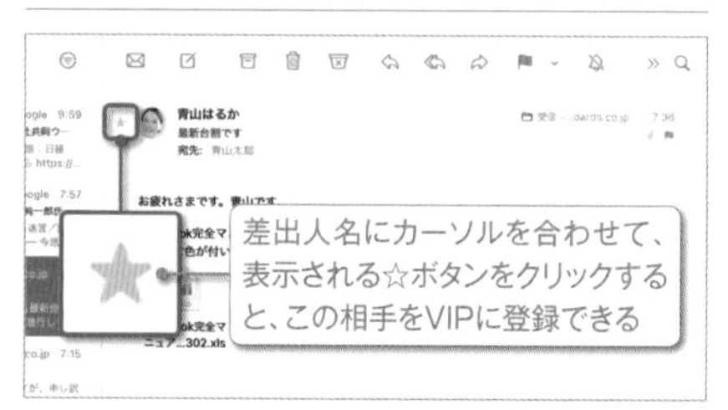

重要な相手は「VIP」に登録しておくと、その相手からのメールは自動的にVIPメールボックスに振り分けられるようになり、メールの見逃しを防げる。

5 フラグ付きやVIPのメールを表示する

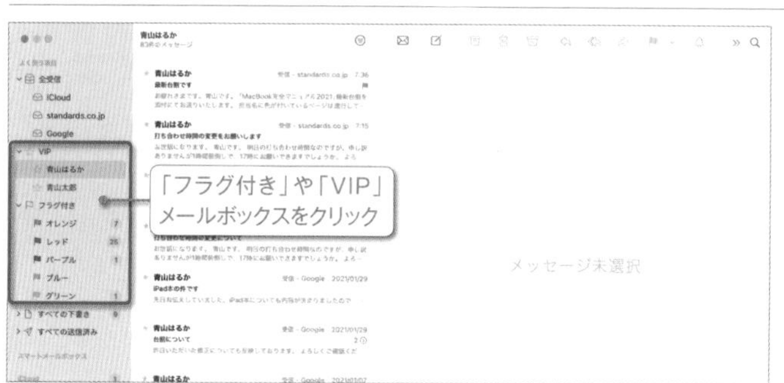

サイドバーで「フラグ付き」メールボックスを開くと、フラグを付けたメールだけが一覧表示される。また「VIP」メールボックスを開くと、VIPに登録した相手からのメールが一覧表示され、重要なメールを素早く探し出せる。

その他の覚えておきたい操作

1 メールを下書きとして保存する

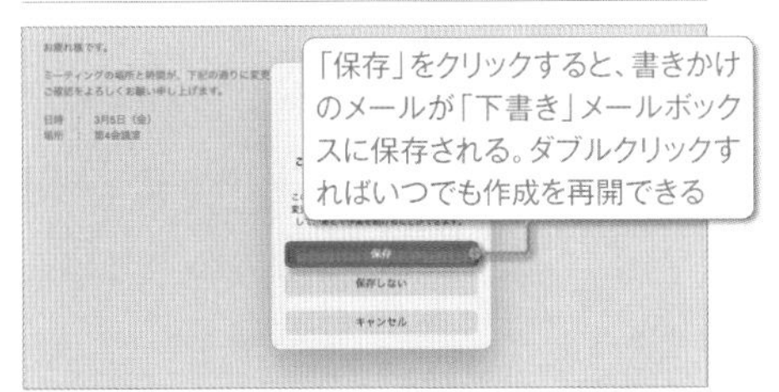

メールの作成途中にウインドウを閉じると、「下書きとして保存しますか?」と表示される。「保存」をクリックすれば、あとでメール作成を再開できる。

2 未読メールをまとめて開封する

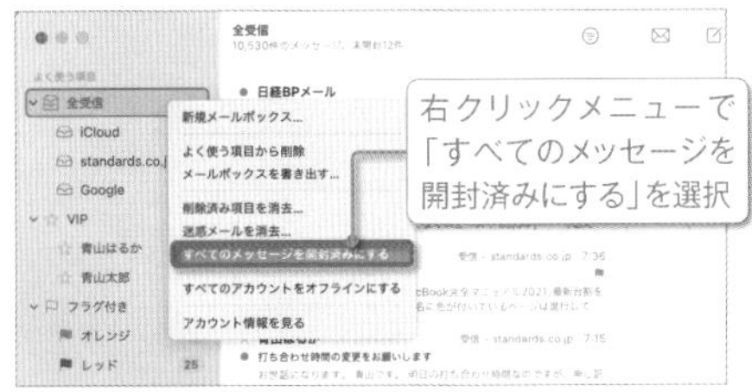

未読メールをまとめて開封済みにしたい場合は、メールボックスを右クリックし、「すべてのメッセージを開封済みにする」を選択すればよい。

3 特定の相手を受信拒否する

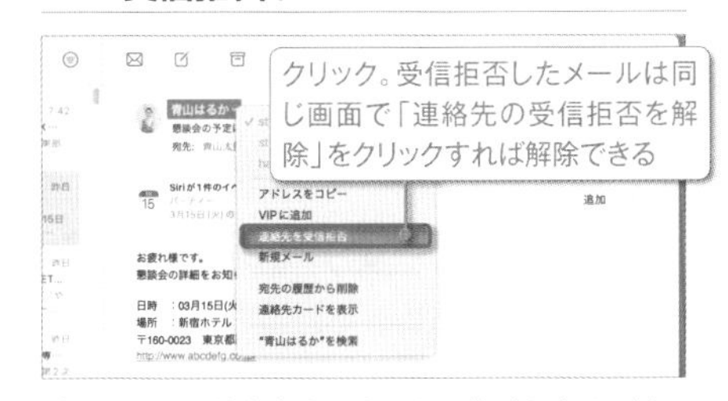

受信メールの差出人名の右にある「∨」をクリックし、「連絡先を受信拒否」を選択すると、この相手からのメールを受信拒否できる。

4 メールのスレッド表示を無効にする

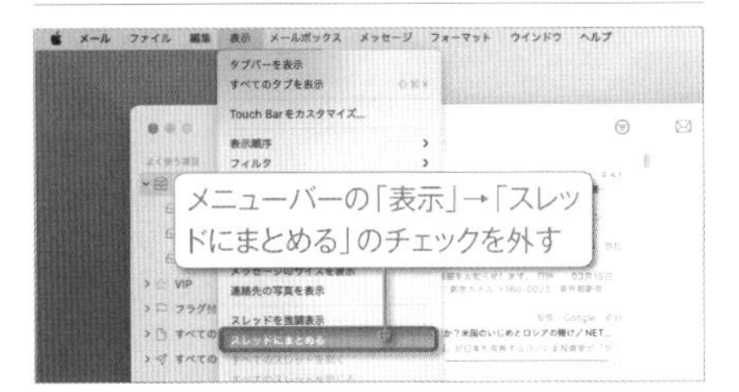

同じ話題についてやり取りした一連のメールは「スレッド」としてまとめて表示されるが、「スレッドにまとめる」をオフにすれば、着信順に1通ずつ個別に表示できる。

5 リストプレビューの行数を変更する

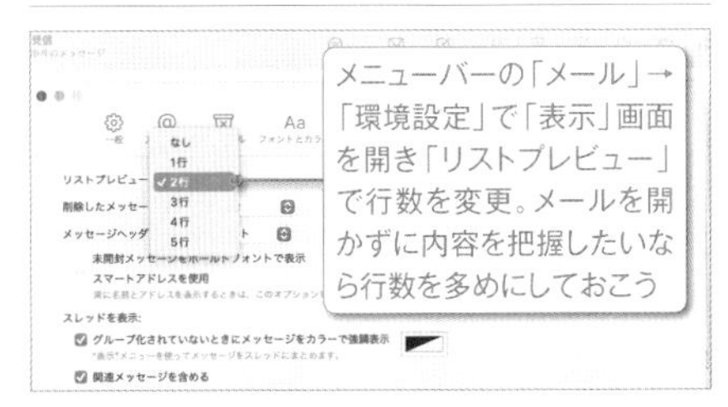

メール一覧のリストには、件名や受信日時のほかに、内容の一部がプレビュー表示される。このプレビュー行数は「なし」から「5行」まで変更できる。

6 メールに署名を自動で付ける

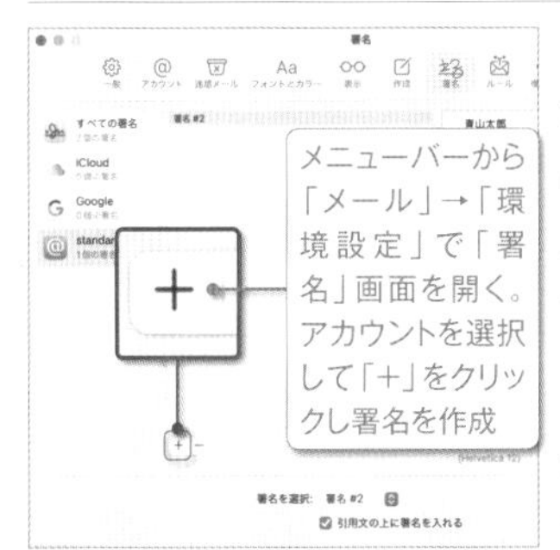

メールアプリでは、メールの作成時に自動で入力する署名を設定しておける。アカウントごとに個別に設定しておくことが可能だ。

メールボックスを整理する

1 メールボックスを作成する

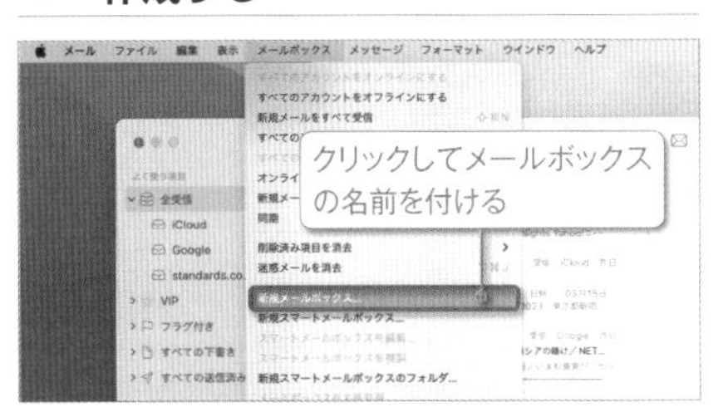

自分でメールを振り分けて整理したいなら、メールボックスを作成しておこう。メニューバーから「メールボックス」→「新規メールボックス」で作成できる。

2 メールボックスを削除する

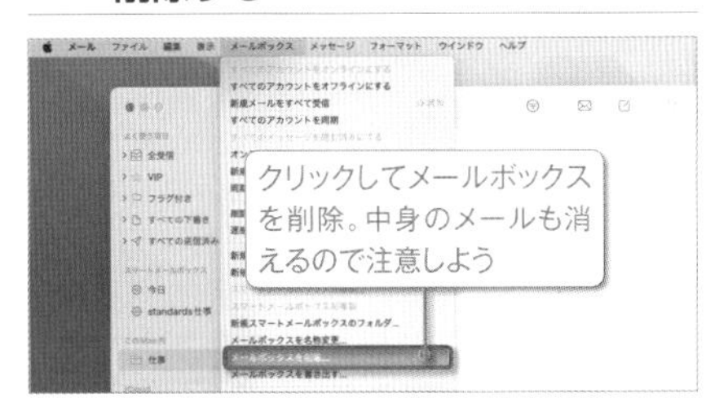

メールボックスを選択した状態で、メニューバーの「メールボックス」→「メールボックスを削除」をクリックすると、そのメールボックスを削除できる。

3 メールを他のメールボックスに移動する

作成したメールボックスにメールを移動するには、メールを選択した状態で、サイドバーのメールボックスにドラッグすればよい。

4 よく使う項目にメールボックスを追加する

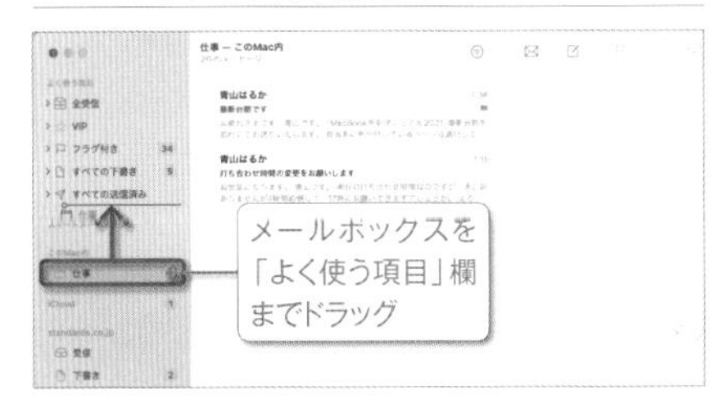

サイドバーの上部に表示される「よく使う項目」にメールボックスを追加したい場合は、メールボックスを「よく使う項目」欄までドラッグすればよい。

5 スマートメールボックスを作成する

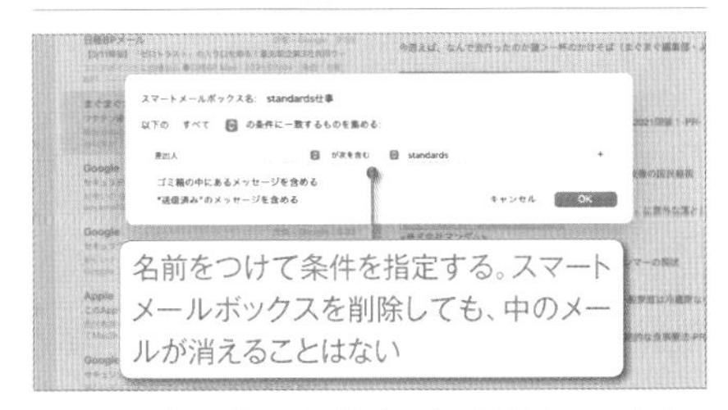

メニューバーの「メールボックス」→「新規スマートメールボックス」で、指定した条件に合うメールを自動的にまとめるスマートメールボックスを作成できる。

6 お気に入りバーを表示する

メニューバーの「表示」→「お気に入りバーを表示」をクリックすると、ツールバーの下に「よく使う項目」のメールボックスが表示されるようになる。

メッセージ

iMessageでメッセージをやり取りする

会話形式でテキストや画像を送受信できる

「メッセージ」は、iPhoneやiPad、Mac相手にメッセージをやり取りする無料のメッセージサービス、「iMessage」を利用するためのアプリだ。テキスト以外に写真やビデオ、音声メッセージなども会話形式でやり取りできるほか、ミー文字のステッカーでさまざまな表情のキャラクターを送信したり、メッセージエフェクトで吹き出しや背景に特殊効果を追加できる。受信サウンドも「メッセージ」→「環境設定」の「一般」画面で変更可能だ。

使い始めPOINT

メッセージで送受信できる宛先

iMessageでやり取りできる相手は、iPhone、iPad、Macだけ。宛先のアドレスは、Apple IDかiPhoneの電話番号、iMessageの送受信用に登録したメールアドレスのみだ。iMessageのやり取りができるかどうかは、下記の通り宛先を入力した際の色で判別できる。なお、iPhoneを持っていれば、iPhoneを経由することでAndroidとSMSのやりとりも可能だ(P134で解説)。

● iMessageの送受信可

iMessageで送信送信可能な宛先は青色で表示される。

宛先: 青山はるか

● iMessageの送受信不可

緑色の相手はiMessageでやり取りできないが、iPhoneを経由すればSMSで送信できる。

宛先: 石田花子

メッセージを利用可能な状態にする

1 Apple IDでサインインする

メッセージ起動時にApple IDでサインインしていないと、サインインを求められる。Apple IDとパスワードを入力してサインインを済ませよう。

2 他の送受信アドレスを追加する

iMessageの送受信用にApple ID以外のアドレスを使うには、Appleメニューの「システム環境設定」→「Apple ID」→「名前、電話、メール」で追加する。

3 送受信アドレスを確認する

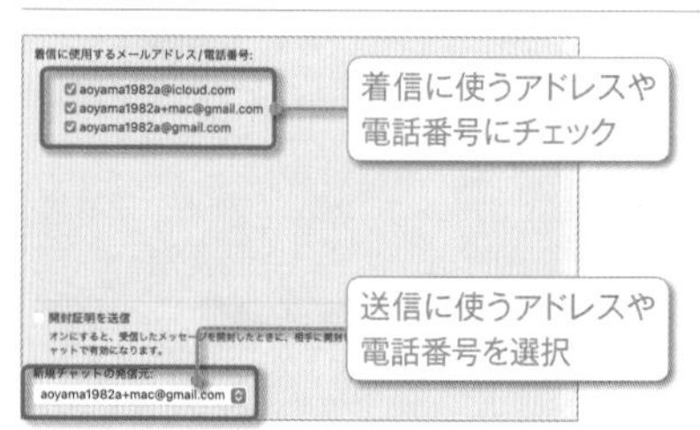

iMessageの送受信アドレスは、メニューバーの「メッセージ」→「環境設定」→「iMessage」で確認できる。MacBookとiPhoneなどで送受信アドレスを使い分けることが可能。

使いこなしヒント

iPhoneやiPadとメッセージを同期する

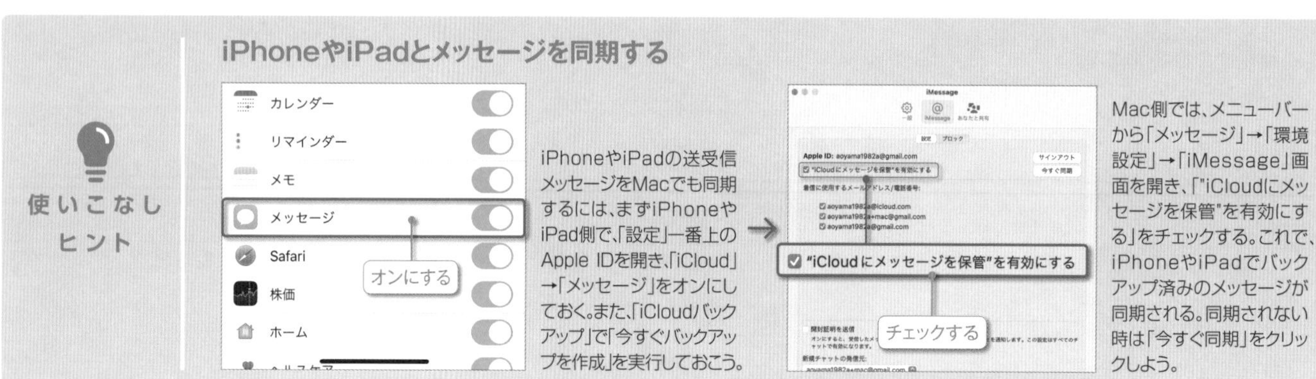

iPhoneやiPadの送受信メッセージをMacでも同期するには、まずiPhoneやiPad側で、「設定」一番上のApple IDを開き、「iCloud」→「メッセージ」をオンにしておく。また、「iCloudバックアップ」で「今すぐバックアップを作成」を実行しておこう。

Mac側では、メニューバーから「メッセージ」→「環境設定」→「iMessage」画面を開き、「"iCloudにメッセージを保管"を有効にする」をチェックする。これで、iPhoneやiPadでバックアップ済みのメッセージが同期される。同期されない時は「今すぐ同期」をクリックしよう。

メッセージでiMessageをやり取りする

1 新規メッセージを作成する

メッセージ一覧の上部にある新規メッセージ作成ボタンをクリックすると、右欄に新規メッセージの作成画面が開く。

2 iMessageの宛先を確認して送信する

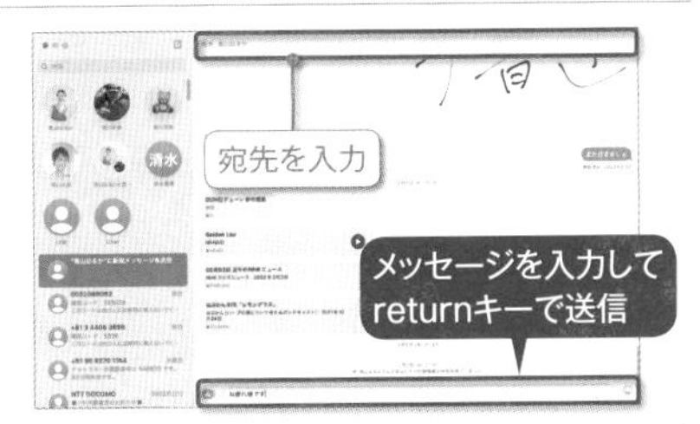

宛先がiMessage用の青い表示になっていることを確認し、メッセージを入力して「return」キーをクリックすればiMessageを送信できる。

3 メッセージで写真やビデオを送信する

メッセージ入力欄左のAppボタンをクリックして「写真」を選択すると、ライブラリから写真やビデオを選んで送信できる。

4 オーディオメッセージを送信する

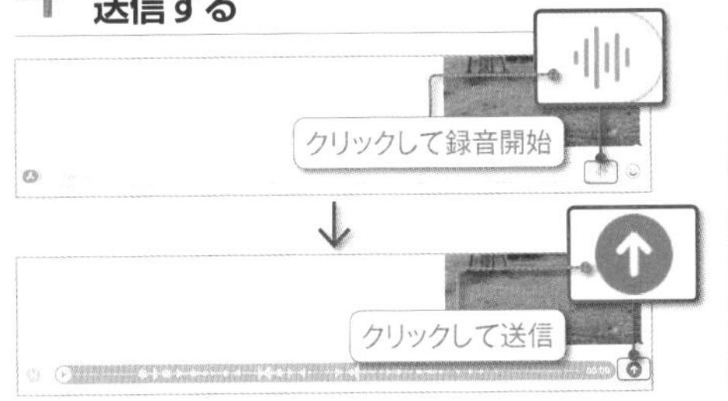

メッセージ入力欄右の録音ボタンをクリックすると、音声を録音して送信できる。送信前に再生ボタンをタップして内容を確認することもできる。

5 ミー文字のステッカーを送信する

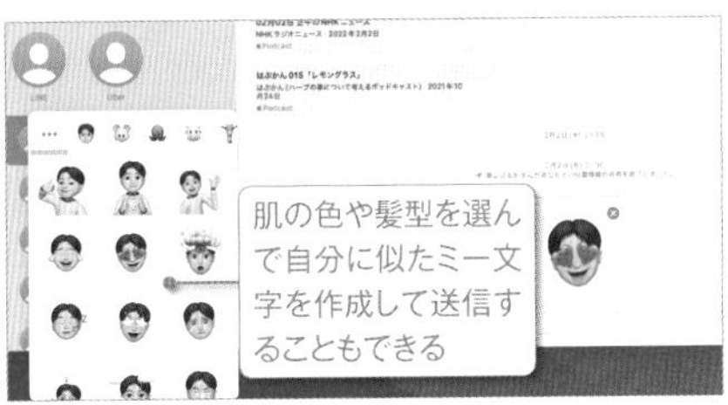

メッセージ入力欄左のAppボタンをクリックして「ミー文字のステッカー」を選択すると、さまざまな表情のイラストを送信できる。

6 メッセージに動きやエフェクトを加える

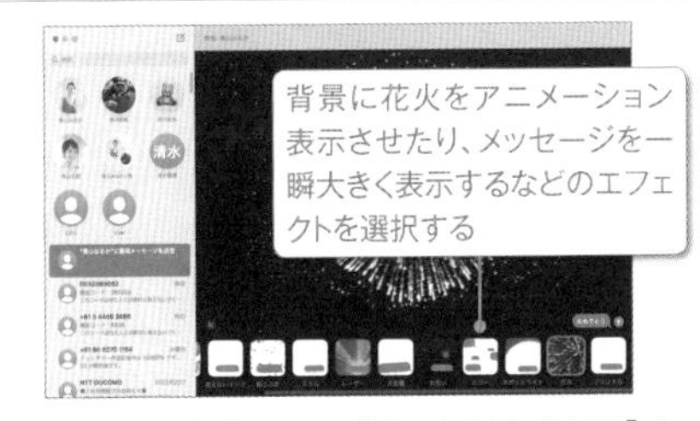

メッセージ入力欄左のAppボタンをクリックして「メッセージエフェクト」を選択すると、吹き出しや背景にさまざまな特殊効果を追加できる。

7 3人上のグループでメッセージをやり取り

宛先欄に複数の連絡先を入力すれば、自動的にグループメッセージが開始され、ひとつの画面内で複数人と会話できるようになる。

8 特定のメッセージに返信する

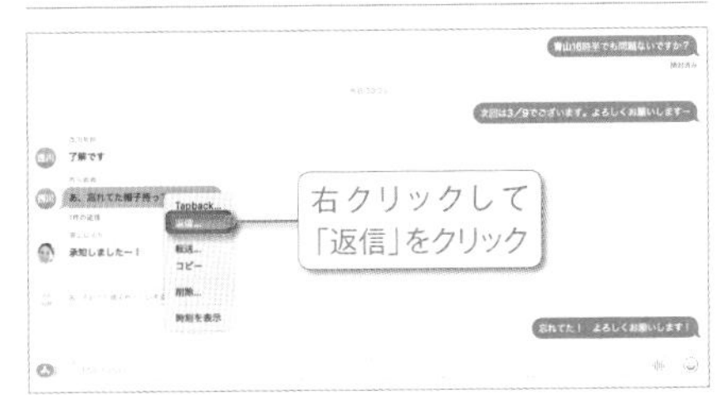

各メッセージの右クリックメニューから「返信」をクリックすると、返信元のメッセージを引用しつつメッセージを送信でき、話の流れが分かりやすい。

9 よくやり取りする相手を上部に配置する

よくやり取りする相手やグループは、サイドバーの上部にドラッグしておこう。最大9人までリストの一番上に固定表示して素早くアクセスできる。

「あなたと共有」を利用する

1 「あなたと共有」を有効にする

「メッセージ」→「環境設定」「あなたと共有」で「自動共有」をオンにしておくと、メッセージアプリでURLや写真、音楽などが送られてきた際に、「あなたと共有」機能により、対応アプリの決まった場所に自動で振り分けられるようになる。

2 「あなたと共有」で表示する

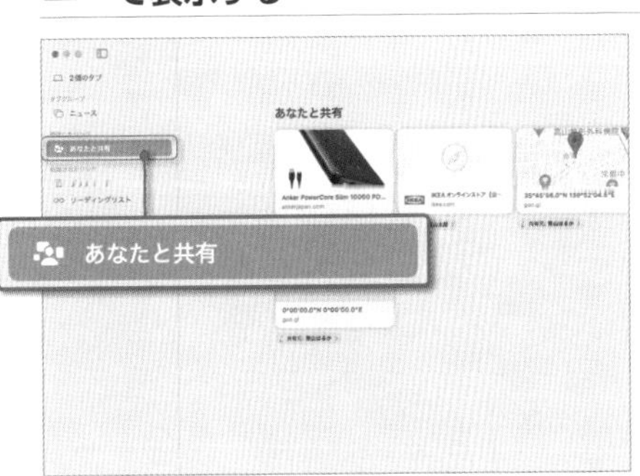

たとえばメッセージアプリで送られてきたURLは、Safariのサイドバーで「あなたと共有」をクリックすると一覧表示できる。「共有元」の名前をクリックすると、メッセージアプリが起動して返信できる。

FaceTime

ビデオ通話や音声通話を利用する

高品質なビデオや音声通話を無料で楽しめる

「FaceTime」は、ビデオ通話や音声通話を行えるアプリだ。通話中の映像や音声は非常に高品質で、通話料も一切かからない。従来はAppleデバイス同士でしか通話できなかったが、macOS MontereyからはWebブラウザ経由でWindowsやAndroidユーザーとも通話でき、オンラインミーティングなどに活用しやすくなっている。また「SharePlay」機能により通話中の相手と同じ映画や音楽を楽しめる（P101で解説）。

使い始めPOINT

「新しいFaceTime」で通話できる相手

FaceTimeを起動すると、「新しいFaceTime」と「リンクを作成」という2つのボタンが用意されている。Appleデバイス同士で通話する場合は、「新しいFaceTime」をクリックして宛先を入力しよう。宛先が青く表示されていれば、FaceTimeの着信用に設定されているApple IDやiPhoneの電話番号だ。その相手はAppleデバイスなので、お互いにFaceTimeアプリを使ってすべての機能を利用した通話を楽しめる。WindowsやAndroidユーザーと通話したい場合は、「リンクを作成」を利用しよう（P077で解説）。

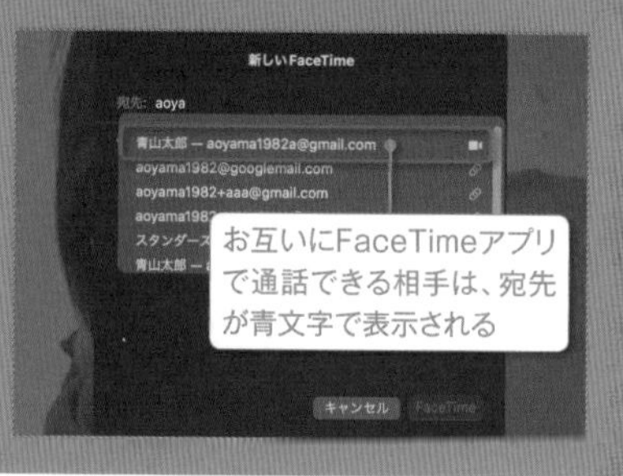

FaceTimeを利用可能な状態にする

1 Apple IDでサインインする

FaceTime起動時にApple IDでサインインしていないと、サインインを求められる。Apple IDとパスワードを入力してサインインを済ませよう。

2 FaceTimeが利用可能になった

「新しいFaceTime」でFaceTime通話を発信したり、「リンクを作成」で招待リンクを送信できるほか、発着信履歴からもFaceTime通話をかけ直せる。

3 発着信アドレスを確認する

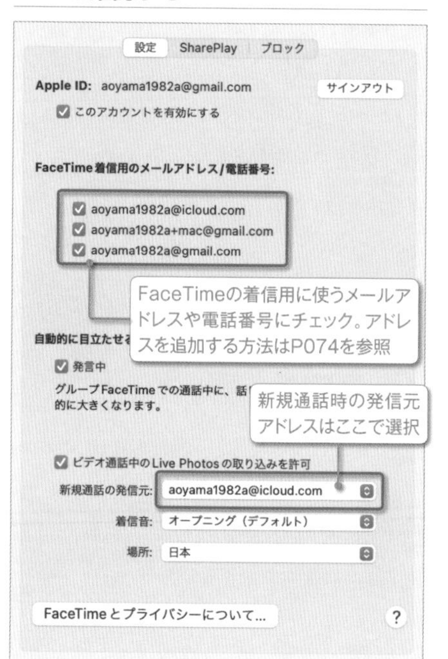

FaceTimeの発着信アドレスは、メニューバーの「FaceTime」→「環境設定」で確認できる。MacBookで利用するアドレスだけチェックしておこう。

使いこなしヒント

iPhoneやiPadと同時に着信するのを防ぐ

iPhoneやiPadのFaceTimeに、MacBookと同じAppleIDを使っていると、FaceTimeの着信音が同時に鳴ってしまう。これを防ぐには、デバイスを選んでFaceTimeアカウントをオフにするか、iPhoneやiPadとは別のメールアドレスをFaceTime発着信アドレスに設定すればよい。

メニューバーの「FaceTime」→「環境設定」でiPhoneやiPadと異なる着信用アドレスのみチェック。iPhoneやiPadでもそれぞれで使うアドレスだけ選択しておけば、FaceTimeの着信音が複数のデバイスで同時に鳴らなくなる。

FaceTimeでビデオ通話や音声通話を行う

1 FaceTime通話を発信する

Appleデバイス同士で通話するには、「新しいFaceTime」をクリック。続けて宛先欄を入力し、「FaceTime」ボタンをクリックすると発信できる。

2 FaceTimeオーディオに切り替えて発信する

ビデオを表示したくない場合は、「FaceTime」ボタン右の「∨」をクリックし、「FaceTimeオーディオ」に切り替えてからクリックして発信しよう。

3 かかってきた通話に応答する

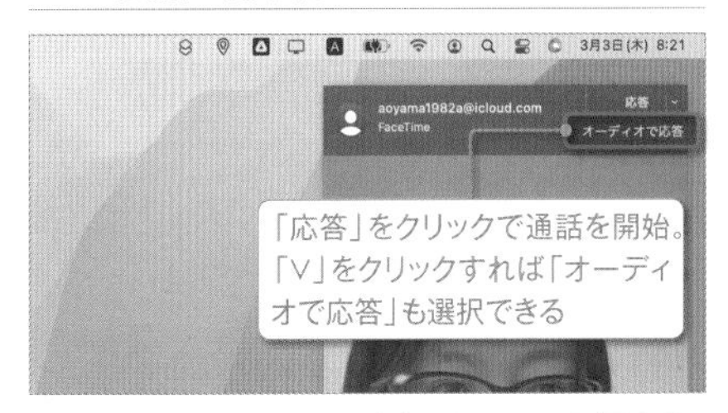

相手からFaceTime通話がかかってきた場合は、FaceTimeが自動的に起動する。「応答」をクリックで応答、「拒否」をクリックで応答拒否。

4 通話中画面のメニューと機能

通話中に画面内にポインタを置くと、各種メニューボタンが表示される。「×」ボタンをクリックすると通話を終了する。

5 通話中の画面のLive Photosを撮影

右下のシャッターボタンで、前後3秒の映像を含む動く写真「Live Photos」を撮影できる。通話相手がLive Photosの取り込みを許可している必要がある。

6 通話相手を着信拒否する

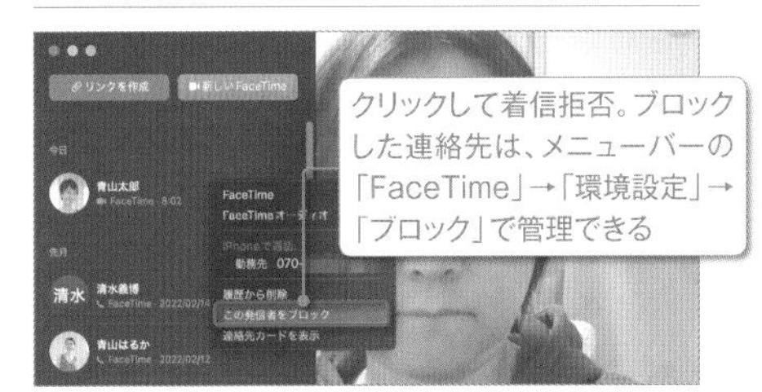

履歴を右クリックして「この発信者をブロック」をクリックすると、この相手を着信拒否できる。同じApple IDを使うすべてのデバイスでブロックされる。

グループ通話を発信する

1 サイドバーから参加者を追加する

通話中にメニューボタン左端のサイドバーボタンをクリックし、続けて「参加者を追加」をクリックして参加者を追加していくと、グループ通話を行える。最大32人まで同時に通話することが可能だ。

2 グループ通話中の画面

使いこなしヒント

WindowsやAndroidユーザーとも通話する

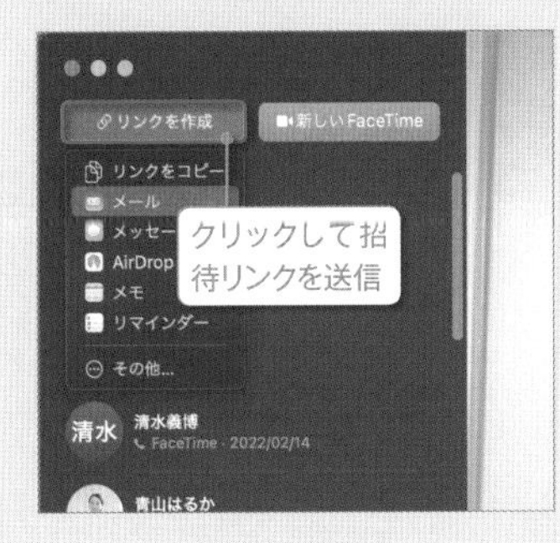

WindowsやAndroidユーザーと通話したい場合は、「リンクを作成」をクリック。メールやメッセージで招待リンクを送ろう。招待された相手はリンクをクリックすると、Webブラウザからログイン不要で通話に参加できる。

招待リンクを送信したら、「今後の予定」欄に作成したFaceTime通話のリンクが表示されるのでクリック。続けて「参加」ボタンをクリックして通話待機状態にする。招待リンクからの参加要求を許可すると通話が開始される。

プレビュー

十分な機能を備えた画像&PDF閲覧アプリ

編集機能も備える標準ビューア

画像やPDFファイルを表示するためのアプリが「プレビュー」だ。標準状態では、画像やPDFファイルをダブルクリックすると、このプレビューアプリが起動する。

ファイルの閲覧だけでなく編集機能も備えており、画像の場合はトリミングやスケッチ、色調補正などが可能。ファイル形式を変換して保存することもできる。PDFの場合は注釈を書き込んだりメモを追加できるほか、ページ順の入れ替えや結合もできる。

使い始めPOINT

ダブルクリックしてもプレビューで開かない場合

画像やPDFをダブルクリックした際に、別のアプリが起動する場合は、関連付けが変更されている。画像やPDFのファイルを右クリックして「情報を見る」をクリック。「このアプリケーションで開く」で「プレビュー」を選択し、「すべてを変更」をクリックすれば、プレビューで開くようになる。逆に画像やPDFを別のアプリで開きたい時は、同様の手順で「このアプリケーションで開く」から他のアプリを選択すればよい。

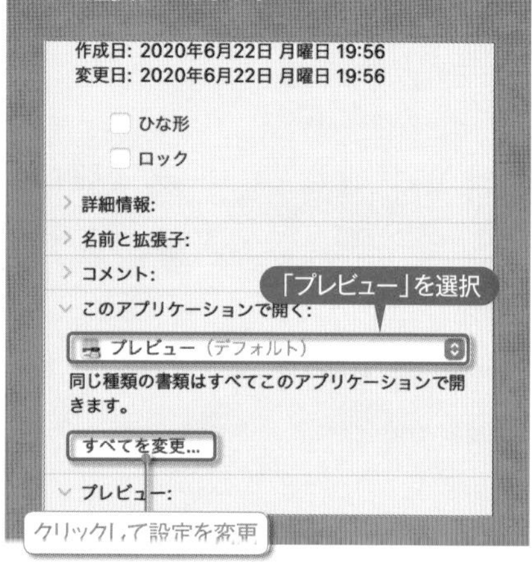

画像やPDFファイルを表示する

1 プレビューで画像を開く

画像ファイルをダブルクリックすると、プレビューで画像が表示される。複数画像を選択してダブルクリックした場合は、サイドバーで一覧表示される。

2 画像の向きを回転する

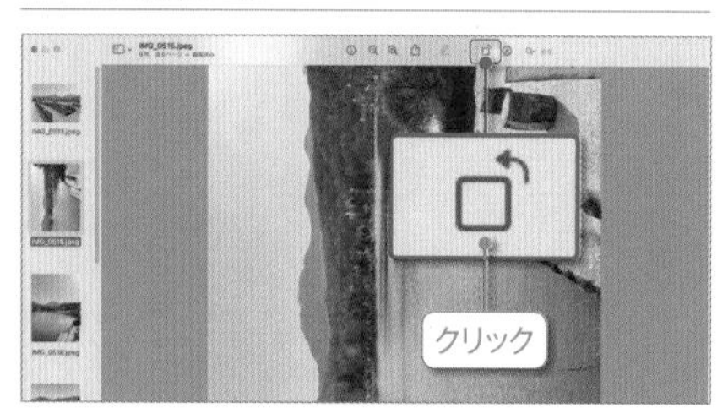

ツールバーの回転ボタンをクリックすると、画像が反時計回りに回転する。「option」キーを押しながらクリックすると、時計回りに回転する。

3 画像のファイル形式を変換する

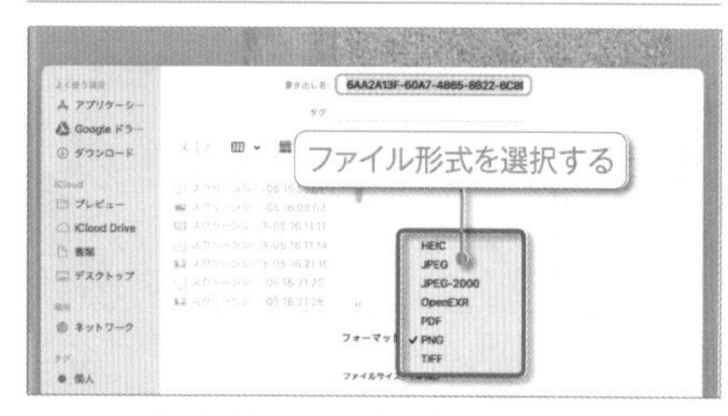

メニューバーから「ファイル」→「書き出す」をクリックし、「フォーマット」をクリックすると、JPEG、PDF、PNGなどさまざまなファイル形式に変換できる。

4 プレビューでPDFを開く

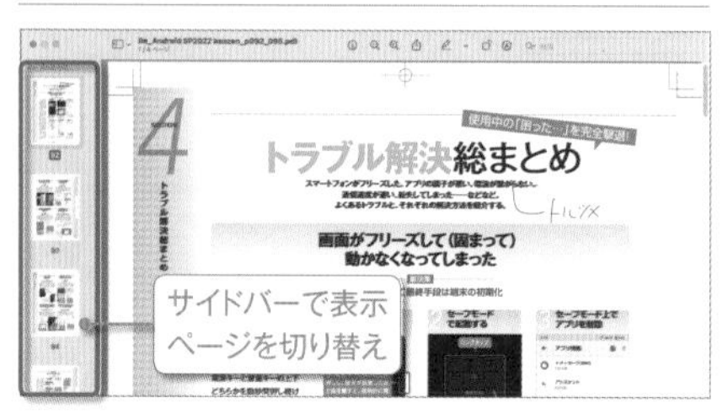

PDFファイルをダブルクリックすると、プレビューでPDFが表示される。サイドバーでPDFのページ一覧を確認できる。

5 PDFの表示方法を変更する

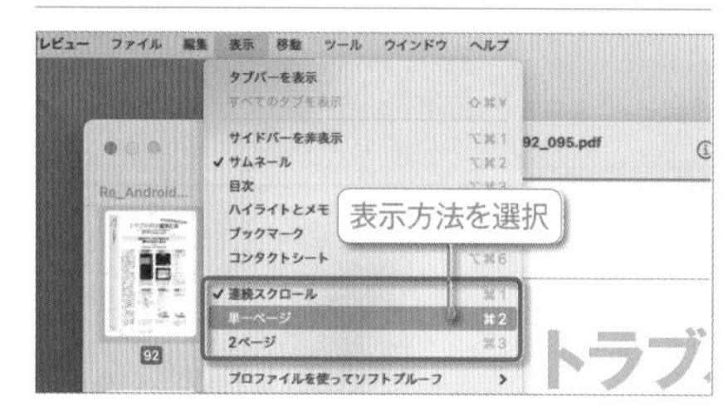

メニューバーの「表示」から、PDFの表示方法を単一ページや2ページ（見開き）に変更できる。画面内の右クリックメニューからも変更可能だ。

使いこなしヒント

内容をさっと確認するならクイックルック

画像やPDFの内容をさっと確認したいだけなら、アプリを起動せずにファイルの中身を表示できる、「クイックルック」機能（P031で解説）がおすすめだ。ファイルを選択した状態でスペースキーを押すだけで、画像やPDFの内容が表示される。マークアップで編集を加えたり、プレビューで開き直すこともできる。

プレビューで画像を編集する

1 マークアップツールバーを表示する

プレビューで画像を開いたら、マークアップボタンをクリックしよう。マークアップツールバーが表示され、さまざまな編集ツールを利用できる。

2 選択した範囲をトリミングする

「選択ツール」で切り取りたい範囲を選択し、ツールバーに表示される「切り取り」ボタンをクリックすると、選択した範囲をトリミングできる。

3 画像のサイズを変更する

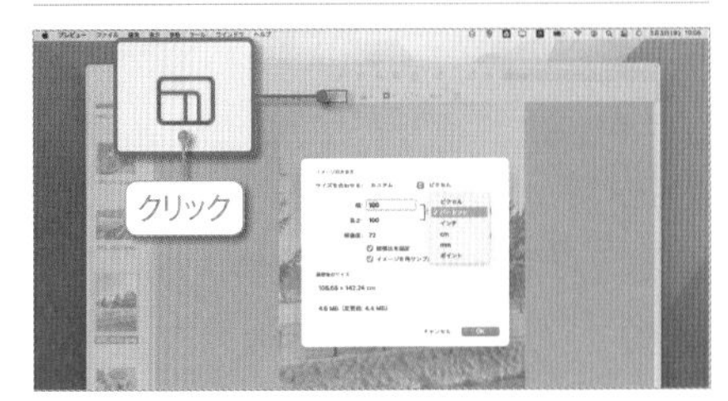

「サイズを調整」ボタンで画像をリサイズできる。「幅」と「高さ」の横のメニューを「パーセント」に変更すると、サイズを割合で変更できる。

4 画像のカラーを調整する

「カラーを調整」ボタンをクリックすると、画像の露出やコントラスト、彩度、色合いなどの値を調整できる。「自動レベル」で自動補正も可能。

5 フリーハンドで画像に書き込む

「スケッチ」および「描画」ツールで、画面内にフリーハンドで描画できる。左の「スケッチ」で丸や三角などの標準図形を描画した場合は、きれいな形の図形に自動的に整形される。元のフリーハンドの図形を使いたい時は、表示されるパレットから選択すればよい。

プレビューでPDFに注釈を書き込む

1 マークアップツールバーを表示する

プレビューでPDFを開いたら、マークアップボタンをクリックしよう。マークアップツールバーが表示され、さまざまな編集ツールを利用できる。

2 テキストを選択してコピーする

「テキスト選択」ボタンをクリックすると、PDF内のテキストを選択できる。ドラッグして選択状態にしたら、メニューバーの「編集」からコピーできる。

3 フリーハンドでPDFに書き込む

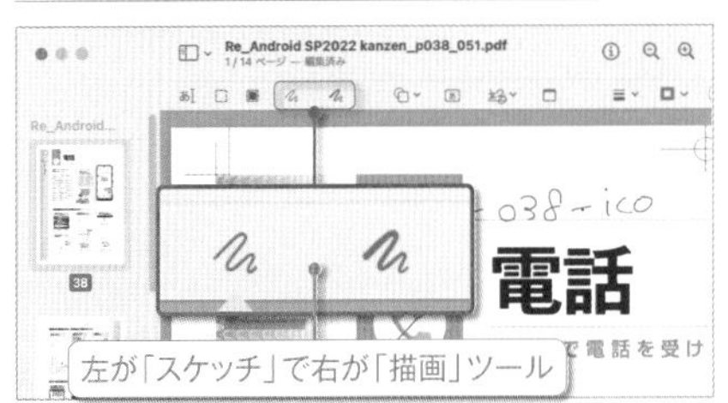

画像の場合と同様に、「スケッチ」や「描画」ツールでPDF内に書き込める。「スケッチ」で描いた丸や三角は整形されるが、元のスケッチも選択できる。

4 PDF内にメモを追加する

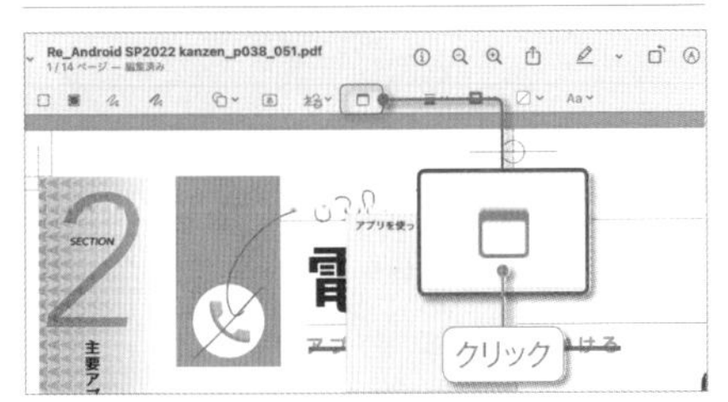

「メモ」ボタン をクリックすると、PDF内にメモを追加できる。メニューバーの「表示」→「ハイライトとメモ」で、すべてのメモが一覧表示される。

5 PDFのページ順を入れ替える

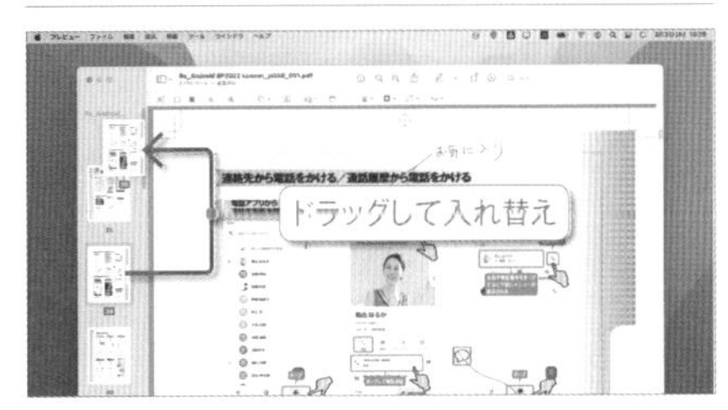

サイドバーのサムネイルをドラッグすると、PDFのページ順を入れ替えできる。メニューバーの「編集」から、ページの追加や削除も可能だ。

6 他のPDFを結合する

他のPDFのページを結合したい場合は、それぞれのPDFをプレビューで開いてサイドバーを表示し、結合したいPDFページをもう一方にドラッグすればよい。

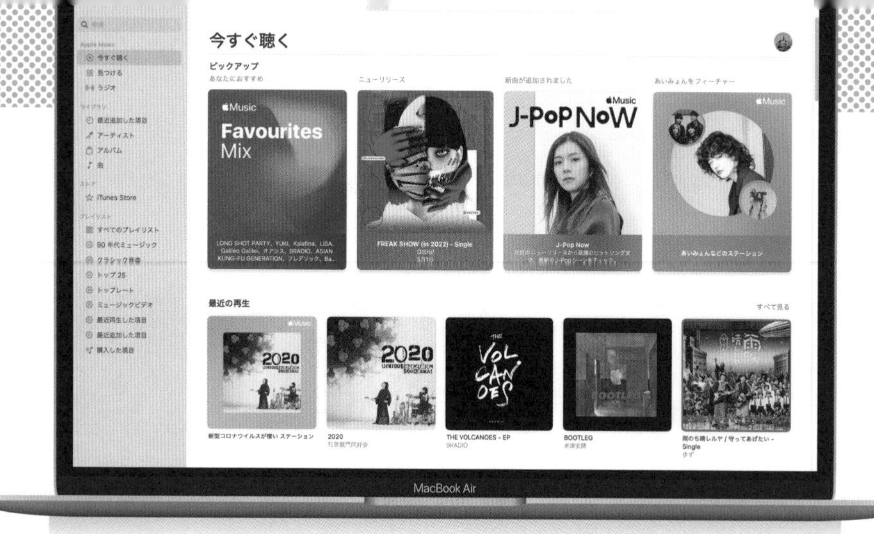

ミュージック

さまざまな曲を再生したり管理する

Apple Musicも楽しめる標準音楽プレイヤー

MacBookで音楽を楽しむには、「ミュージック」アプリを使おう。MacBook内に保存されている曲だけでなく、Apple Musicの曲やiTunes Storeで購入した曲なども、まとめて一元管理できる。また、Apple Musicの利用中は、「今すぐ聴く」や「見つける」メニューで好みの曲を発見したり、iCloudを経由してiPhoneやiPadとライブラリを同期することも可能だ（P124で詳しく解説）。Apple Musicへの登録方法と使い方も、あわせて紹介する。

使い始めPOINT

「ライブラリ」画面ですべての曲を管理できる

ミュージックアプリでは、Apple Musicから追加した曲やiTunes Storeで購入した曲、CDから取り込んだ曲を「ライブラリ」画面でまとめて管理できる。また、Apple MusicやiTunes Storeの曲は、ダウンロードして保存しなくてもストリーミング再生が可能。それらの曲も、MacBook内に保存された曲ファイルと同様に扱うことができる。

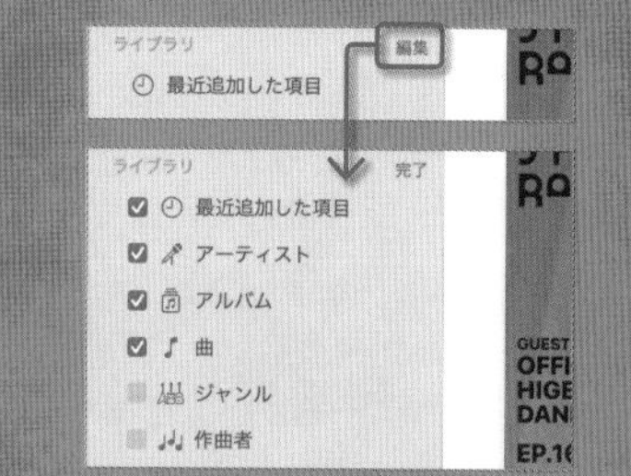

すべての曲はサイドバーの「ライブラリ」で確認できるので、「アーティスト」や「アルバム」などの項目から聴きたい曲を探そう。なお、「ライブラリ」の上にカーソルを置いて「編集」をクリックすると、「ライブラリ」に表示させる項目を選択できる。

ミュージックの基本操作

1 ミュージックアプリに音楽ファイルを追加する

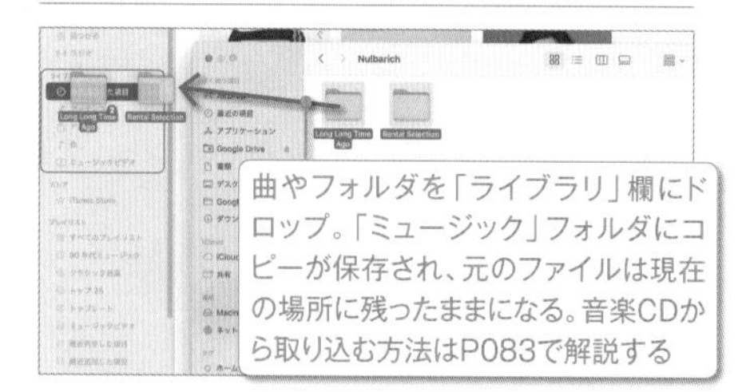

MacBook内にあるMP3ファイルなどをミュージックアプリで管理するには、Finderからミュージックアプリの「ライブラリ」欄にドラッグ&ドロップすればよい。

2 聴きたい曲を探して再生する

「ライブラリ」欄の「アーティスト」や「アルバム」から聴きたい曲を探し、曲名をダブルクリックすると再生できる。

3 シャッフル再生とリピート再生

上部メニューの「シャッフル」をオンにするとランダムな曲順で再生される。「リピート」をオンにすると、現在の再生リストまたは再生曲のみをリピート再生する。

4 再生中の曲の歌詞を表示する

上部メニューの「歌詞」ボタンをクリックすると歌詞を表示できる。一部の曲は、カラオケのように曲の再生に合わせて歌詞がハイライト表示される。

5 次に再生する曲を変更する

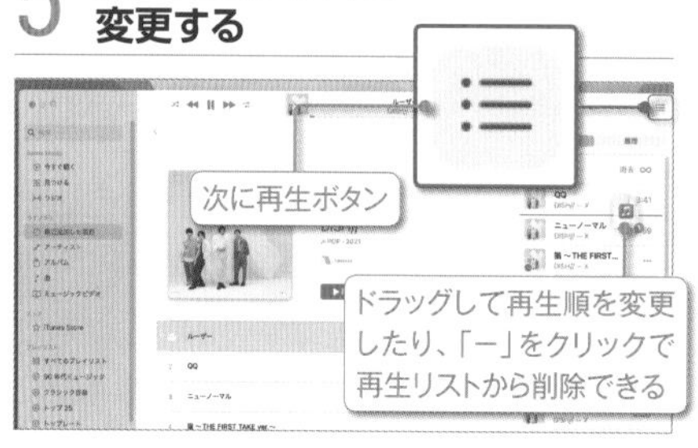

上部メニューの「次に再生」ボタンをクリックすると、再生予定の曲のリストが表示される。曲の再生順を変更したり、再生リストから削除することも可能だ。

6 ミュージックアプリのさまざまな操作方法

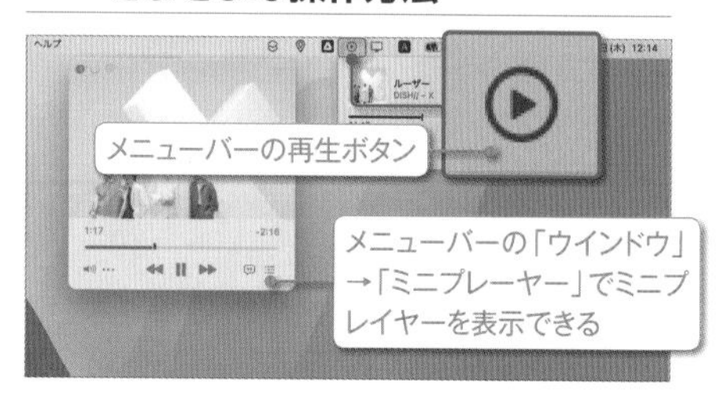

ミュージックアプリをDockにしまった状態でも、メニューバーの再生中ボタンやTouch Bar、ミニプレイヤーを使えば、再生中の曲の操作が可能だ。

プレイリストを作成する

1 新規プレイリストをクリック

好きな曲だけをまとめたプレイリストを作成するには、まずサイドバーのプレイリスト欄を右クリックし、「新規プレイリスト」をクリック。

2 名前を付けてプレイリストを作成

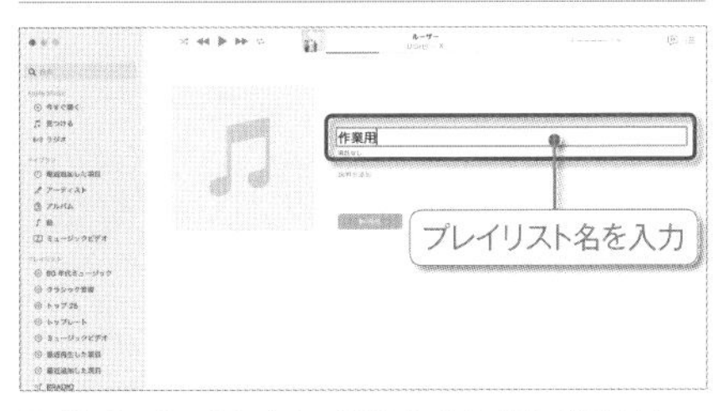

作成したプレイリストに、「お気に入り」「作業用」といった名前を付けておこう。サイドバーのプレイリスト一覧に追加される。

3 好きな曲をドラッグして登録

ライブラリ画面でプレイリストに登録したい曲を選択したら、そのまま作成したプレイリストにドラッグしよう。プレイリストに曲が追加されていく。

4 プレイリストを再生する

サイドバーからプレイリストを開くと、お気に入りの曲だけまとめて再生できる。再生順はドラッグ&ドロップで変更可能だ。

5 プレイリストから曲を削除する

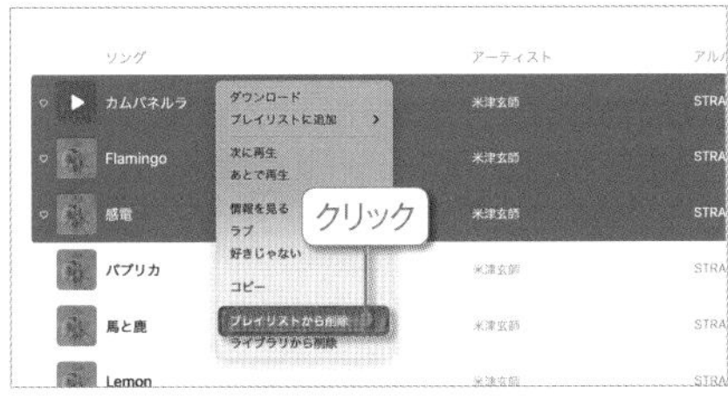

プレイリストから曲を削除したい時は、削除したい曲を選択して右クリック。「プレイリストから削除」をクリックすればよい。

6 プレイリストを削除する

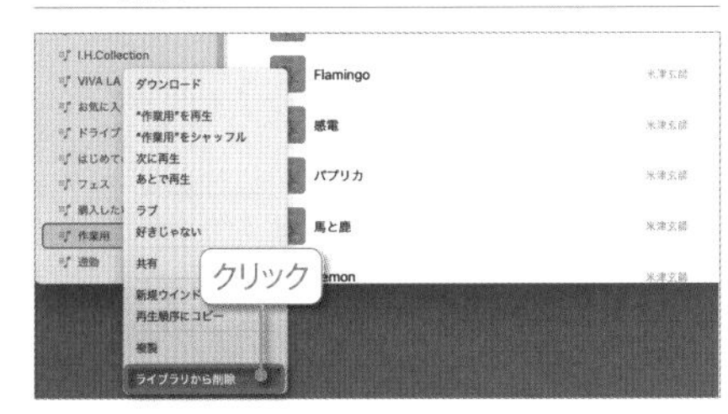

プレイリスト自体を削除するには、サイドバーのプレイリストを選択して右クリック。「ライブラリから削除」をクリックすればよい。

iTunes Storeで曲を購入する

1 iTunes Storeをサイドバーに表示する

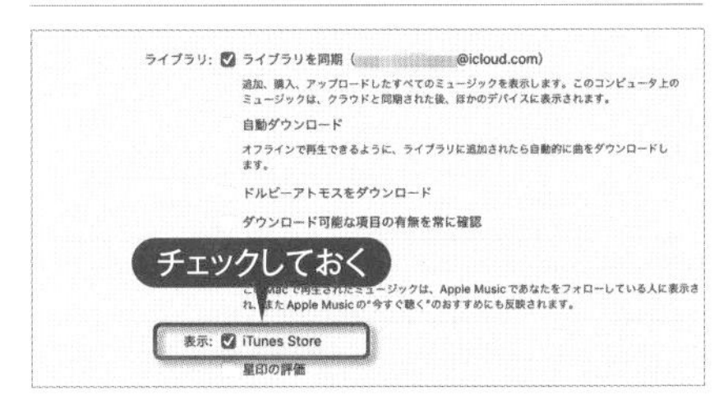

ミュージックではiTunes Storeでの楽曲の購入も可能だ。サイドバーにiTunes Storeが表示されていないなら、「ミュージック」→「環境設定」→「一般」で「iTunes Store」にチェックを入れよう。

2 iTunes Storeで曲を購入する

サイドバーで「iTunes Store」をクリックしてiTunes Storeを開き、欲しい曲やアルバムを探す。価格部分をクリックすれば購入できる。

3 iTunes Store内をキーワード検索する

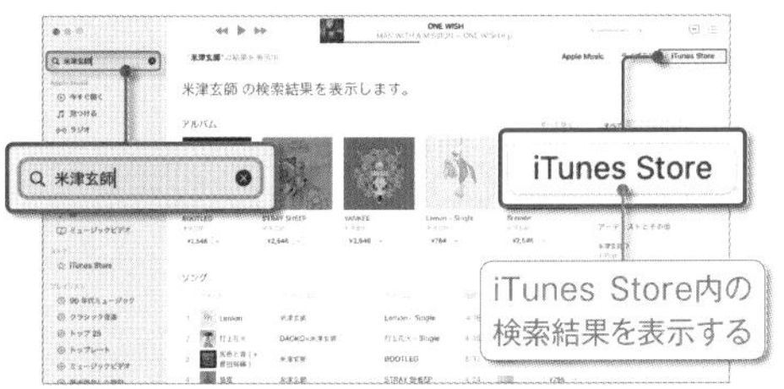

iTunes Store内の曲を検索するには、左上の検索欄にキーワードを入力して検索し、右上のタブを「iTunes Store」に切り替えよう。

使いこなしヒント

コンプリート・マイ・アルバム機能を使う

アルバム中の数曲のみをすでに購入済みで、残りの曲も購入したい時は「コンプリート・マイ・アルバム」機能を使おう。アルバムは1曲数百円程度で購入できるが、1曲ずつ追加購入していくと合計金額がアルバム価格を越えてしまうことがある。しかし、このコンプリート・マイ・アルバム機能を使えば、差額の支払いだけで完全なアルバムをダウンロードできるのだ。

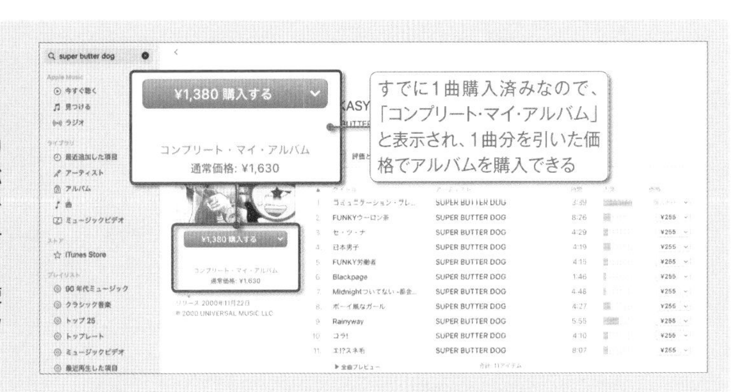

Apple Musicに登録する

1 Apple Musicに登録する

定額で国内外の約9,000万曲が聴き放題になるApple Musicには、メニューバーの「アカウント」→「Apple Musicに登録」から登録しよう。初回登録時は1ヶ月無料で試用できる。契約プランは、月額980円(税込)の「個人」、ファミリー共有機能で6人まで利用できる「ファミリー」、在学証明が必要な「学生」などから選択できる。

2 無料期間終了後に自動で課金されるのを防ぐ

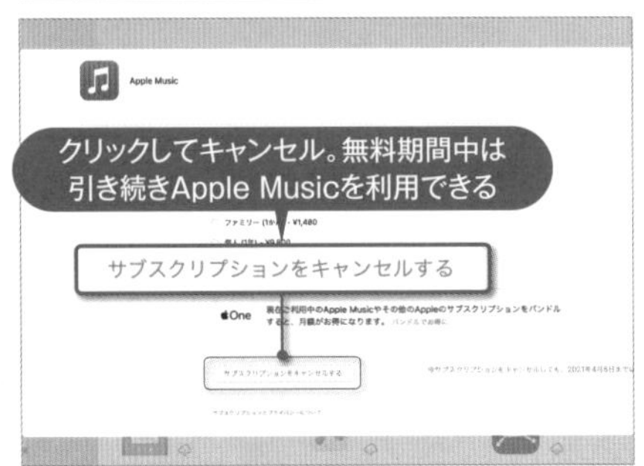

無料期間の終了後に自動で課金されるの防ぐには、「App Store」アプリでサイドバー下部のユーザーボタンをクリックし、「情報を表示」をクリック。続けて管理欄の「サブスクリプション」右「管理」ボタンをクリックしよう。Apple Musicの「編集」→「サブスクリプションをキャンセルする」でキャンセルできる。

Apple Musicを利用する

1 Apple Musicの設定を確認する

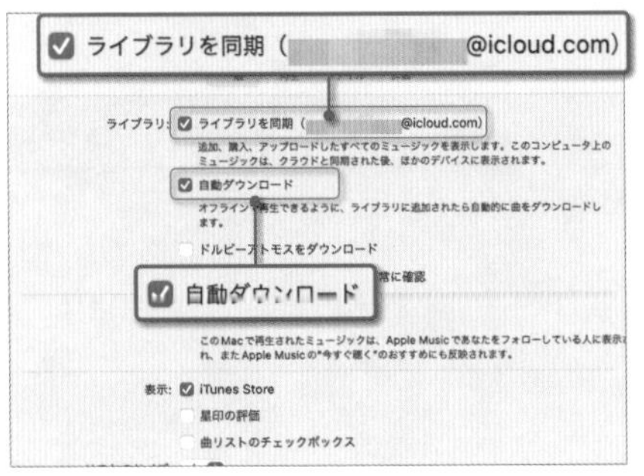

Apple Musicの曲をライブラリに追加するには、メニューバーの「ミュージック」→「環境設定」→「一般」で、「ライブラリを同期」にチェックしておく必要がある。また、「自動ダウンロード」にもチェックしておくと、Apple Musicの曲をライブラリに追加した際に、自動でダウンロード保存するようになる。

2 コンピュータの認証を済ませる

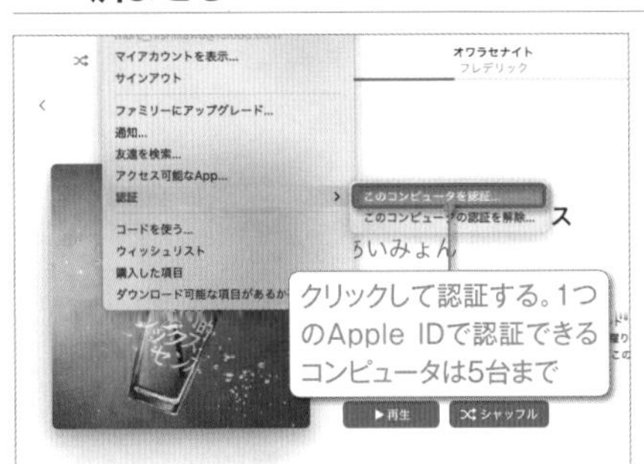

Apple Musicで曲をダウンロードしたり、iTunes Storeで購入済みの曲を再生するには、コンピュータの認証を済ませる必要がある。メニューバーの「アカウント」→「認証」→「このコンピュータを認証」をクリックし、Apple IDとパスワードを入力して認証しておこう。

3 Apple Musicの曲をカテゴリから探す

左上の検索欄をクリックすると、「J-Pop」や「洋楽」、「ランキング」などさまざまなカテゴリでApple Musicの曲を探せる。

4 Apple Musicの曲をキーワード検索する

左上の検索欄に曲名やアーティスト名を入力し、右側で「Apple Music」をクリックすると、Apple Musicの曲をキーワード検索できる。

5 歌詞の一部でも検索できる

歌詞の一部を入力して検索すると、そのフレーズを歌詞に含む曲が表示される。「歌詞:○○○○」と表示されているものが、歌詞でヒットした楽曲になる。

6 Apple Musicの曲をライブラリに追加

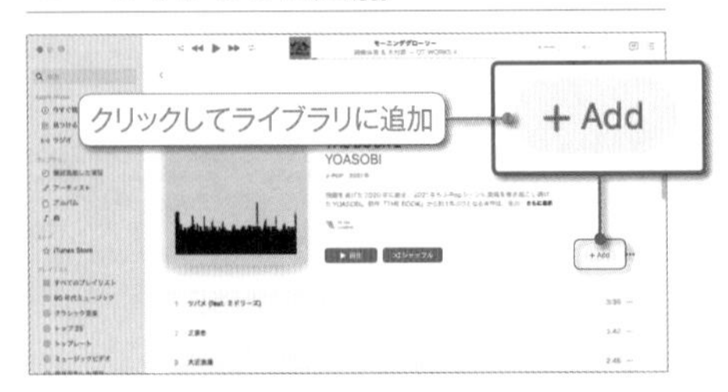

Apple Musicで検索した曲やアルバムをクリックして開き、「Add」や「+」ボタンをクリックすると、このアルバムや曲をライブラリに追加できる。

7 ライブラリに追加した曲をダウンロードする

「自動ダウンロード」を無効にしている場合は、ダウンロードボタンをクリックすることでMacBook内にダウンロードでき、オフラインでも再生できるようになる。

8 追加したApple Musicの曲を削除する

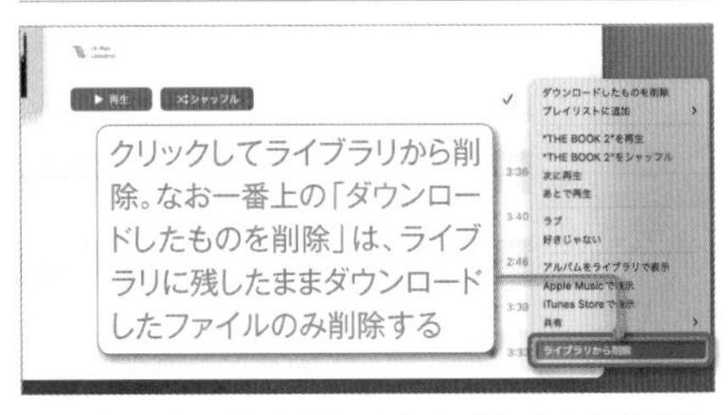

アルバムや曲の「…」ボタンをクリックし、「ライブラリから削除」をクリックすると、この曲はライブラリから削除される。

Apple Musicで使える便利な機能

1 「今すぐ聴く」画面で好みの曲に出会う

「今すぐ聴く」を開くと、好みのジャンルやアーティスト情報に沿った、おすすめの曲やプレイリスト、ニューアルバムなどを提案してくれる。

2 好みの曲にラブを付ける

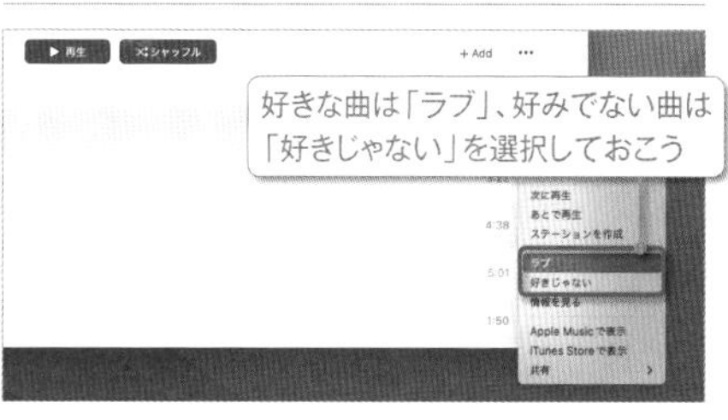

好きな曲の「…」をクリックして「ラブ」や「好きじゃない」を選択しておくと、 「今すぐ聴く」画面で提案されるおすすめ曲の精度がアップする。

3 友達をフォローして音楽を共有する

「今すぐ聴く」画面右上のユーザーボタンからプロフィールを作成して友達を追加すると、聴いている曲を共有したり、友達が聞いている曲をチェックできる。

4 「見つける」画面で注目曲をチェック

「見つける」を開くと、ニューリリースの曲やアルバム、話題のプレイリストなどをチェックできる。ジャンルやランキングからも注目曲を発見できる。

5 発売前の新作をライブラリに追加

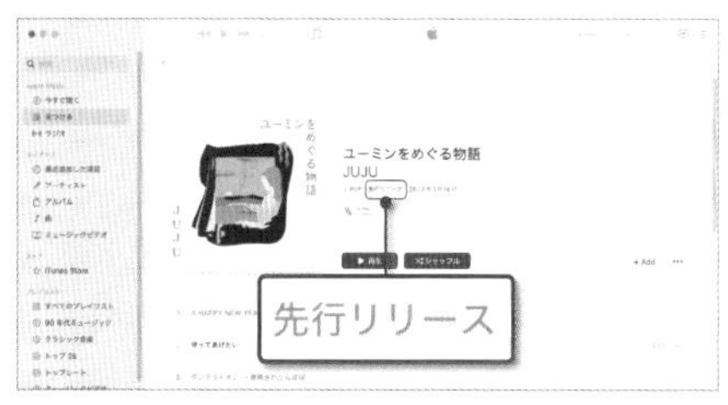

リリース前のアルバムは「先行リリース」と表示される。「追加」でライブラリに追加しておくと、正式リリース後に通知され、先行配信曲以外の曲も追加される。

6 「ラジオ」画面で人気の曲を聴く

「ラジオ」では24時間ライブ放送される「Apple Music 1」などを聴けるほか、Apple Musicに登録すると、自分の好みに合わせて選曲されたラジオも聴ける。

音楽CDの曲をミュージックに取り込む

1 音楽CDをセットして読み込む

手持ちの音楽CDの曲をミュージックアプリに取り込むには、まず外付けの光学ドライブをMacBookに接続しよう。光学ドライブに音楽CDを挿入すると、「ミュージックライブラリに読み込みますか?」と確認メッセージが表示されるので、「はい」をクリックする。

2 ライブラリに曲が追加される

音楽CD内の曲がミュージックに取り込まれ、ファイルとして変換されていく。すべての曲に緑色のチェックマークが付くまでしばらく待とう。なお、曲名やアーティスト名なども自動的に設定される。読み込みが完了したら、ライブラリを確認しよう。音楽CDの曲が追加されているはずだ。

使いこなしヒント

音楽CDの読み込み設定を変更する

メニューバーの「ミュージック」→「環境設定」で「ファイル」を開き、「読み込み設定」をクリックすると、音楽CDを読み込む際のファイル形式や音質を変更できる。標準設定は音質とファイルサイズのバランスがいい「AACエンコーダ」の「iTunes Plus」(ステレオ256kbps)に設定されているが、汎用性の高い「MP3エンコーダ」や、音質が劣化しない「Apple Losslessエンコーダ」も選択できる。

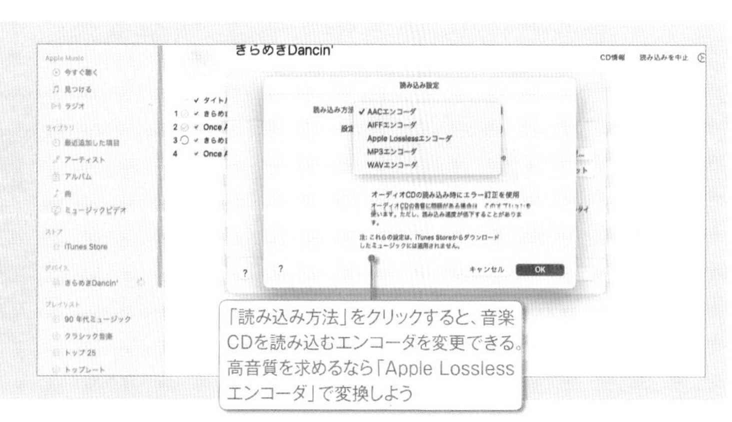

写真

すべての写真やビデオを管理する

編集機能も備えた写真管理アプリ

MacBookでの写真管理は、すべて「写真」アプリにまかせよう。デジカメやiPhoneをケーブルで接続すれば、簡単に写真やビデオを読み込める。読み込んだ写真やビデオは、撮影日や撮影地ごとに自動で分類され、人物やメディアの種類からも素早く探し出すことができるようになる。また高度な編集機能も用意されており、色調補正やフィルタの適用、傾き補正や切り抜きも行える。「iCloud写真」での同期についてはP126で解説する。

使い始めPOINT

写真アプリの仕組みを理解する

写真アプリで写真やビデオを管理するには、一度写真アプリにファイルを読み込む必要がある。写真アプリに読み込んだ写真やビデオの元データは、「ピクチャ」フォルダにある「Photos Library photoslibrary」というひとつのファイルにまとめられているが、中身を開いてもファイル名や順番がバラバラなので、Finderから目的の写真を探し出すのは難しい。写真を選んでフォルダに保存したり他のアプリで使いたい場合は、写真アプリのライブラリからドラッグ&ドロップすればよい。

Finderのメニューバーで「移動」→「ホーム」→「ピクチャ」フォルダを開くと、写真アプリで管理する写真やビデオをまとめた「Photos Library photoslibrary」ファイルが見つかる。

写真の読み込みと基本操作

1 デジカメなどの写真を読み込む

まずは写真アプリで管理できるように、写真やビデオを読み込もう。デジカメやiPhoneをケーブルで接続すると、サイドバーの「デバイス」欄にデバイス名が表示されるので、これをクリック。ツールバーの「すべての新しい項目を読み込む」をクリックすれば、接続したデバイス内の写真を追加できる。

2 MacBook内の写真を読み込む

MacBook内に保存された写真やビデオを写真アプリに読み込むには、画面内にドラッグ&ドロップすればよい。

3 「ライブラリ」でベストショットを楽しむ

サイドメニューの「ライブラリ」では、上部メニューで年別/月別/日別で表示を切り替えでき、写りの悪い写真を除いたベストショット写真が一覧表示される。

4 写真にキャプションを追加する

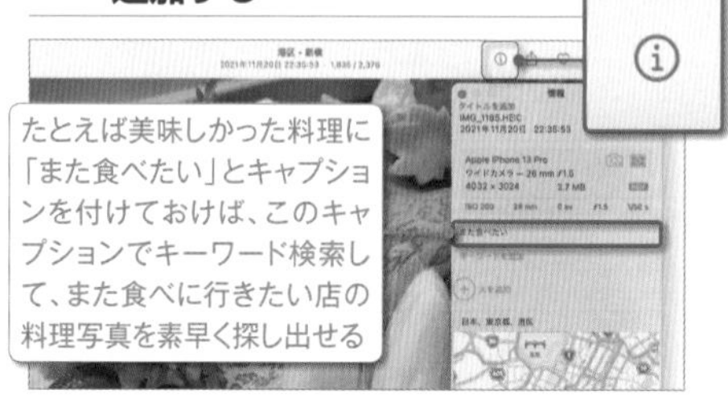

写真を開いて上部「i」ボタンをクリックすると、「キャプションを追加」欄にメモを記入できる。このキャプションは検索対象になるのでタグのように使える。

使いこなしヒント

写真が見当たらない時は「最近の項目」

写真が見当たらない時は、サイドメニューの「最近の項目」を開いてみよう。この画面では、写真アプリに読み込んだすべての写真やビデオが、時系列順に一覧表示されるので、どこかに探している写真がある。

各ライブラリの機能と検索

1 「メモリー」でスライドショーを再生

「メモリー」では、自動生成されたスライドショーを再生できるほか、おすすめの写真なども自動でまとめられる。

2 「ピープル」で人物別に写真を表示

「ピープル」では、顔認識された人物が一覧表示される。ダブルクリックすると、この人物が写った写真を抽出して表示できる。

3 「撮影地」で撮影地ごとに表示

「撮影地」では、撮影した写真がある場所にサムネイルが表示される。サムネイルをクリックすると、その場所で撮影した写真が一覧表示される。

4 「最近削除した項目」で写真を復元

写真アプリで削除した写真は、「最近削除した項目」に最大30日間保存されている。写真を選択して右上の「復元」をクリックすれば復元できる。

5 メディアタイプから写真やビデオを探す

アルバム欄の「メディアタイプ」を開くと、ビデオ、セルフィー、Live Photos、ポートレートなど、種類別に写真やビデオを探すことができる。

6 強力な検索機能を活用する

右上の検索欄では、「ラーメン」「海」など被写体をキーワードにして写真を検索できる。複数キーワードの組み合わせも可能だ。

写真やビデオを加工、編集する

1 編集モードで写真を編集する

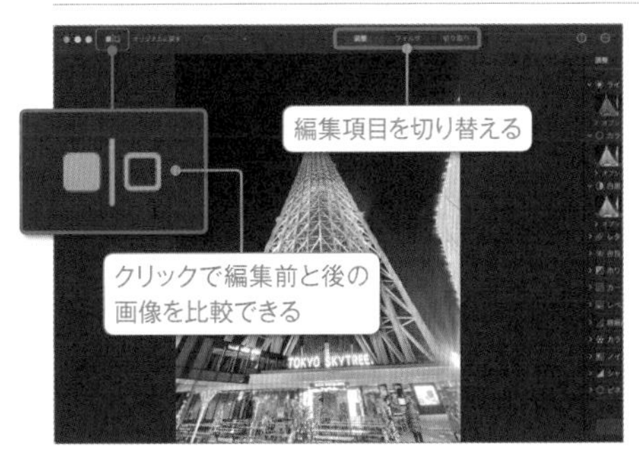

写真を表示して右上の「編集」をクリックすると編集モードになる。上部メニューの「調整」で色調補正やレタッチができるほか、「フィルタ」でフィルタを適用したり、「切り取り」で傾き補正やトリミングを行える。左上のボタンで編集前後の比較が可能。右上の「完了」をクリックで編集が反映される。

2 編集した写真はいつでも元に戻せる

編集を加えた写真は、いつでも元のオリジナル状態に戻すことが可能だ。まず編集を加えた写真を開いたら、「編集」をクリックして編集モードに。左上の「オリジナルに戻す」をクリックすると、編集前のオリジナル写真に戻るので、そのまま「完了」をクリックして編集を終えればよい。

3 編集モードでビデオを編集する

ビデオを表示して右上の「編集」ボタンをクリックすると、ビデオの編集モードになる。写真と同じように、上部メニューの「調整」や「フィルタ」、「切り取り」でさまざまな編集が可能だ。また編集を加えたビデオは、「オリジナルに戻す」をクリックすれば、いつでも編集前の状態に戻せる。

4 ビデオの不要な部分をカットする

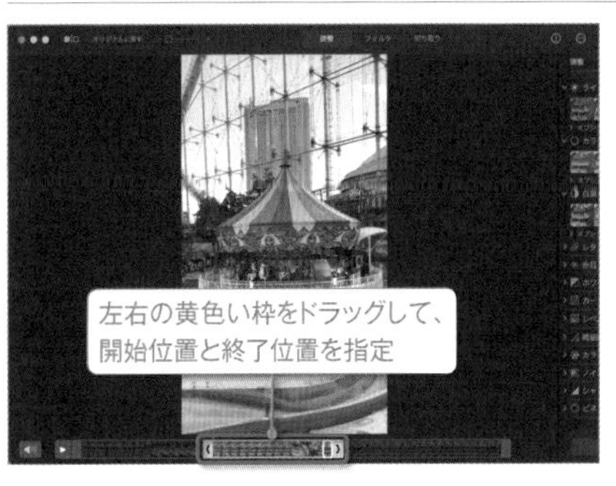

ビデオの場合は、不要な部分を削除するカット編集も行える。下部のタイムラインで左右端をドラッグすると黄色い枠が表示されるので、ビデオの切り取り範囲を指定しよう。「完了」→「ビデオを新規クリップとして保存」を選択すると、選択した範囲のビデオを新しいビデオとして保存できる。

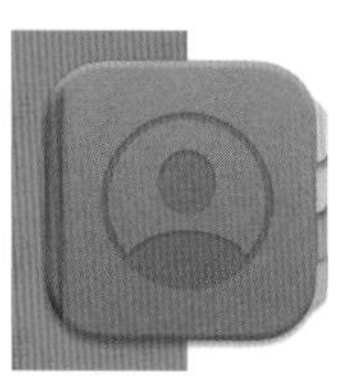

連絡先

友人や仕事先の電話番号や住所を管理

登録した連絡先は他のアプリでも利用できる

MacBookで連絡先を管理するには、「連絡先」アプリを利用する。iPhoneやAndroidスマートフォンで登録済みの連絡先があるなら、まず連絡先を同期させてから使い始めよう。連絡先に登録済みの電話番号やメールアドレスは、FaceTimeやメールなど他のアプリからも利用できる。連絡先からメールを送ったり、FaceTimeを発信することも可能だ。また「仕事」や「プライベート」などグループを作成しておけば、連絡先を振り分けて整理できる。

使い始めPOINT

Androidスマートフォンと同期するには?

Androidスマートフォンを使っているなら、連絡先はGoogleアカウントに保存されているはずだ。この連絡先をMacBookでも利用するには、メニューバーの「連絡先」→「アカウントを追加」からGoogleアカウントを追加して、「連絡先」にチェックすればよい。iPhoneと同期する場合は、iCloudで「連絡先」にチェックを入れておけば自動で同期して同じ連絡先を利用できる(P065で解説)。

「連絡先」→「アカウントを追加」からGoogleアカウントを追加し、「連絡先」にチェック

連絡先を作成、編集する

1 「+」ボタンから新規連絡先を作成

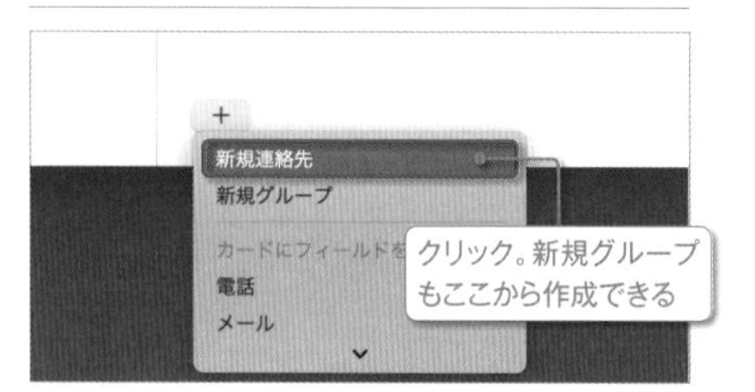

連絡先のウインドウ下部にある「+」ボタンをクリックし、「新規連絡先」を選択しよう。新規連絡先の作成画面が表示される。

2 名前や電話番号などを入力する

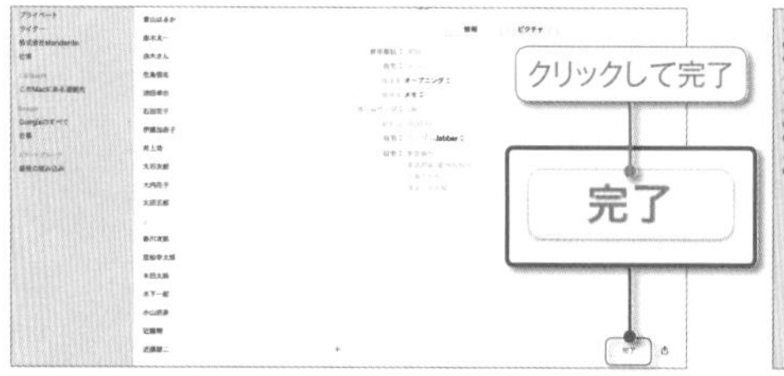

名前やフリガナ、電話番号、メールアドレス、住所などの連絡先情報を入力していこう。入力を終えたら、「完了」をクリック。

3 作成した連絡先を編集する

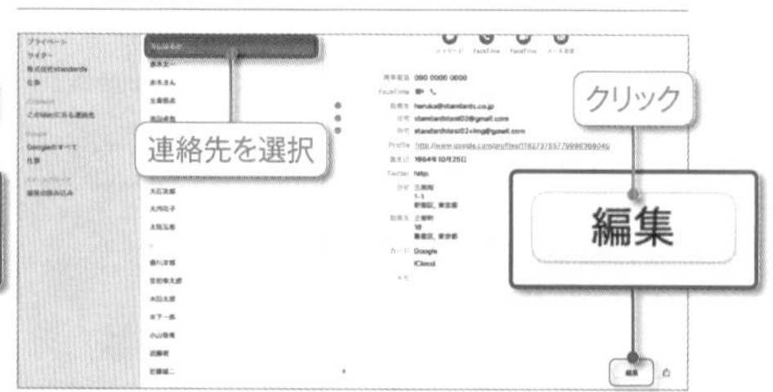

連絡先リストから連絡先を選択し、ウインドウの下部にある「編集」をクリックすると、連絡先情報を修正したり、新しい情報を追加できる。

4 不要な連絡先を削除する

連絡先を削除するには、連絡先の右クリックメニューから「カードを削除」をクリックすればよい。または連絡先を選択して「delete」キーを押せば削除できる。

5 連絡先をグループに振り分ける

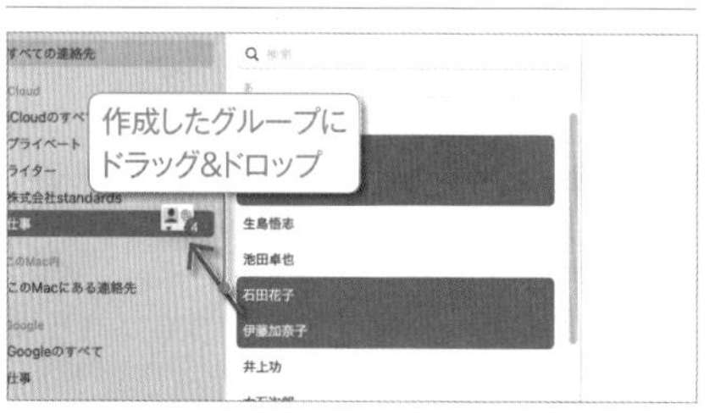

「+」ボタンから「新規グループ」で「仕事」「プライベート」などのグループを作成しておけば、連絡先をドラッグ&ドロップして分類できる。

使いこなしヒント

デフォルトの連絡先アカウントを変更する

複数のアカウントを使用する場合、新しい連絡先はデフォルトのアカウントに追加される。Androidスマートフォンを使っていて、連絡先はGoogleアカウントですべて管理しているなら、メニューバーの「連絡先」→「環境設定」→「一般」タブで、「デフォルトアカウント」をGoogleアカウントに変更しておこう。

カレンダー

JUL 17

スケジュールを効率的に管理する

iCloudカレンダーやGoogleカレンダーと同期して使おう

MacBookでスケジュールを管理するには、「カレンダー」アプリを利用する。日、週、月、年別で表示を切り替えでき、移動時間の自動計算や移動時間を考慮した通知など、さまざまな便利機能を備えているが、作成したイベントをMacBook内だけに保存しているのでは、せっかくの機能を活かしきれない。iPhoneやAndroidスマートフォンでも確認できるように、「iCloudカレンダー」や「Googleカレンダー」と同期させて使うのがおすすめだ。

使い始めPOINT

Googleカレンダーと同期するには?

スケジュール管理にGoogleカレンダーを使っているなら、MacBookのカレンダーとも同期させて利用しよう。メニューバーの「カレンダー」→「アカウントを追加」からGoogleアカウントを追加して、「カレンダー」にチェックすればよい。iPhoneやiPadでは、「設定」→「カレンダー」→「アカウント」→「アカウントを追加」でGoogleアカウントを追加し、「カレンダー」をオンにすればGoogleカレンダーと同期できる。

スケジュールを作成、管理する

1 カレンダーを追加する

メニューバーの「ファイル」→「新規カレンダー」をクリックし、あらかじめ「仕事」や「プライベート」といったカレンダーを作成しておこう。

2 表示するカレンダーを選択

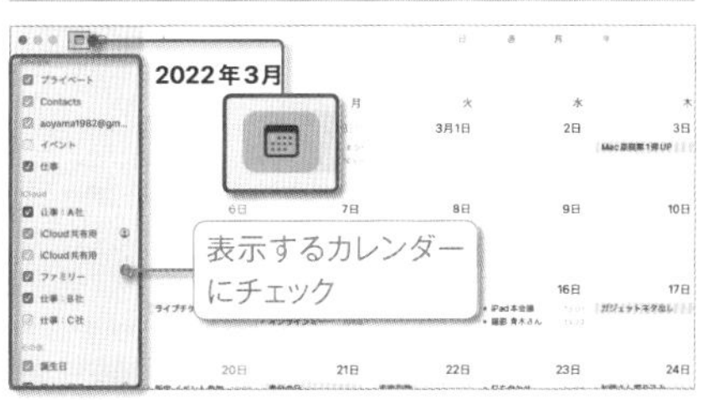

カレンダーを起動し、左上のカレンダーリストボタンをクリックすると、表示するカレンダーを選択できる。必要なものだけチェックしておこう。

3 表示モードを切り替える

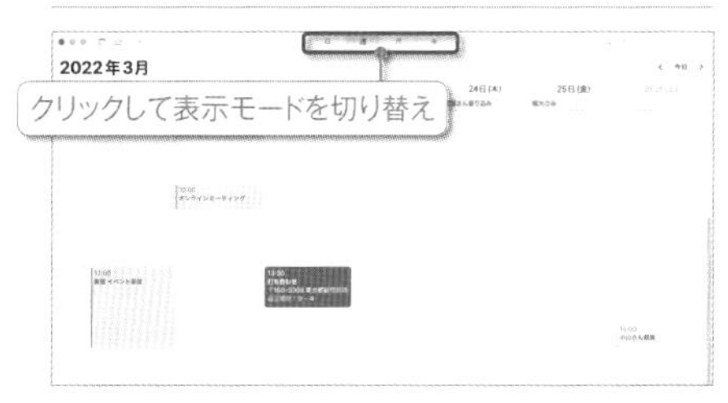

カレンダー上部のメニューで、日、週、月、年別の表示モードに変更できる。自分で予定を把握しやすい表示形式に切り替えておこう。

4 新規イベントを作成する

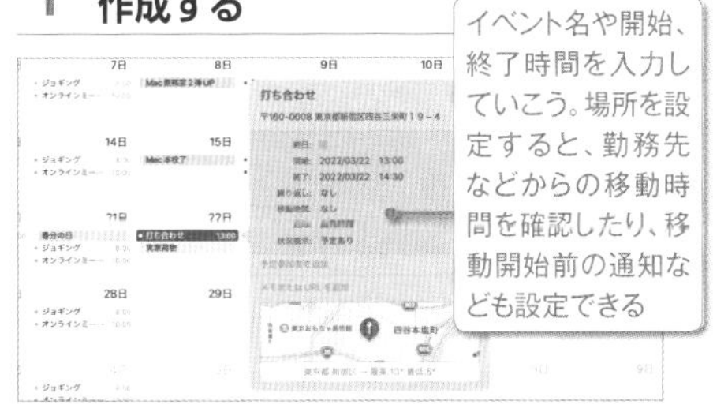

月表示の場合は、予定を作成したい日付をダブルクリック。日や週表示の場合は、予定を作成する時間帯をドラッグすると、新規イベントを作成できる。

5 イベントの作成先カレンダーを選択

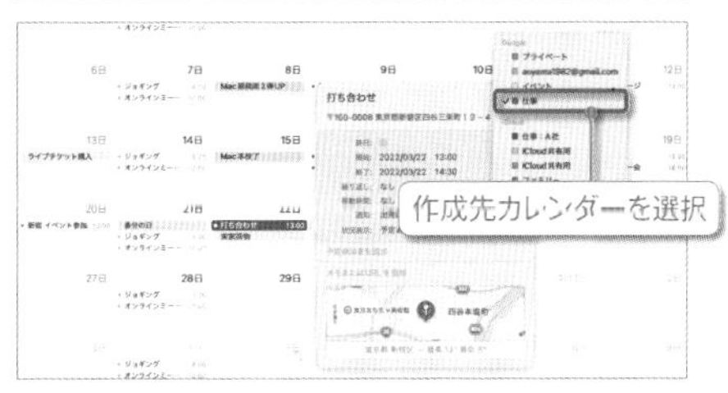

イベント名入力欄の右にあるボタンをクリックし、このイベントをどのアカウントの何のカレンダーに作成するかを選択しておこう。

6 作成したイベントを編集する

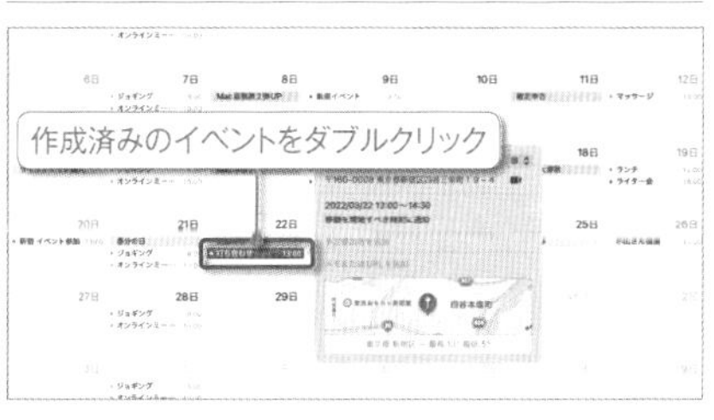

作成済みのイベントをダブルクリックすると、予定の詳細が表示され、各項目をクリックして内容を変更できる。右クリックメニューから予定の削除も可能。

メモ

意外と多機能な標準メモアプリ

ファイルの添付や共同編集も可能

「メモ」は、ちょっとした思い付きを素早くメモし、写真や動画を追加したり、表やチェックリストを作成できるアプリだ。他にも、複数ユーザーと共同編集したり、写真の被写体や手書き文字も含めてキーワード検索できるなど、シンプルな見た目に反して意外と多機能。作成したメモはフォルダやタグで整理できる。なお、どの画面からでも素早くメモを呼び出せる「クイックメモ」機能は、P054で解説している。

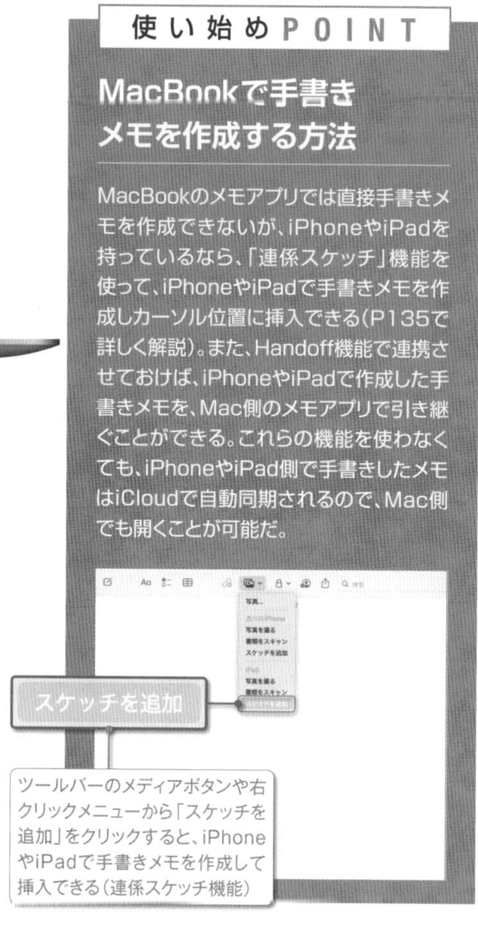

使い始めPOINT

MacBookで手書きメモを作成する方法

MacBookのメモアプリでは直接手書きメモを作成できないが、iPhoneやiPadを持っているなら、「連係スケッチ」機能を使って、iPhoneやiPadで手書きメモを作成しカーソル位置に挿入できる(P135で詳しく解説)。また、Handoff機能で連携させておけば、iPhoneやiPadで作成した手書きメモを、Mac側のメモアプリで引き継ぐことができる。これらの機能を使わなくても、iPhoneやiPad側で手書きしたメモはiCloudで自動同期されるので、Mac側でも開くことが可能だ。

ツールバーのメディアボタンや右クリックメニューから「スケッチを追加」をクリックすると、iPhoneやiPadで手書きメモを作成して挿入できる(連係スケッチ機能)

メモアプリの基本操作

1 新規メモを作成する

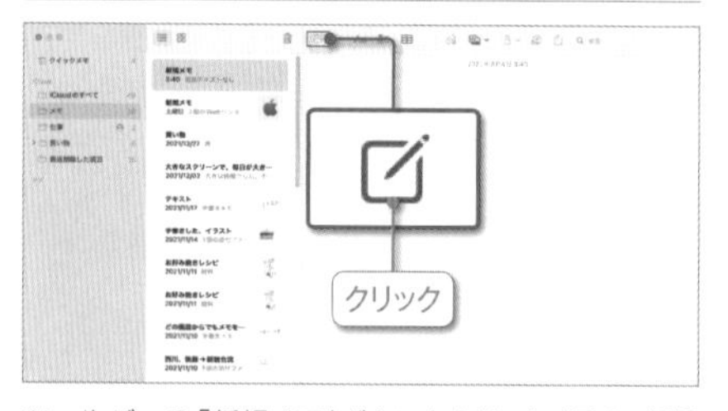

ツールバーの「新規メモ」ボタンをクリックすると、新規メモを作成できる。メモの最初の行がタイトルとして設定される。

2 メモに画像を添付する

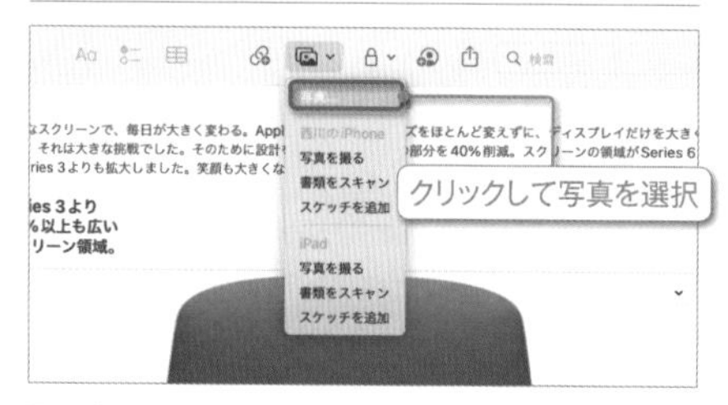

画面内に画像などをドロップすれば、ファイルを添付できる。ツールバーの「メディア」ボタンから「写真」をクリックし、写真ライブラリから選択してもよい。

3 すべてのメモの添付ファイルを確認する

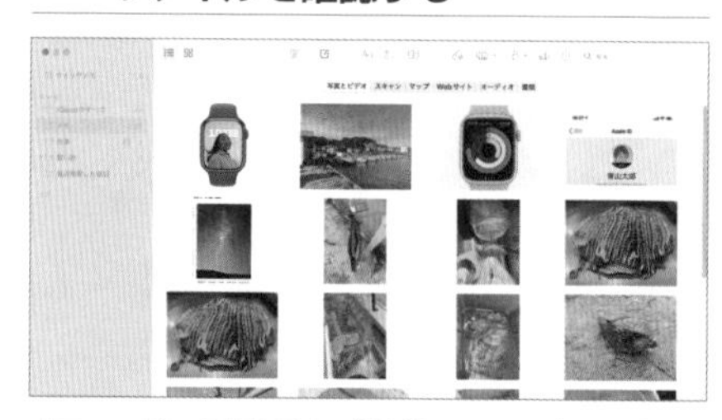

メニューバーの「表示」→「添付ファイルブラウザを表示」をクリックすると、すべてのメモの添付ファイルを、「写真とビデオ」「マップ」など種類別に確認できる。

4 メモをキーワード検索する

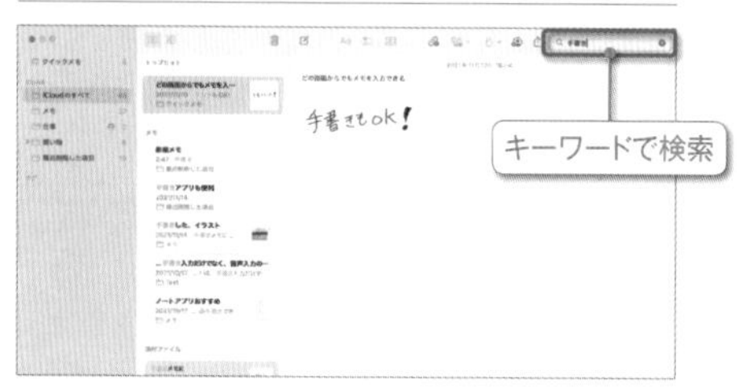

右上の検索ボックスで、メモをキーワード検索できる。メモの本文やファイル名に加えて、メモ内の手書きテキストや、写真の被写体なども検索対象になる。

5 メモを他のユーザーと共有する

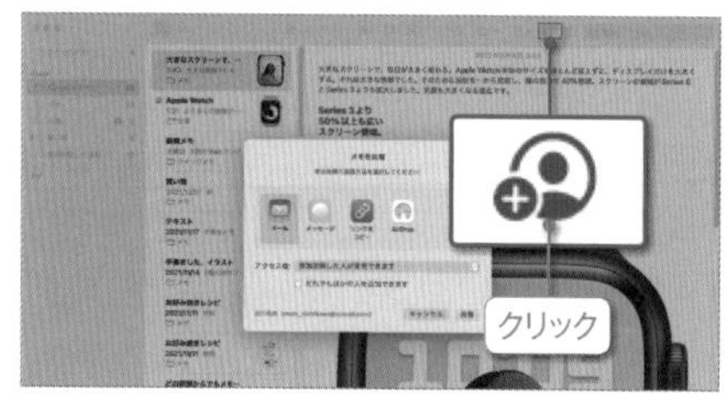

ツールバーの「メモを共有」ボタンをクリックすると、メモにメンバーを追加して共有できる。フォルダ単位で共有することも可能だ。

6 不要なメモを削除する

ツールバーの「削除」ボタンでメモを削除できる。削除したメモは「最近削除した項目」フォルダに最大30日間残るので、必要に応じて復元できる。

リマインダー

やるべきことを忘れず通知する

日々のタスク管理や買い物メモに活用しよう

「リマインダー」は、やるべき事を登録しておけばしかるべきタイミングで通知してくれる、タスク管理アプリだ。例えば「明日14時に山本さんに電話を入れる」「トイレの電球を買っておく」など、日々のやるべきことを登録しておけば、通知でうっかり忘れを防ぐことができる。リマインダーは自分でリストを作って整理できるほか、「今日」「日時設定あり」「フラグ付き」などの条件に合ったタスクを素早く確認できる点も便利だ。

使い始めPOINT

リマインダーは通知設定が肝要

せっかくリマインダーを設定していても、通知に気づかなければ意味がない。Appleメニューの「システム環境設定」→「通知と集中モード」→「リマインダー」を開き、通知方法が適切に設定されているか確認しておこう。通知スタイルは、操作して消すまで表示されたままになる「通知パネル」に設定しておくのがおすすめ。通知画面から「実行済み」にしたり、指定時間後に再通知させることもできる。

リマインダーの通知設定は、何か操作するまで通知が消えない「通知パネル」を選択しておくのがおすすめ。

リマインダーの基本操作

1 リマインダーの画面の見方

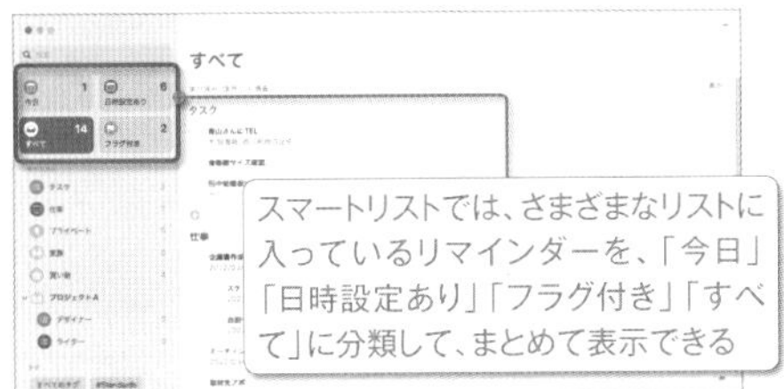

リマインダーを起動すると、左欄にはスマートリストとマイリスト、右欄には各リストのタスクが一覧表示される。

2 リストの追加とアイコンの変更

左欄下部の「リストを追加」で新規リストを作成できる。「仕事」「プライベート」などリスト名を入力し、アイコンと色を設定しよう。

3 新規リマインダーを作成する

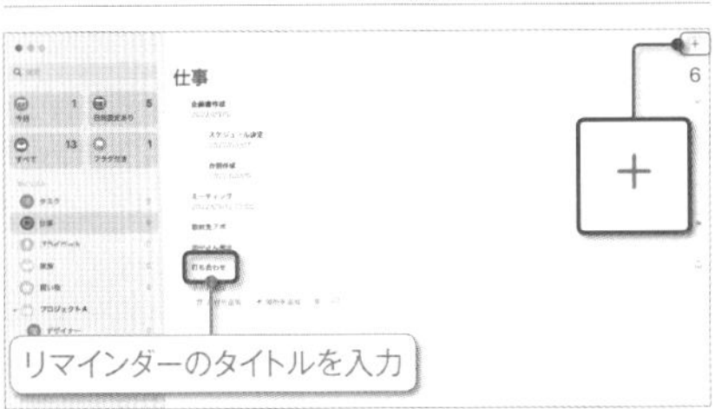

リマインダーを登録したいリストを開き、右上の「+」ボタンをクリックすると、新規リマインダーの入力画面が開く。まずタイトルを入力しよう。

4 リマインダーの期日を設定する

新規リマインダーの「日付を追加」部分をクリックすると、期限の日付と時刻を設定できる。またフラグをクリックするとフラグ付きに設定できる。

5 詳細情報を開いて編集する

リマインダーを選択して右端の「i」ボタンをクリックすると、詳細情報が開き、日時や場所の変更、リストの移動などさまざまな操作を行える。

6 リマインダーを完了する

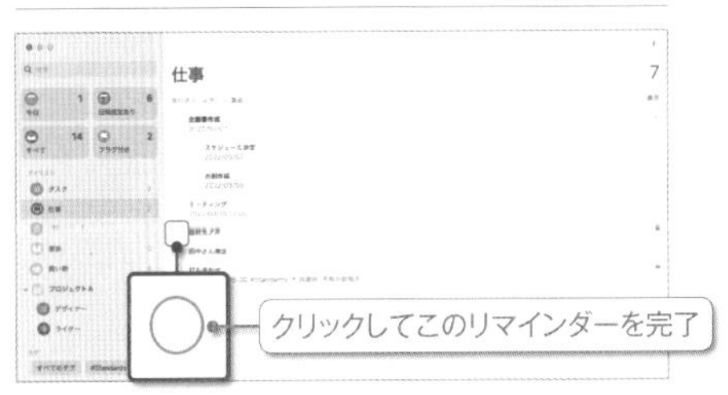

リマインダーに登録した予定を完了したら、リマインダーのタイトル横にある「○」をクリックしよう。このリマインダーは実行済みとなり非表示になる。

その他の標準アプリ

Appleならではの洗練されたツールを使ってみよう

MacBookには、これまで解説してきたアプリの他にも、さまざまなアプリが最初からインストールされている。普段は使わなくても、いざという時に便利なアプリが多数用意されているので、一度確認してみるといいだろう。ここでは、残りの主な標準アプリをまとめて紹介するが、他にもショートカット（P111で解説）や、チェス、DVDプレーヤー、Audio MIDI設定といったアプリがある。環境によってはインストールされていないアプリもあるので、その場合はAppStoreで探してみよう。なお、標準アプリが消えるか破損した時は、macOSを再インストール（P143で解説）することで復元が可能だ。

ルート検索もできる地図アプリ

マップ

標準の地図アプリ。車／徒歩／交通機関でのルート検索を行えるほか、スポットの詳細情報なども確認できる。

紛失した端末や友達を探せる

探す

紛失したMacBookの位置を探して遠隔操作したり、家族や友達の現在位置を調べることができるアプリ。

写真をエフェクトで楽しむ

Photo Booth

サーモグラフィーやミラー、X線など、さまざまなエフェクトを適用して、一風変わった写真を撮影できるアプリ。

ラジオやビデオ番組を楽しめる

Podcast

ネット上で公開されている、音声や動画を視聴できるアプリ。主にラジオ番組やニュース、教育番組などが見つかる。

さまざまな映画やドラマを楽しむ

Apple TV

映画やドラマを購入またはレンタルして視聴できるアプリ。サブスクリプションサービス「ApileTV+」も利用できる。

ワンクリックでその場の音声を録音

ボイスメモ

ワンクリックでその場の音声を録音できるアプリ。録音した音声をトリミング編集したり、iCloudで同期することも可能。

手軽に作曲できる音楽制作アプリ

Grageband

さまざまな音源を組み合わせて作曲できる、音楽制作アプリ。分かりやすいインターフェイスで初心者でも扱える。

高クオリティなビデオを作成できる

iMovie

写真やビデオをつなぎ合わせて、オリジナルビデオを作成できるビデオ編集アプリ。タイトルやBGMなども追加できる。

Apple標準のワープロソフト

Pages

標準で用意されている、無料のワープロソフト。写真や図形を自由に配置して、見栄えのいい書類を作成できる。

Apple標準の表計算ソフト

Numbers

標準で用意されている、無料の表計算ソフト。表やグラフを作成して分かりやすくデータを集計、分析できる。

Apple標準のプレゼンソフト

Keynote

標準で用意されている、無料のプレゼンソフト。豊富なテーマやエフェクトで見やすいスライド資料を作成できる。

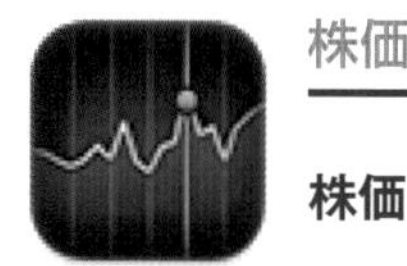

株価と関連ニュースをチェック

株価

日経平均や登録した指定銘柄の、株価チャートと詳細を確認できるアプリ。主なビジネスニュースも確認できる。

電子書籍を購入して読める

ブック

電子書籍リーダー&ストアアプリ。キーワード検索やランキングから、電子書籍を探して購入できる。無料本も豊富。

辞書などで単語を調べる

辞書

国語、英和／和英、Apple用語、Wikipediaなどで単語を調べられる辞書アプリ。他のアプリやWebページからも調べられる。

関数計算や単位変換も可能

計算機

電卓アプリ。四則演算だけでなく、メニューから関数電卓に切り替えたり、単位換算や為替レートの変換も行える。

Homekit対応機器を一元管理する

ホーム

「照明を点けて」「電源をオンにして」など、Siriで話しかけて家電を操作する「HomeKit」を利用するためのアプリ。

便利な音声アシスタント

Siri

マイクで話しかけることで、質問に応えてくれたり、必要な情報を探したり、アプリを操作してくれる音声アシスタント。

編集も可能なメディアプレイヤー

QuickTime Player

ビデオや音声を再生できるメディアプレイヤー。ビデオを編集したり、MacBookやiPhone、iPadの画面収録も可能。

軽快に動作するエディタ

テキストエディット

ワープロよりも軽快に動作するテキストエディタ。リッチテキストやHTMLファイルなども作成、編集できる。

デスクトップに付箋を貼る

スティッキーズ

デスクトップに付箋のようにメモを貼れるアプリ。ToDoやちょっとしたメモなどを入力して表示させておこう。

バックアップを作成、復元する

Time Machine

システムファイル、アプリ、音楽、写真、メール、書類などを含む、MacBook全体のバックアップを作成できる。

さまざまなフォントを管理する

Font Book

標準のフォント管理アプリ。フォントをインストールして使えるようにしたり、プレビューを確認できる。

カメラやiPhoneから写真を転送

イメージキャプチャ

デジタルカメラやiPhone、iPadなどの他のデバイスから、写真やビデオをMacBookの好きな場所に取り込めるアプリ。

複数の操作を自動化する

Automater

いつも行う繰り返しの操作を登録しておくことで、ボタン1つで自動実行できるようになる自動化アプリ。

方程式からグラフを作成する

Grapher

方程式から2次元や3次元のグラフを作成できるソフト。グラフから3Dアニメーションを作成することもできる。

VoiceOverをカスタマイズ

VoiceOverユーティリティ

視覚障がい者をサポートするための音声読み上げ機能、「VoiceOver」の設定をカスタマイズできるツール。

Wi-Fiネットワークを管理

AirMacユーティリティ

Wi-Fiネットワークと、それに接続されているベースステーションおよびデバイスの状態がグラフィカルに表示される。

MacBookにデータを移行

移行アシスタント

別のMacやWindows PC、Time Machineバックアップ、ディスクからこのMacBookに各種データを転送するツール。

コマンド入力で操作する

ターミナル

WindowsにおけるPowerShellとほぼ同じで、コマンドを入力してMacBookの操作や設定を行うためのツール。

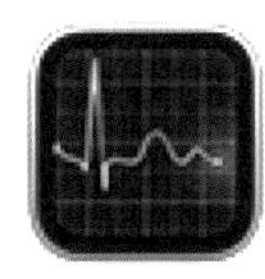

プロセスの稼働状況を確認

アクティビティモニタ

Windowsにおけるタスクマネージャとほぼ同じで、MacBookで現在起動中のプロセスやCPU使用率などを確認できる。

動作ログを確認する

コンソール

MacBookのさまざまな動作ログが収集され、不正アクセスの痕跡を探したり、クラッシュレポートを確認できる。

あらゆるログイン情報を管理

キーチェーンアクセス

さまざまなアプリやサービスのログイン情報を保管するアプリ。パスワードを確認したりログイン情報を追加できる。

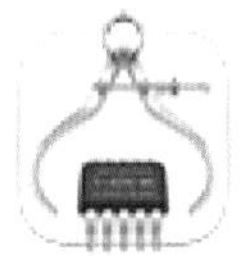

MacBookのスペックを調べる

システム情報

MacBookのスペックやハードウェア構成、ネットワークやソフトウェア周りの詳細な情報を確認できるツール。

スクリプトで作業を効率化

スクリプトエディタ

macOSに昔から標準搭載されている、繰り返しの操作などを自動処理するスクリプトを作成するためのツール。

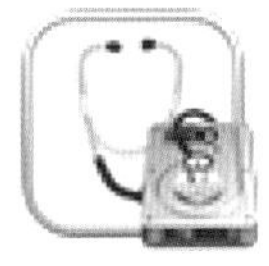

ストレージを管理する

ディスクユーティリティ

MacBookの内蔵ディスクや外部ストレージを管理するためのツール。フォーマットやパーティション作成が可能。

MacBookにWindowsを入れる

Boot Campアシスタント

MacBookのディスク内にWindows 10をインストールできる機能「Boot Camp」を実行するためのアシスタントツール。

画面上の色の値を表示

Digital Color Meter

画面上にカーソルを置くと、そのピクセルの色の値を表示してくれる、カラーピッカーツール。Webデザインに役立つ。

カラープロファイルを調整

ColorSyncユーティリティ

他のディスプレイやプリンタなどでも同じ色で出力できるように、カラープロファイルを調整できるツール。

保存先などを変更できる

スクリーンショット

スクリーンショットの保存先を変更したりタイマーを設定できるツール。「shift」+「command」+「5」でも表示される。

近距離のデバイスと通信

Bluetoothファイル交換

近距離にあるAndroidスマートフォンなどのデバイスに、Bluetooth通信でファイルを送信できるアプリ。

SECTION

03

MacBook活用テクニック

macOSの隠れた便利機能や作業を効率化するショートカット、インストールしたいベストなアプリにおすすめの優良周辺機器までMacBookの真価を発揮する活用技を総まとめ。MacBookでWindowsを起動できるBoot Campも必見だ。まずは、外出先でのネット接続に必須ともいえるインターネット共有の接続方法をマスターしよう。

001

テザリング

Instant Hotspot機能でパスワードも不要

iPhoneのモバイルデータ通信でMacBookをインターネットに接続

外出先でWi-Fiが見つからない時は

外出先でMacBookを利用するとなったら、ネット接続はほぼ必須といっても過言ではない。近くに使えるWi-Fiスポットがない場合は、iPhoneのInstant Hotspot機能を使ってインターネット共有（テザリング）を実行しよう。これは、iPhoneのモバイル回線を使ってMacBookでもネット接続ができる便利な機能。パスワード入力なども必要なく、即座に利用開始できる。利用条件は、まずiPhoneの回線契約でテザリングオプションに加入していること。そして、iPhoneとMacBookが同じApple IDでサインインしており、両方のデバイスでBluetoothとWi-Fiがオンになっている必要がある。あとは右で解説している操作ですぐに接続可能だ。また、iPhoneではなくAndroidスマートフォンでもテザリングを利用可能だ。iPhoneよりは若干手順が多いが、かなり簡単に接続できる。

Instant Hotspotの接続方法

Instant Hotspot以外のテザリング接続方法

iPhoneの接続操作

MacBookとは別のApple IDを使っているiPhoneでは、Instant Hotspotを使わずにテザリング接続することもできる。

Androidスマホの接続操作

Androidスマートフォンでもテザリングは利用可能。iPhone同様、テザリングオプションに加入している必要がある。

MacBookの接続操作

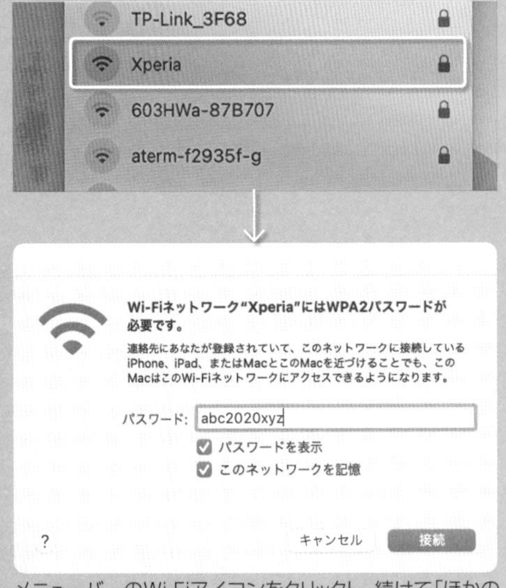

メニューバーのWi-Fiアイコンをクリックし。続けて「ほかのネットワーク」を開き、iPhoneやAndroidスマホの名前を選択。パスワード入力画面で、iPhoneやAndroidスマホで確認、設定したパスワードを入力し、「接続」をクリックすればよい。

トラックパッドになかなか慣れない人は

MacBookの操作にマウスを使ってみよう

純正マウスはもちろんさまざまな製品を接続できる

MacBookに搭載されているトラックパッドは精度が高く、非常に優れた入力デバイスだが、どうしても慣れない人はマウスを使ってみるといい。また、フォトレタッチやグラフィックなどデザイン関連アプリで細かな作業をする際など、マウス操作が向いている場合もある。MacBookで使えるマウスで最もおすすめなのは、Appleの「Magic Mouse」だ。そのほかの他社製マウスと共にチェックしよう。

Apple公式のマウス「Magic Mouse」

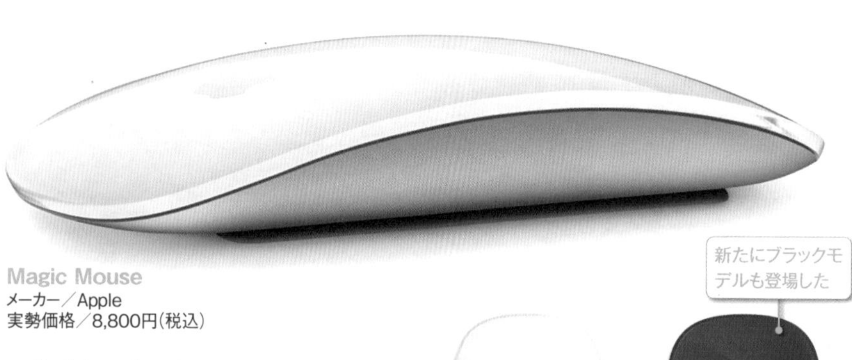

Magic Mouse
メーカー／Apple
実勢価格／8,800円(税込)

マルチタッチでのジェスチャ操作に対応したマウス

Appleが開発したスタイリッシュなワイヤレスマウス。上面部分はマルチタッチに対応しており、1本指で上下に動かしてスクロールしたり、2本指で左右にスワイプしてアプリを切り替えたりなどが行える。電池交換不要の充電式で、充電はマウス底面にある端子にケーブルを差し込んで行う。そのため、充電中はマウスが使えないので注意が必要だ。とはいえ、1度フル充電をすれば、3ヶ月は使えるのでそれほど問題にはならない。

ジェスチャ操作の確認はシステム環境設定で

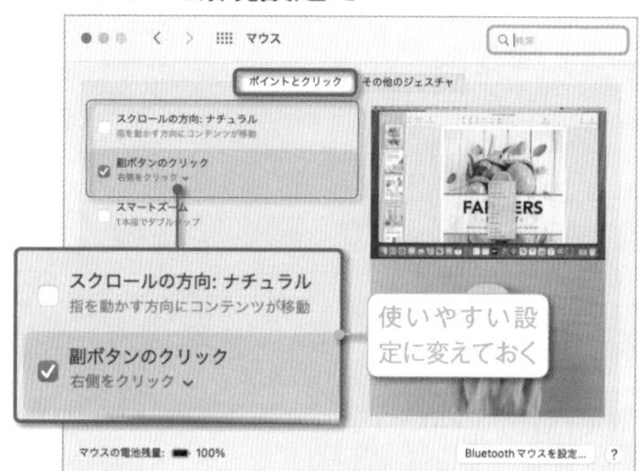

Magic MouseをMacBookに接続したら、「システム環境設定」の「マウス」で設定を行っておこう。ここで各ジェスチャ操作の方法も確認可能だ。なお、初期設定の場合、一般的なホイール付きマウスとスクロールの方向が違うので、気になる人は「ポイントとクリック」の「スクロールの方向:ナチュラル」のチェックを外しておくといい。また、右クリックを使いたい場合は「副ボタンのクリック」も有効にしておこう。

そのほかのオススメマウス

Pebble M350
メーカー／Logicool
実勢価格／2,364円(税込)

カバンに入れてもかさばらないスタイリッシュな薄型マウス

外出先でもマウスを使いたいなら、持ち運びしやすい薄型マウスにしたい。Pebble M350は、BluetoothとUSB Nanoレシーバーによる無線接続に対応。単三形乾電池1本で約1年半使用できるのもポイントだ。

G604 LIGHTSPEED
メーカー／Logicool G
実勢価格／9,100円(税込)

仕事も効率化できる! 高性能無線ゲーミングマウス

全15個のプログラムボタンを搭載したBluetooth接続対応ゲーミングマウス。各ボタンにはショートカット操作やマクロなどを登録できるため、ゲームだけでなく仕事で使うアプリの操作なども効率化できる。

気になるポイント

モバイル環境ならBluetoothの無線マウスがオススメ

無線マウスの通信方式には、Bluetooth方式とUSBレシーバーを介して通信する方式が存在する。どちらもMacBookで使えるのだが、USBレシーバー方式には1つ問題がある。それは、USBレシーバーの多くがUSB-A端子となっている点だ。USB-C端子しかないMacBookで利用するには、変換アダプタやUSBハブが必要となり、マウス以外の機材も必要になってしまう。モバイル用途で購入するなら、シンプルに接続できるBluetooth方式の無線マウスを選ぼう。

別の作業スペースにウインドウを振り分けて利用できる

複数のデスクトップを使い分ける

Mission Controlで仮想デスクトップを使う

「Mission Control」には、複数の操作スペースを切り替えながら使うことができる、いわゆる仮想デスクトップ機能が搭載されている。たくさんのウインドウやアプリを1つの画面で同時にすべて表示するのは、表示領域の問題で難しい。しかし、仮想デスクトップ機能を使えば、複数の操作スペースを追加して、ウインドウを分散表示させることが可能だ。たとえば、デスクトップ1の操作スペースには仕事の作業に必要なウインドウを表示しておき、デスクトップ2にはミュージックアプリを表示してBGMを再生、デスクトップ3にはメールやメッセージ系のアプリを起動しておく、といった使い方ができる。ほかの操作スペースに切り替えたいときは、Mission Controlの画面から選択できるほか、各種ショートカット操作(下記参照)で瞬時に切り替えが行えるので覚えておこう。

操作スペース切り替えの操作方法

- トラックパッドを使い、3本指または4本指で左右にスワイプする
- キーボードを使い、「control」+カーソルキーの左または右を押す

※動作しない場合は、「システム環境設定」→「キーボード」→「ショートカット」→「Mission Control」で「左の操作スペースに移動」と「右の操作スペースに移動」のチェックを入れる

そもそも仮想デスクトップ機能とは?

Mission Controlでは、複数のデスクトップ(操作スペース)を作成して切り替えて使うことができる。各デスクトップの切り替えは「control」+カーソルキー左右か、トラックパッド上で3本指の左右スワイプで行える。

Mission Controlでデスクトップを追加する

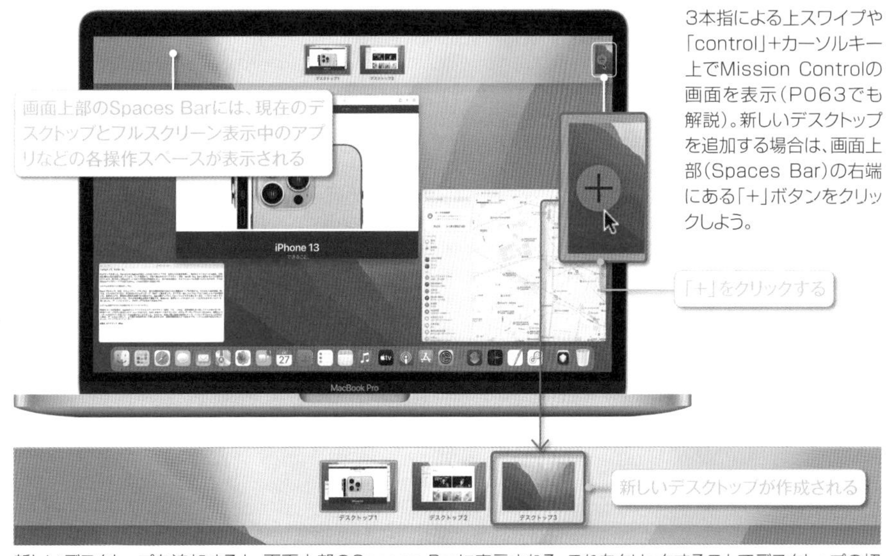

3本指による上スワイプや「control」+カーソルキー上でMission Controlの画面を表示(P063でも解説)。新しいデスクトップを追加する場合は、画面上部(Spaces Bar)の右端にある「+」ボタンをクリックしよう。

新しいデスクトップを追加すると、画面上部のSpaces Barに表示される。これをクリックすることでデスクトップの切り替えが可能だ。なお、不要なデスクトップを削除したい場合は、ポインタを合わせて「×」ボタン押せばいい。

Mission Controlでデスクトップやウインドウを管理する

1 ウインドウはほかのデスクトップにドラッグ&ドロップで移動できる

Mission Control画面でウインドウをドラッグし、Spaces Bar上のデスクトップにドロップすると、そのデスクトップにウインドウを移動することが可能だ。

2 アプリウインドウをフルスクリーン表示の画面として追加する

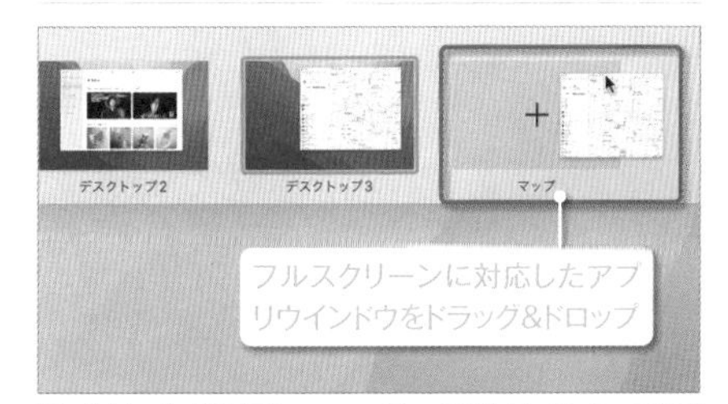

アプリウインドウをSpaces Barの空いたスペースにドラッグ&ドロップすると、そのアプリのフルスクリーン表示画面を作ることができる。

3 フルスクリーン表示の画面にウインドウを重ねてSplit Viewにする

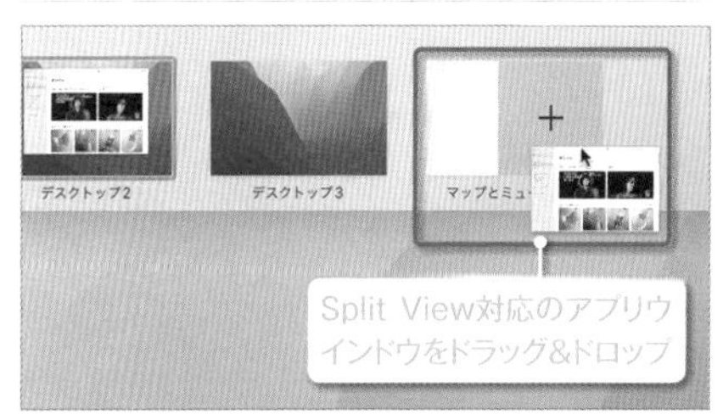

Split View(P096参照)に対応しているアプリのウインドウをフルスクリーン表示中の操作スペースにドラッグすると、その画面をSplit Viewに変更することができる。

004

便利機能

意外と知られていない機能を一挙に紹介!

macOSの隠れた便利機能を利用する

「Split View」でウインドウをタイル表示にする

2つのウインドウを画面分割して表示してみよう

macOSでは、「Split View」という機能で、2つのウインドウを画面中央で分割して同時に表示させせることが可能だ(これを「タイル表示」と呼ぶ)。ウインドウの左上にある緑色のフルスクリーンボタンにマウスポインタを合わせ、表示されたメニューからタイル表示の項目を選んでみよう。そのウインドウがタイル表示になり、もう片方のウインドウを選べば分割表示になる。

1 ウインドウのフルスクリーンボタンからタイル表示を選ぶ

分割表示したいウインドウを表示しておき、フルスクリーンボタン(緑色)にマウスポインタを合わせる。メニューから「ウインドウを〜にタイル表示」を実行しよう。

2 2つのウインドウがSplit Viewでタイル表示された

すると、そのウインドウがタイル表示になるので、もう片方のエリアでタイル表示するウインドウを選んでクリック。これで2つのウインドウが画面中央で分割される。

「ホットコーナー」でデスクトップなどをすぐ呼び出す

画面の四隅から各種機能を呼び出してみよう

デスクトップやMission Controlをすぐに呼び出したい人は「ホットコーナー」を設定しておこう。ホットコーナーを使えば、マウスポインタを画面の各コーナー(四隅)に移動することで、割り当てた機能を即座に呼び出せる。割り当てられる機能は、「Mission Control」、「アプリケーションウインドウ」、「デスクトップ」などだ。なお、標準状態だと右下に「クイックメモ(P054で解説)」が割り当てられている。

1 「システム環境設定」の「Mission Control」から設定する

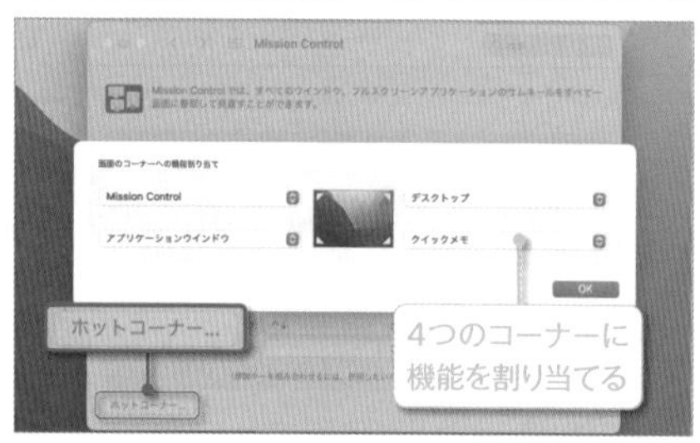

Appleメニュー→「システム環境設定」→「Mission Control」の左下にある「ホットコーナー」をクリック。それぞれのコーナーに機能を割り当てよう。

2 各コーナーにマウスポインタを移動すると機能が呼び出せる

画面の各コーナーにマウスポインタを移動してみよう。すると、「Mission Control」や「デスクトップ」など、割り当てた機能をすぐに呼び出すことができる。

Finderでファイルの一括リネームを行う

ファイル名の検索置換や連番リネームなどができる

複数のファイルを一括リネームしたい場合は、Finderの標準機能を使ってみよう。複数ファイルを選択して右クリック→「名称変更」を実行すると、リネーム用のダイアログが表示される。ここからリネームの内容を設定して「名前を変更」をクリックすればOKだ。ファイル名を検索置換したり、文字列を追加したり、連番ファイルにしたりなど、いろいろなリネーム処理に対応しているので試してみよう。

1 複数のファイルを選択して右クリックする

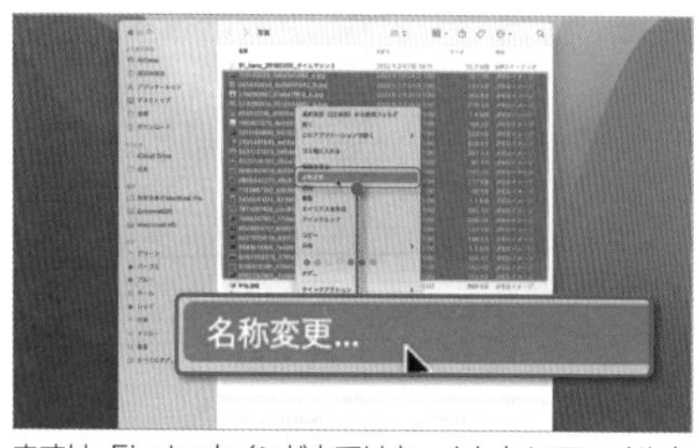

まずは、Finderウインドウでリネームしたいファイルを複数選択しておく。次に、選択したファイルを右クリックして「名称変更」を選択しよう。

2 リネームの内容を設定する

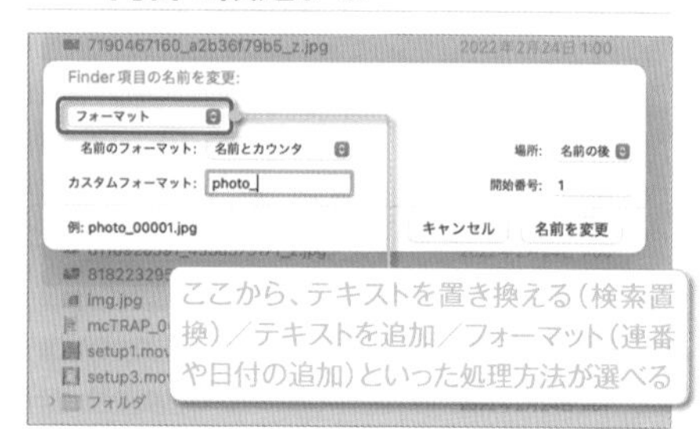

上のような画面が表示されるので、リネームの内容を設定する。「名前を変更」で一括リネームだ。なお、リネームは「command」+「Z」キーで取り消すことができる。

ファイルにロックをかける

変更／削除したくない大事なファイルをロックする

間違えて書類の内容が変更されたり、ファイル自体が削除されたりしないように、ファイルにロックをかけることが可能だ。ロックを有効にしたい場合は、ファイルを選択して右クリック→「情報を見る」から「一般情報」の「ロック」をオンにしよう。ロックしたファイルは、内容を変更したときやゴミ箱に入れたときに確認画面が表示されるようになる。なお、フォルダもロックが可能で、中のファイルの変更や移動が禁止される。

1 ファイルを選択して「情報を見る」からロックする

ロックしたいファイルを選択したら、右クリック→「情報を見る」を選択（または「command」+「I」キー）。「一般情報」の「ロック」にチェックマークを入れよう。

2 ファイルの変更／削除時に確認画面が表示される

ロックしたファイルの内容を変更しようとすると上のような確認画面が表示される。また、ゴミ箱に入れようとしても確認画面が表示されるので安心だ。

Macの画面をムービーで収録する

デスクトップの様子を動画ファイルで保存しよう

macOSは、デスクトップやウインドウの様子を画像や動画として保存できるキャプチャ機能が標準搭載されている（スクリーンショットについてはP055で詳しく解説）。ここでは、MacBookのデスクトップを動画で録画して、movファイルとして保存する方法を紹介しておこう。まずは、「shift」+「command」+「5」キーを押し、「画面全体を収録」か「選択部分を収録」ボタンを押す。そのまま「収録」ボタンを押せば録画が開始され、ステータスメニューの停止ボタンを押すと終了する。アプリのチュートリアル動画を作りたいときや、ゲームのプレイ動画を撮影したいときなどに利用してみよう。

1 「shift」+「command」+「5」から録画をスタートさせる

「shift」+「command」+「5」キーを押したら、まず画面下のボタンで「画面全体を収録」か「選択部分を収録」かを選び、「収録」で録画をスタートさせる。

2 ステータスメニューのボタンで録画を停止

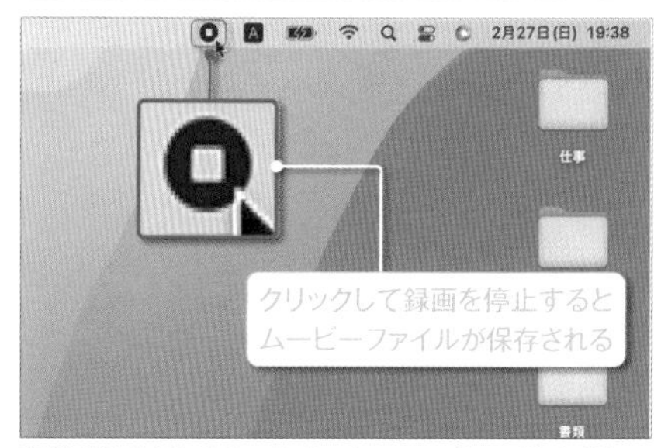

収録がひと通り終わったら、メニューバーの停止ボタンをクリック。動画がmovファイルとして保存される。なお、保存先は「オプション」で設定可能だ。

こちらもチェック

iPhoneの画面をMacBookで収録する

iPhoneの画面を録画することもできる。MacBookとiPhoneをケーブルで接続した状態で標準アプリの「QuickTime Player」を起動したら、「ファイル」→「新規ムービー収録」を選択。録画ボタン横の「V」ボタンをクリックして、カメラとマイクにiPhoneを選び、録画を開始すればいい。

Apple Payの設定を行って利用する

クレジットカードなどを登録してオンライン決済が可能

macOSでは、iPhoneやiPadと同じようにAppleの決済サービス「Apple Pay」を利用することができる。初めて使う場合はシステム環境設定にある「ウォレットとApple Pay」で設定を行っておこう。クレジットカードやデビットカード、プリペイドカードなどの情報をウォレットとして登録しておけばOKだ。これによりApple Pay対応のオンラインショッピングサイトで、Touch IDを使用した支払いが可能となる。

1 システム環境設定からクレジットカードなどを登録する

まずは、システム環境設定を開き「ウォレットとApple Pay」を選択。右下の「カードを追加」でクレジットカードなどの情報を登録しておこう。

2 Safariですぐに支払いが行えるようになる

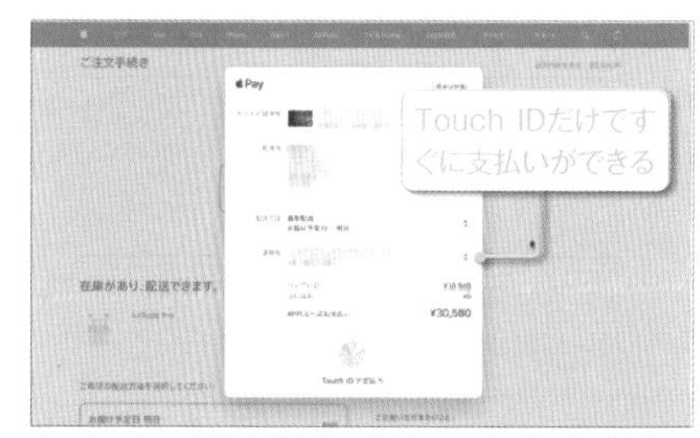

Apple Payの設定が完了すると、Safariなどで決済を行うことが可能だ。対応サイト上の「Apple Pay」ボタンをクリックすれば、Touch IDで支払いが行える。

005

Apple M1

ワンクリックで互換性を確認できる

MacBook内のアプリがM1に対応しているかチェックする

Appleシリコン対応アプリをまとめて確認

Appleシリコン(M1/M1 Pro/M1 Max)チップを搭載したMacBookは、従来のIntelチップとアーキテクチャが大きく異なるため、Intelチップのみをサポートする古いアプリやアドオンが正常に動作しない。ただし、「Rosetta 2」をインストールすることで、互換性を持たせてAppleシリコン版で動作する場合がある。またAppleシリコンはiPhoneやiPadと同系列のチップなので、Appleシリコン版MacBookならiPhoneやiPadの一部アプリを動かせる。Appleシリコン版MacBookにインストール済みのアプリが問題なく動作するかを調べるには、「iMobie M1 App Checker」を利用しよう。Appleシリコンに標準対応のアプリか、Rosetta 2を使えば動作する/しないアプリか、Appleシリコン版MacBookに対応したiPhoneやiPad用アプリかを、まとめてチェックすることが可能だ。

iMobie M1 App Checker
作者/iMobie
価格/無料
入手先/https://www.imobie.jp/m1-app-checker/

iMobie M1 App Checkerの使い方と画面の見方

1 アプリを起動して「スキャン」をクリック

「iMobie M1 App Checker」を起動したら、「Mac App」画面の「スキャン」ボタンをクリック。各アプリの右側に「Universal」「Apple Silicon」「Intel64」「Intel32」といったステータスが表示される。「Intel32」と表示されるアプリのみ、Appleシリコン版MacBookでは動作しない。

2 Appleシリコン対応のiPhoneアプリを探す

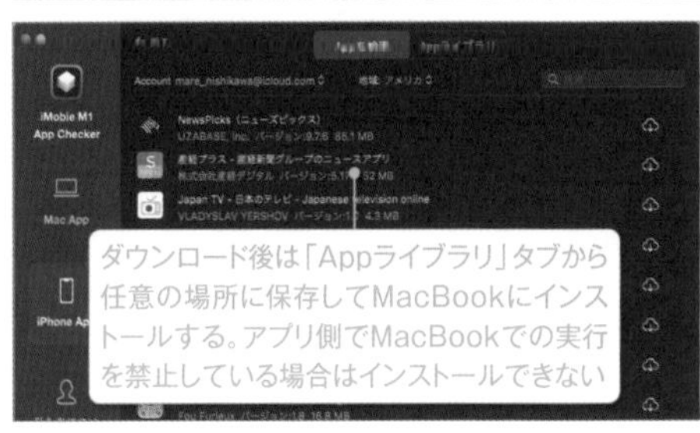

左メニューの「iPhone App」を開くと、iPhoneやiPadで一度インストールしたアプリから、Appleシリコン対応のアプリを探してダウンロードできる。

こちらもチェック

App StoreでiPhoneアプリも探せる

Appleシリコン版MacBookのApp Storeからも、対応iPhone/iPadアプリを入手できる。ここで見つかるのは公式対応アプリなので、インストールも問題ない。

Rosetta 2でAppleシリコン非対応アプリやアドオンを使う

Intelチップ対応アプリの動作に必要

Intelチップのみ対応するアプリやアドオンをAppleシリコン版MacBookで動かすには、「Rosetta 2」が必要だ。Rosetta 2は、Intelチップ向けのアプリを初めて開くと自動的にインストールが求められ、一度インストールすれば、以降は特に確認もなくIntel向けのアプリやアドオンを実行できる。ただし、一部のIntel向けアプリはRosetta 2を使っても動作しない。

2 Rosetta 2のインストール手順

Intelチップのみをサポートしたアプリを初めて開くと、この画面が表示される。「インストール」をクリックしてRosetta 2をインストールすると、以降はIntelチップ対応アプリが自動的にRosetta 2経由で実行され、Appleシリコン版MacBookでも動作するようになる。

3 Appleシリコン非対応のアドオンを使う

WebブラウザやメールアプリがAppleシリコンに標準対応していても、アドオンが非対応の場合は、あえてRosetta 2を経由してIntel向けアプリとして動作させることで、Appleシリコン非対応のアドオンを使えるようになる。

スマートフォルダやタグ機能を使いこなそう

ファイル管理をスマートに行う上級技

目的のファイルをもっと見つけやすくする

ファイル管理を極めたいなら、Finderの「スマートフォルダ」と「タグ」機能をマスターしておこう。スマートフォルダとは、Finderにおけるファイル検索の結果をフォルダ化したような機能だ。スマートフォルダに検索条件を設定しておけば、その条件に合致するファイルを自動的に集めてくれるようになる。たとえば、「ファイル名に“スクリーンショット”の文字が含まれるPNG形式の画像」や「過去1ヶ月以内に作成したPDF」などの条件で該当するファイルを集めることが可能だ。なお、スマートフォルダはあくまで検索結果を表示しているだけ。そのため、スマートフォルダ自体を削除しても、該当するファイルの実体が消えるわけではない。

もうひとつのタグ機能とは、ファイルやフォルダに特定のタグを付けて、分類できるようになる機能だ。たとえば、仕事やプライベートで重要となる書類に「重要」タグを付けておくと、ファイルがどこにあってもサイドバーの「重要」タグから見つけることができる。なお、タグの名前や色などは、自分で変更できるので使いやすいようにカスタマイズしておくといい。

検索した条件で項目を自動で集める「スマートフォルダ」

1 新規スマートフォルダを作成する

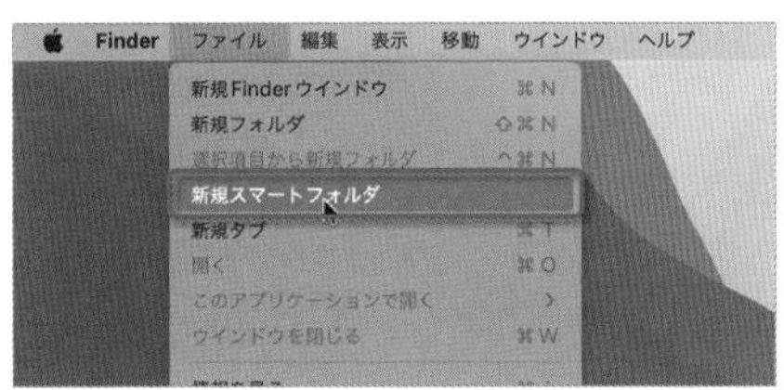

スマートフォルダを作りたい場合は、まずFinderの「ファイル」→「新規スマートフォルダ」を実行しよう。すると、新規スマートフォルダのウインドウが開く。

2 検索条件を設定して「保存」をクリック

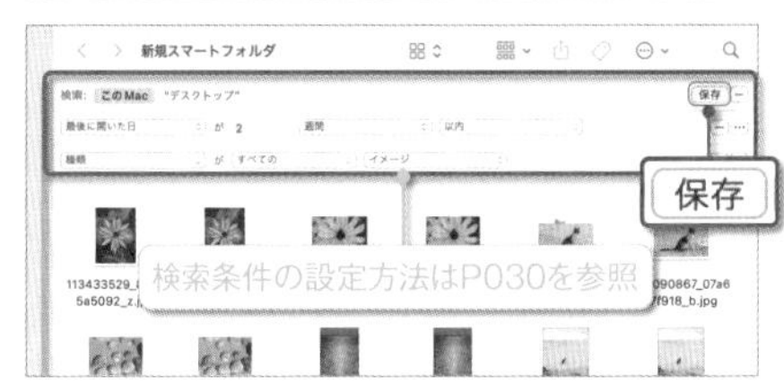

スマートフォルダに集めるファイルの検索条件を設定しよう。検索欄にキーワードを入力、または「+」ボタンで検索条件を設定したら、「保存」をクリックする。

3 スマートフォルダの名前と場所を指定して保存

スマートフォルダの名前と保存場所を設定して「保存」をクリックする。「サイドバーに追加」にチェックを入れておくと、Finderのサイドバーに追加することも可能だ。

4 あとでスマートフォルダの検索条件を変更する

あとでスマートフォルダの条件を変えたい場合は、スマートフォルダを開き、ツールバーの「…」ボタンから「検索条件を表示」を選択。検索条件を変更しよう。

タグ機能でファイルを管理する

1 Finder環境設定でタグの設定を行う

チェックを入れたものがFinderのサイドバーに表示される

タグを右クリックして名称変更や色の変更が可能だ

タグの追加／削除

よく使うタグ

まずは、タグを設定しておこう。Finderメニューバーから「Finder」→「環境設定」を選択。「タグ」画面で各種タグの名称や色の変更、Finderのサイドバーに表示するタグの設定、タグの追加／削除などが可能だ。また、よく使うタグ（7つまで設定できる）も設定しておこう。

2 ファイルにタグを付ける

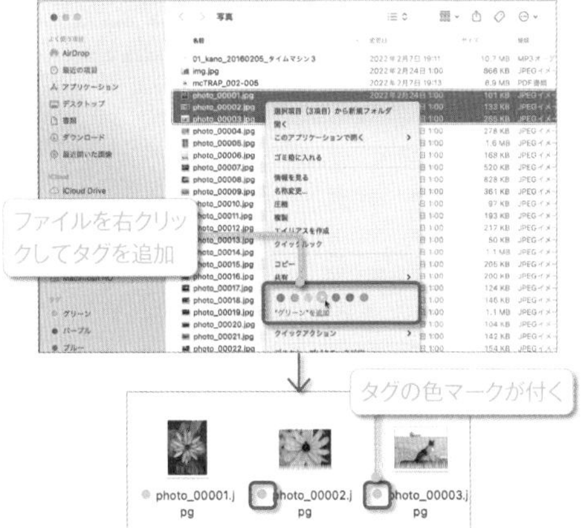

ファイルにタグを付ける場合は、ファイルを右クリックしてタグを選択すればいい。なお、タグは1つのファイルに対して複数付けることが可能だ。また、タグの付いたファイルは、タグの色マークが付くようになる。

3 Finderのサイドバーからタグの付いたファイルを表示

Finderウインドウのサイドバーからタグを選ぶと、そのタグが付いた項目が一覧表示される。これで特定のタグの付いたファイルを素早く見つけることが可能だ。

スマートフォルダとタグを組み合わせる

スマートフォルダの検索条件にタグを設定することで、2つの機能を組み合わせることが可能だ。なお、初期設定の状態だと、検索条件として「タグ」を選ぶことができない。その場合は、検索条件のドロップダウンメニューから「その他」を選び、「タグ」をメニューに表示しておこう。

007

ショートカット

キーボードショートカットでスピーディに操作しよう

上級者が使っている超効率化ショートカット

覚えておくと役立つショートカット20選

macOSの基本的なキーボードショートカットについてはP036でも紹介しているが、ここではそのほかの便利なショートカットをいくつか紹介しておこう。いちいちメニューやボタンを操作する必要がなくなるので、Finderやアプリをもっと効率よく操作できるようになる。

覚えておくと便利なキーボードショートカット

Finder App

開く

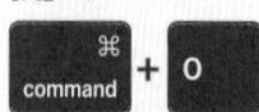

Finderの場合、選択した項目を最適なアプリで開く。アプリの場合、開くダイアログを起動してファイルを開く。

Finder App

印刷する

Finderで選択したファイル、またはアプリで開いているファイルを印刷する。

Finder App

検索する

Finderや各種アプリの検索機能を呼び出す。Safari操作時は表示しているページ内のテキスト検索が可能だ。

App

次を検索する

直前に検索した項目が次に出てくる場所を探す。「shift」+「command」+「G」キーで、前の場所に戻ることができる。

Finder App

環境設定を開く

最前面にあるアプリの環境設定画面を開く。Finderを操作しているときは、「Finder環境設定」を開く。

App

カーソル右側の文字を削除

文字入力中にカーソルの右側にある文字を削除する。アプリによっては「control」+「D」キーでも同じ操作が可能。

Finder

アプリウインドウを非表示に

最前面のアプリウインドウを非表示にする。再表示するには、Dockからアプリのアイコンをクリックすればいい。

Finder

新規タブを開く

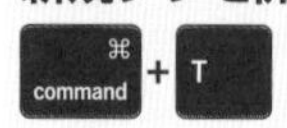

Finderウインドウで新規タブを開く。Finderウインドウが開いていない場合は、新規ウインドウが開かれる。

Finder

iCloud Driveを開く

Finderウインドウで「iCloud Drive」を開く。

Finder

ホームフォルダを開く

現在のmacOSユーザアカウントのホームフォルダを開く。

Finder

ダウンロードフォルダを開く

Finderウインドウで「ダウンロード」フォルダを開く。

Finder

ネットワークを開く

Finderウインドウで「ネットワーク」を開く。

Finder

AirDropを開く

Finderウインドウで「AirDrop」を開く。

Finder

アプリケーションを開く

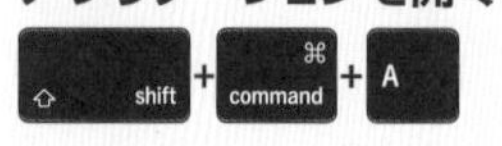

Finderウインドウで「アプリケーション」フォルダを開く。

Finder

ユーティリティを開く

Finderウインドウで「ユーティリティ」フォルダを開く。

Finder

上のフォルダに移動

Finderウインドウで表示している現在のフォルダからひとつ上のフォルダを開く。

Finder

表示形式を変更する

Finderウインドウの表示形式を、アイコン／リスト／カラム／ギャラリー表示に切り替える。

Finder

Dockに追加する

shift + control + command + T

Finderで選択したファイルやフォルダなどの項目をDockに追加する。

Finder

内包するフォルダを表示

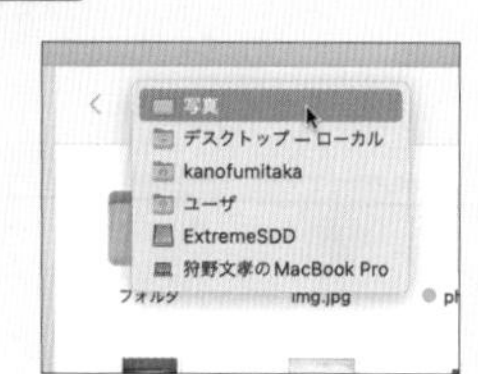

フォルダのタイトル部分を「command」+クリックすると、内包するフォルダを表示できる。右クリックでもOKだ。

Finder App

メニューを拡張する

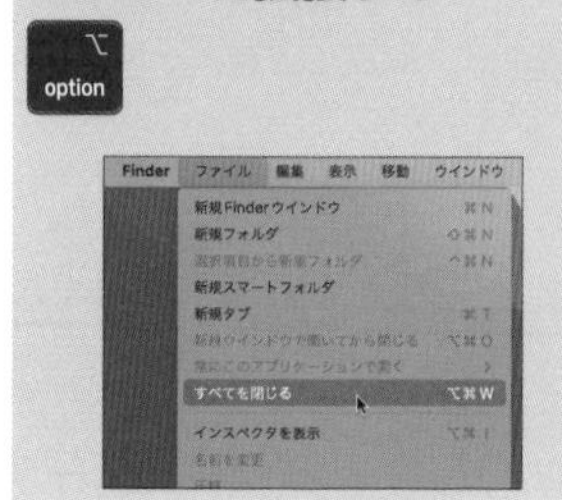

「option」キーを押しながらメニューを表示すると、通常表示されていなかったメニュー項目が表示される。

008
SharePlay

友だちと一緒にウォッチパーティも楽しめる

FaceTimeで音楽や動画、書類を共有しながら通話する

FaceTimeの新機能 SharePlayを使いこなそう

FaceTimeには、通話中の相手と会話を楽しみながら、Apple MusicやApple TV+などを同時に視聴できる「SharePlay」という機能が搭載されている。SharePlayを楽しむには、FaceTime通話中にミュージックやApple TVなどの対応アプリで再生すればいい。ただし、再生するコンテンツによっては、参加者全員がサブスクリプションへの登録、または再生する項目を購入している必要があるので注意。なお、MacBook本体に保存してある音楽や動画ファイルなどは、SharePlayで再生できない。

また、FaceTimeではMacBookの画面を共有する機能も搭載しており、選択したウインドウや画面全体を通話相手に見せながら通話することが可能だ。リモート会議で議事録や資料などの画面を見せながら、打ち合わせを進めたいときに使ってみよう。

SharePlayで音楽や動画を一緒に楽しむ

1 FaceTimeの通話中に対応アプリでコンテンツを再生する

まずは、FaceTimeの通話中にミュージックやApple TVなどのSharePlay対応アプリを起動。はじめてSharePlayを使う場合、コンテンツ再生時に「~SharePlayしますか?」と表示されるので「SharePlay」をクリックしよう。

2 参加者側の端末でSharePlayに参加する

SharePlayが開始されると、通話に参加しているiPhoneなどの端末側に「SharePlayに参加」と表示される。「開く」を選択すれば、コンテンツを再生可能だ。

3 SharePlayの再生を管理する

SharePlay再生中は、ステータスメニューにあるFaceTimeのアイコンがSharePlayのアイコンに変わる。クリックすれば、現在再生中の内容が確認可能だ。

4 「全員に対して停止」をクリックすれば再生終了

SharePlayを終了させたい場合は、手順3のステータスメニューから再生中の内容を表示し「×」ボタンをクリック。「全員に対して停止」を押せば再生が終了する。

リモート会議で書類などの画面を共有する

1 FaceTimeの通話中に画面共有を有効にする

画面共有をしたい場合は、FaceTimeの通話中にステータスメニューを開き、画面共有ボタンを押す。「ウインドウ」か「画面」のどちらを共有するか選ぼう。

2 共有するウインドウを決定する

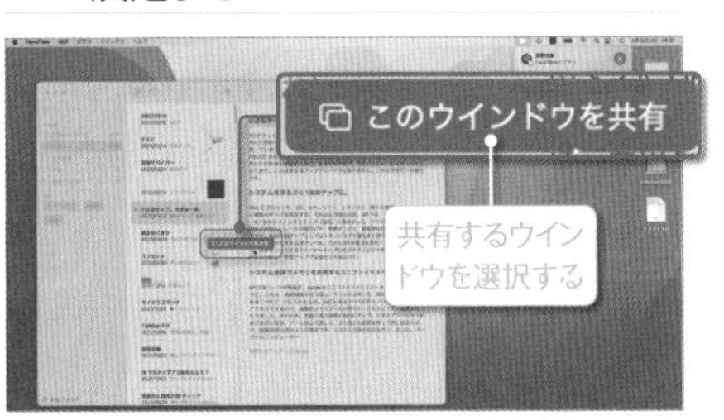

ウインドウの場合は、共有するウインドウを選択する。ウインドウにカーソルを合わせて、「このウインドウを共有」ボタンをクリックすれば共有開始だ。

3 画面共有を終了する

画面共有を終了する場合は、ステータスメニューにある「~共有を停止」をクリックすればいい。

009

バックアップ

macOSのバックアップシステムを使いこなす
Time Machineでデータのバックアップを行おう

macOSの全ファイルを手軽にバックアップできる

「Time Machine」は、macOS標準のバックアップシステムだ。外付けドライブやNAS(ネットワーク接続ハードディスク)をバックアップ用ドライブとして設定しておくと、macOSのすべてのファイルを自動的にバックアップしてくれる。ドライブの空き容量次第では、長期間の差分バックアップも保存されるため、好きな日時を選んで特定フォルダ内のファイルを復元したり、システム全体をバックアップした状態に戻したりすることが可能だ。ここでは、空の外付けドライブを用意し、Time Machineでバックアップする方法を紹介しよう。

バックアック用の外付けドライブを用意しよう

SDSSDE60-1T00-J25
Extreme Portable 1TB
メーカー／SanDisk
実勢価格／21,800円(税込)

万全なバックアップには総容量の2～3倍以上の空き容量が必要だ

Time Machineによるバックアップを万全に行うには、大容量の外付けドライブが必要となる。容量は、バックアップするストレージ総容量の2～3倍ぐらいあると安心だ。外付けドライブの種類はSSDが高速でバックアップできるのでおすすめ。SanDiskのExtreme Portable SSDなら、防滴、耐振、耐衝撃の安心設計で、大きさも手のひらサイズとコンパクトで扱いやすい。なお、予算を抑えたいならHDDでもかまわない。

バックアップ用の外付けドライブをフォーマットする

ドライブ全体をバックアップ用にする

バックアップ用の外付けドライブをMacBookに接続したら、ディスクユーティリティでフォーマットしておこう。なお、すでに通常のデータが保存されている外付けドライブを使いたい場合、APFSでフォーマットされているのであれば、バックアップ用のボリュームを追加して使うことも可能だ(右ページ参照)。

1 外付けドライブを接続する

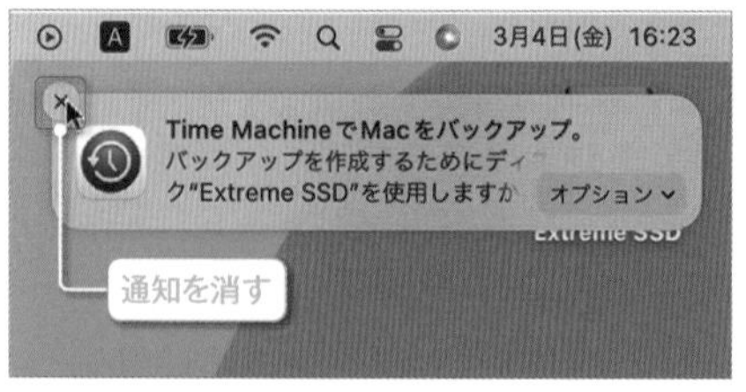

MacBookに外付けドライブを接続した場合、上のようにTime Machineでバックアップを作成するかどうか通知表示される。ここではバックアップの設定は行わず、一旦通知を消しておこう。

2 ディスクユーティリティを起動する

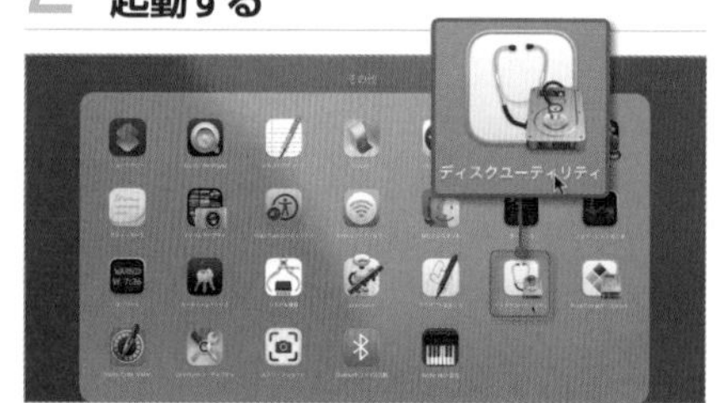

Time Machineのために用意した外付けドライブは、最初にフォーマットして内容をすべて消しておくとトラブルが少ない。フォーマットするには、Launchpadの「その他」→「ディスクユーティリティ」を開く。

3 すべてのデバイスを表示する

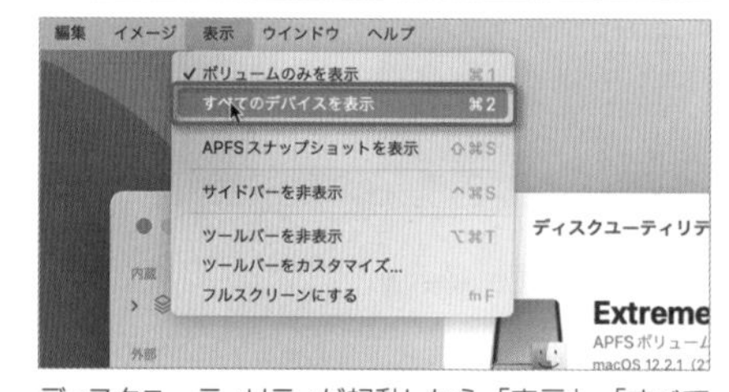

ディスクユーティリティが起動したら、「表示」→「すべてのデバイスを表示」を有効にしておこう。

4 外付けドライブを消去する

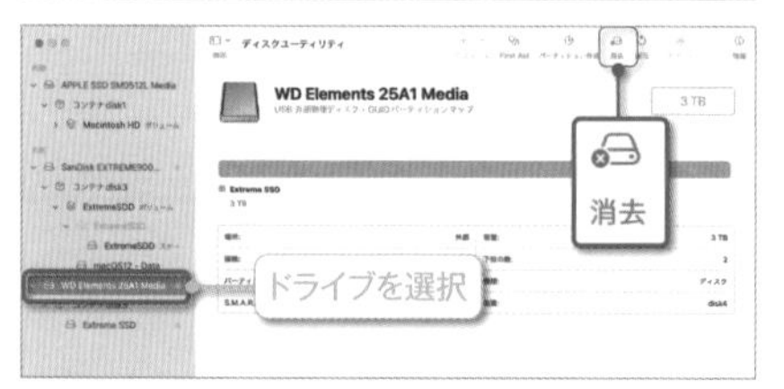

ディスクユーティリティの画面左側からフォーマットする外付けドライブを選び、「消去」をクリック。なお、フォーマットするとドライブの内容はすべて消える。

5 フォーマットの形式を決める

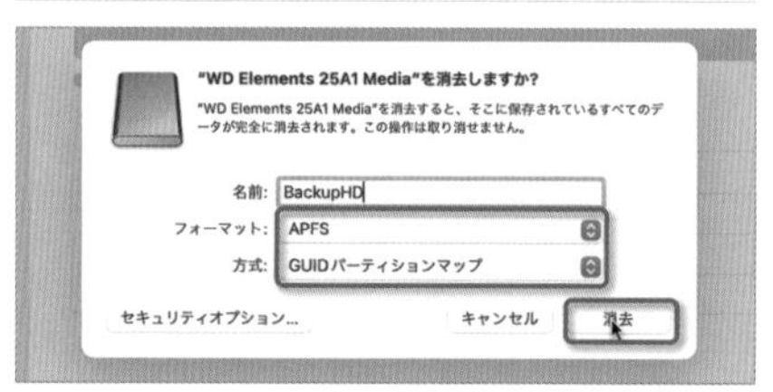

ドライブの名前とフォーマットを決める。フォーマットは「APFS」、方式は「GUIDパーティションマップ」にしておこう。「消去」でフォーマット開始だ。

6 フォーマットが完了する

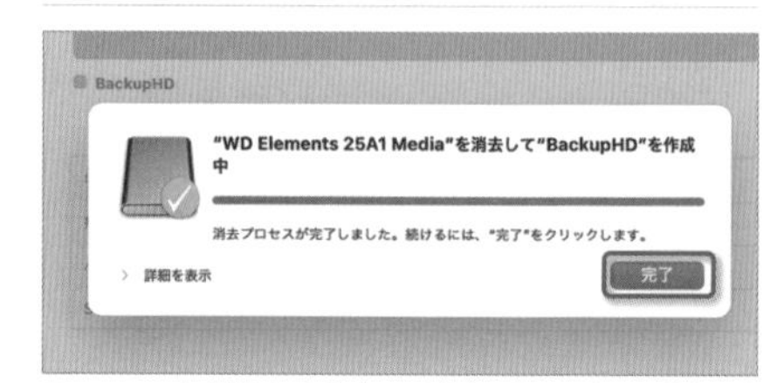

フォーマットが終わると上のような画面になる。「完了」で画面を閉じ、ディスクユーティリティを終了しよう。

通常のデータ保存用としても使う場合はボリュームを分ける

パーティションを分けて バックアップすることも可能

外付けドライブにパーティション（ボリューム）を追加すれば、通常のデータ保存用とバックアップ用とで保存領域を切り分けることが可能だ。ただし、バックアップ用の空き容量は十分に確保しておくこと。バックアップ用の容量が少なくなると、一番古いバックアップデータから消えていくので注意しよう。

1 「パーティション作成」を実行する

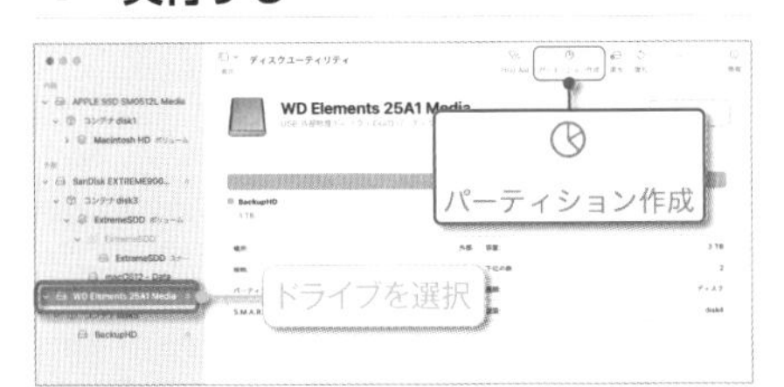

前ページの手順通りにディスクユーティリティでドライブ全体をAPFSでフォーマットしたら、外付けドライブを選択して「パーティションを作成」をクリックしよう。

2 「+」ボタンをタップする

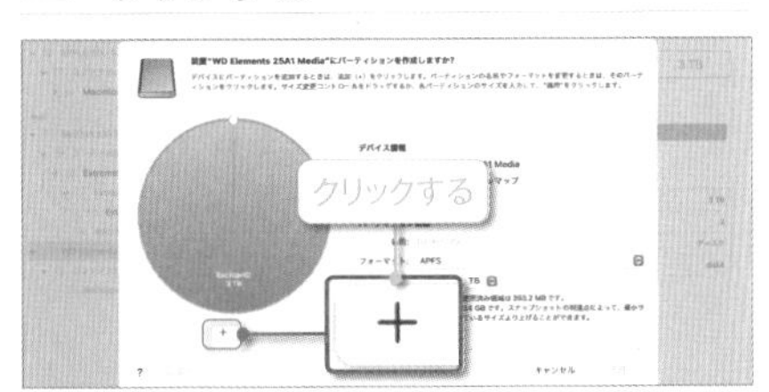

上のような画面が表示され、ここでパーティションの作成や削除を行っていく。左の円グラフの下にある「+」ボタンをクリックしよう。

3 ボリュームを追加する

外付けドライブがAPFSでフォーマットされていると上の画面が表示される。ここではパーティションを追加するのではなく「ボリュームを追加」を選んでおこう。

4 新しいボリュームの設定を行う

ボリュームの名前を付けたら、フォーマットに「APFS」を選び、「追加」をクリック。これで新しいボリュームが追加される。

5 ボリュームが追加された

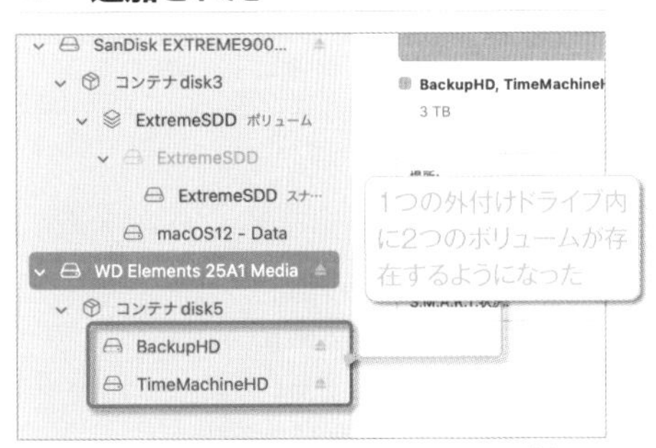

サイドバーを確認すると、1つの外付けドライブ内に2つのボリュームが存在しているはずだ。それぞれは別のボリュームとして使うことができる。

APFSの各ボリュームは空き容量が共有される

APFS形式でフォーマットされた物理ディスクでは、「コンテナ」と呼ばれる区切りの中に複数のボリュームを追加することができる。また、各ボリュームの空き容量は、ディスク全体で共有できるのも特徴だ。そのため、旧来のパーティションを分けるときのように、あらかじめ各ボリュームの容量を決めておく必要はない。たとえば、総容量1TBの物理ディスクにAとBの2つのボリュームを追加し、Aに300GBのデータを保存したとしよう。物理ディスクの残り容量は700GBとなるが、この空き容量は、ボリュームAでもBでも使うことができる。この仕組みをしっかり理解しておこう。

Time Machineでバックアップディスクを設定する

1 Time Machineの設定を行う

Appleメニューから「システム環境設定」を開き、「Time Machine」を選んだら、「バックアップディスクを選択」をクリックする。

2 バックアップディスクを選択する

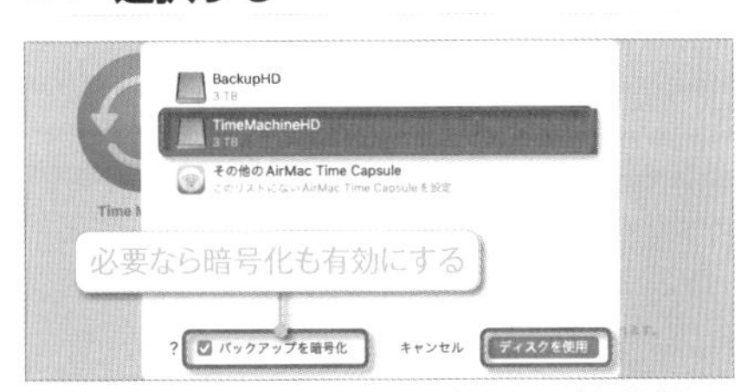

バックアップ先となるディスク（ボリューム）を選択したら、「ディスクを使用」をクリックする。バックアップを暗号化する場合はパスワードの設定も必要だ。

3 バックアップが自動的に開始される

しばらく待っているとディスクが設定され、バックアップが開始される。あとは定期的に自動でバックアップが行われるので、特に操作する必要はない。

気になるポイント

Time Machineでのバックアップの仕組み

「システム環境設定」→「Time Machine」で「自動バックアップ」にチェックが入っていれば、バックアップディスクの接続中のみ自動でバックアップが行われる（1時間に1回）。初回はフルバックアップが実行され、完了するのに数時間かかることもあるので時間に余裕があるときに実行しよう。2回目以降は差分バックアップなので短時間で終わる。なお、必要なときだけ外付けドライブを接続して手動でバックアップする方法もある（P104で解説）。どのぐらいの期間を差分バックアップできるかは、外付けドライブの空き容量による。空き容量が少ないと、復元時にあまり日時を遡れなくなるので容量には余裕をもっておこう。

バックアップしたデータを復元する

Time Machineなら簡単にデータを復元可能

Time Machineでの復元方法は、「特定のファイルを復元する」、「移行アシスタントでファイル全体を復元する」の2つの方法がある。万が一のときに備えて、以下で復元手順をしっかり確認しておこう。なお、「macOSを初期化してからシステム全体を復元する」方法もあり、こちらはP143で解説している。

特定のファイルを復元する方法

1 メニューバーにTime Machineを表示しておく

まずは「システム環境設定」→「Time Machine」を開き、「メニューバーにTime Machineを表示」のチェックマークをオンにしておこう。

2 「Time Machineに入る」を実行する

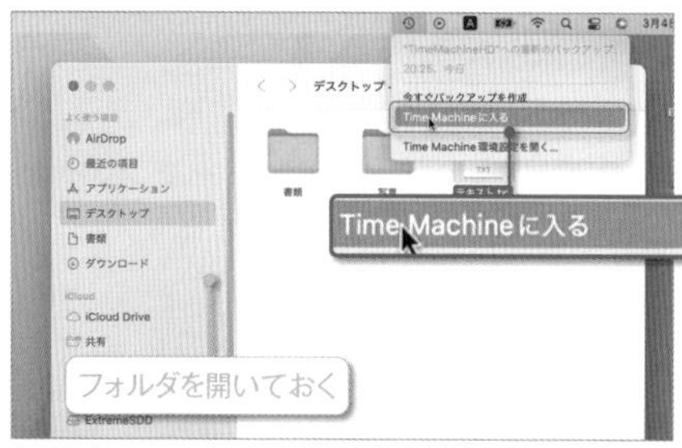

復元したいファイルがある、または削除してしまったファイルが元々あったフォルダを開いたら、ステータスメニューから「Time Machineに入る」を選択する。

3 日時を選んでファイルを復元する

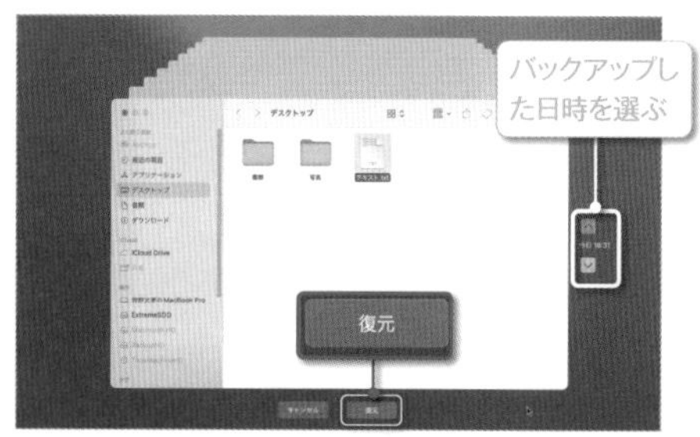

上のような画面になるので、復元したいバックアップの日時を選び、復元したいファイルを選択して「復元」を選ぼう。これでファイルが復元される。

移行アシスタントでファイル全体を復元する方法

1 「移行アシスタント」を起動する

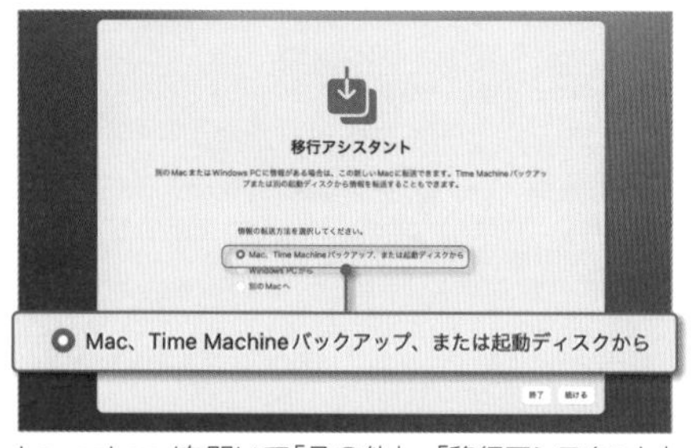

Launchpadを開いて「その他」→「移行アシスタント」を起動。「続ける」をクリックしたら、Time Machineバックアップを選択して「続ける」をクリックする。

2 Time Machineバックアップを選択

Time Machineのバックアップデータが入ったディスクを選択して「続ける」をクリック。さらに、日時別のバックアップリストから復元するデータを選択しよう。

3 転送する情報を選択して復元開始

元のバックアップデータから何を転送するかを選択し、アカウントの認証などを済ませると転送が始まる。転送には数時間かかることもあるのでしばらく待とう。

気になるポイント

MacBookでTimeMashineを使う場合は手動バックアップも使いこなそう

MacBookを頻繁に持ち運ぶユーザーだと、TimeMashineのために外付けドライブを常時接続しておくのは現実的ではない。そんなときは、週に1回ぐらい外付けドライブを接続し、自動バックアップではなく、手動バックアップを実行しよう。手動バックアップを行うには、「システム環境設定」→「Time Machine」で「バックアップを自動作成」のチェックを外し、「メニューバーにTime Machineを表示」をオンにする。あとは、ステータスメニューから「今すぐバックアップを作成」を実行すればいい。なお、外付けドライブを外す際は、デスクトップにある外付けドライブのアイコンをゴミ箱にドラッグ&ドロップしてから外すこと。

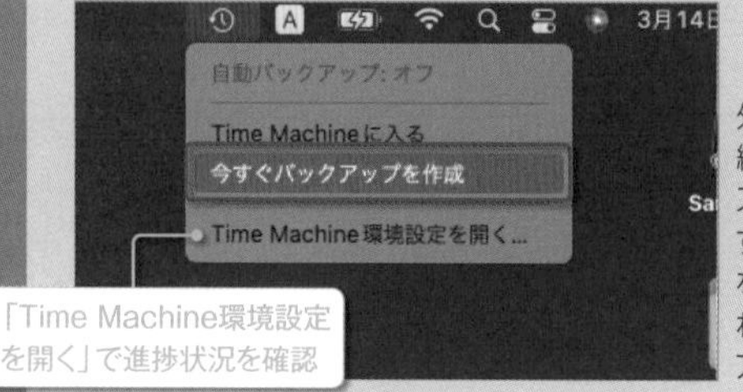

外付けドライブ接続時に、ステータスメニューから「今すぐバックアップを作成」を実行すれば手動バックアップが行える。

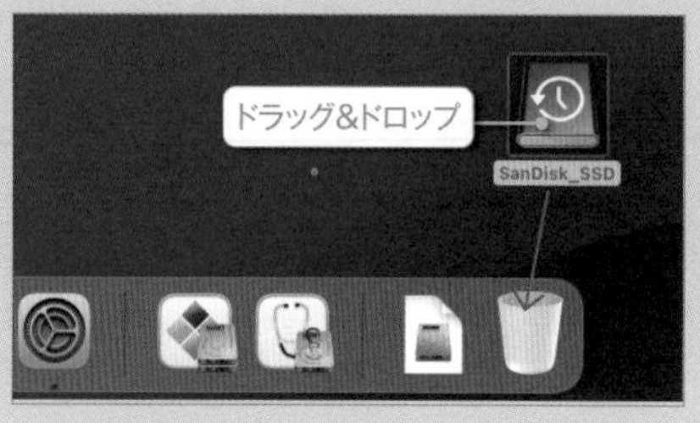

ドライブのアイコンをゴミ箱にドラッグ&ドロップすると、マウントの解除が可能だ。ドライブの内容が消えるわけではない。

音声入力

キーボードを使わずにテキストを入力する
音声入力を使って テキストを入力してみよう

MacBookに話しかけて テキストを作成できる

音声認識によるテキスト入力を行う場合は、「システム環境設定」の「キーボード」→「音声入力」から、音声入力を「オン」にしておこう。あとは、テキストが入力できる状態で「control」キーを2回連続で押せばいい。マイクマークが表示されたら、MacBookに話しかけてみよう。話した内容がそのままテキストとして入力され、リアルタイムに変換されていく。なお、従来の音声入力は一度に60秒間までの制限があったが、Appleシリコン搭載モデルであれば制限なしで音声入力ができるようになった。

システム環境設定で音声入力を有効にする

1 「システム環境設定」の「キーボード」から音声入力を有効にする

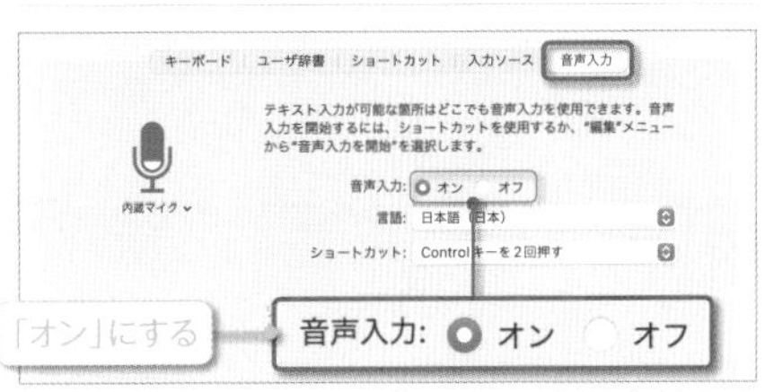

まずは、Appleメニューから「システム環境設定」を開き、「キーボード」→「音声入力」をクリック。音声入力を「オン」にする。ショートカットキーも確認しておこう。

2 「音声入力を有効にする」をクリック

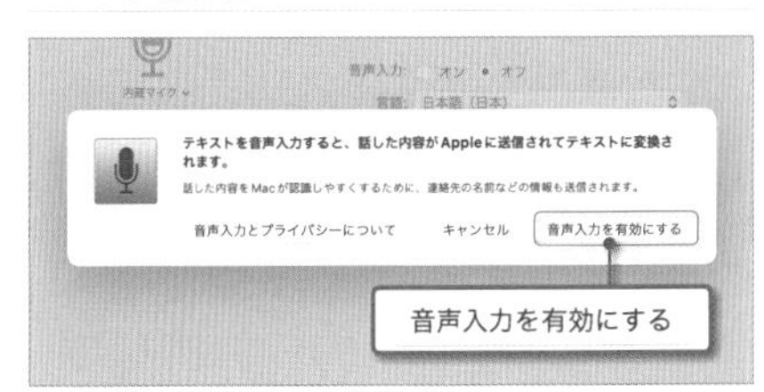

確認画面が表示される。音声入力で話した内容がAppleに送信され、テキスト変換されることに了承するなら「音声入力を有効にする」をクリックしよう。

音声入力でテキストを入力していこう

1 「control」キーを2回押すと音声入力が有効になる

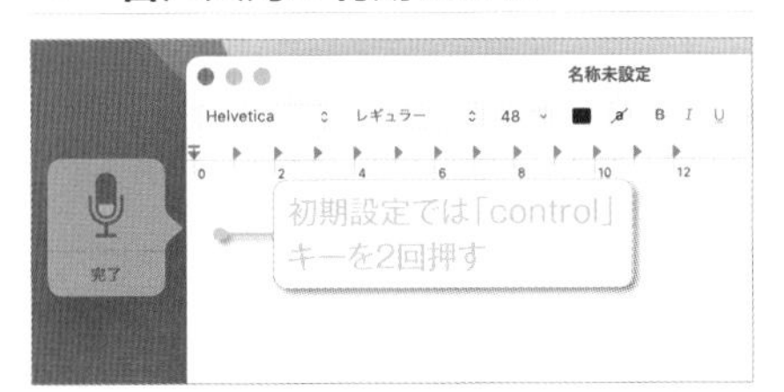

文字入力が可能な状態で「control」キーを2回押してみよう。マイクマークが表示されれば、音声入力が有効になった状態だ。MacBookに話しかけてみよう。

2 音声入力でテキスト入力していこう

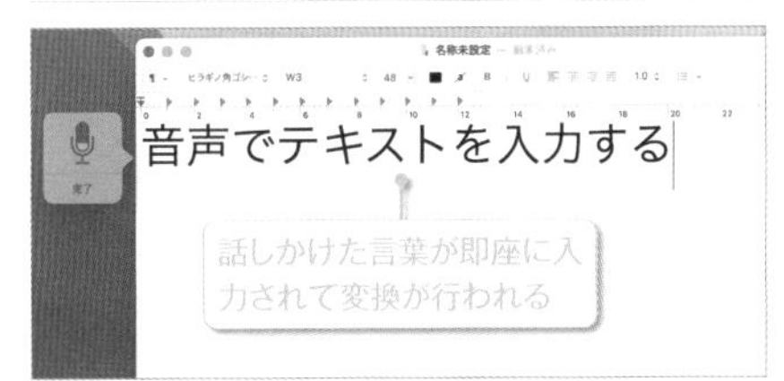

MacBookに話しかけた内容が音声認識され、テキストとして入力される。テキストは自動的に変換されていくので、そのまま話し続けていくだけでOKだ。

3 句読点や記号は音声コマンドで入力する

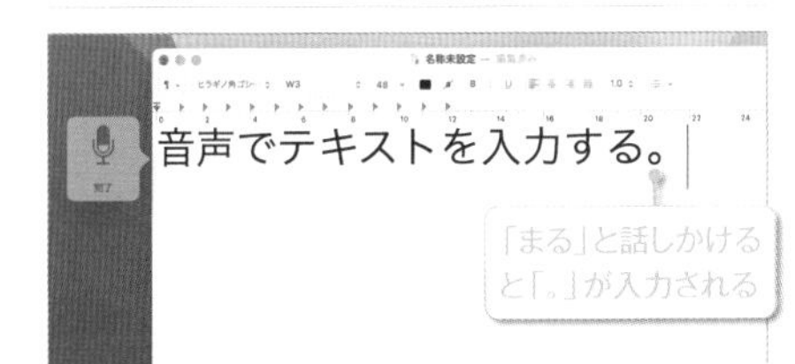

句読点や記号を入力したい場合は、下表でまとめたような音声コマンドで入力しよう。音声入力を終了したい場合は、「return」キーなどを押せばいい。

4 改行は「かいぎょう」と話しかければOK

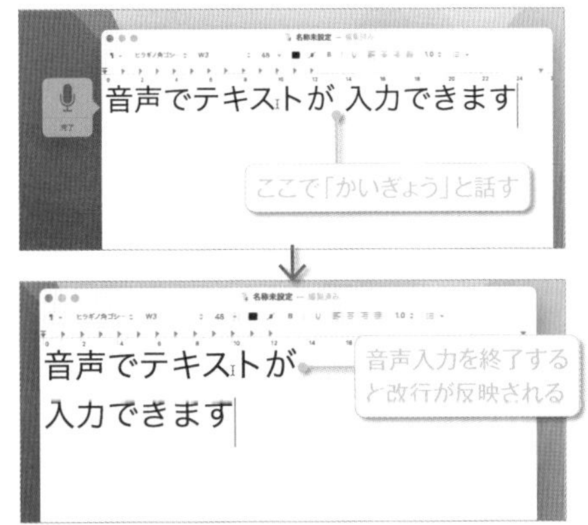

改行を入力したい場合は「かいぎょう」と音声コマンドを入力しよう。音声入力時点では改行が入ったように見えないが、入力が終わると改行が反映される。

おもな音声入力用のコマンド

音声コマンド	結果
まる	。
てん	、
かっこ	(
かっことじ	)
かぎかっこ	「
かぎかっことじ	」
びっくりマーク	!
はてな	?
さんてんリーダー	…
なかぐろ	・

音声コマンド	結果
アットマーク	@
かいぎょう	改行を入れる
スラッシュ	/
アンド	&
パーセント	%
アンダーバー	_
シャープ	#
こめじるし	※
コロン	:
セミコロン	;

011

Boot Camp

Intelプロセッサ搭載MacBookでWindows 10を起動しよう

Boot CampでWindowsをインストールする

1台でmacOSもWindowsも使える

Intelプロセッサ搭載のMacBookでは、「Boot Campアシスタント」を使うことで、MacにWindows 10をインストールして起動させることが可能だ。ただし、Windows 11には対応していない(動作条件であるTPM2.0という規格にMac自体が非対応なため)。また、Windows 10のライセンスも別途必要になるので、あらかじめ購入しておこう。Boot Camp導入後は、macOSとWindowsの切り替えが簡単に行えるようになる。Windowsが不要になったときは、Boot Campアシスタントから元の状態に戻すことができるので、気軽に試してみよう。なお、Appleシリコンを搭載したMacBookの場合、残念ながらBoot Campを使ったWindowsのインストールには公式対応していない。

Windows 10のISOファイルを入手する

1 Windows 10のダウンロードサイトにアクセスする

Windows10のディスクイメージ(ISOファイル)のダウンロード
https://www.microsoft.com/ja-jp/software-download/windows10

まずは、Windows 10のISOファイルを入手する。Safariで上記URLにアクセスしたら、エディションの選択で「Windows 10」を選択し「確認」をクリック。

2 言語などを選んでISOファイルをダウンロードする

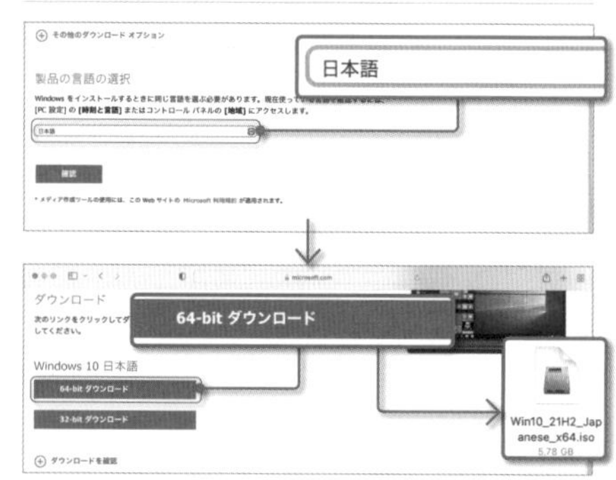

続けて、製品の言語の選択で「日本語」を選んで「確認」をクリック。さらに「64-bitダウンロード」ボタンを押せば、ISOファイルがダウンロードできる。

Boot Campアシスタントで設定を行う

1 Boot Campアシスタントを起動

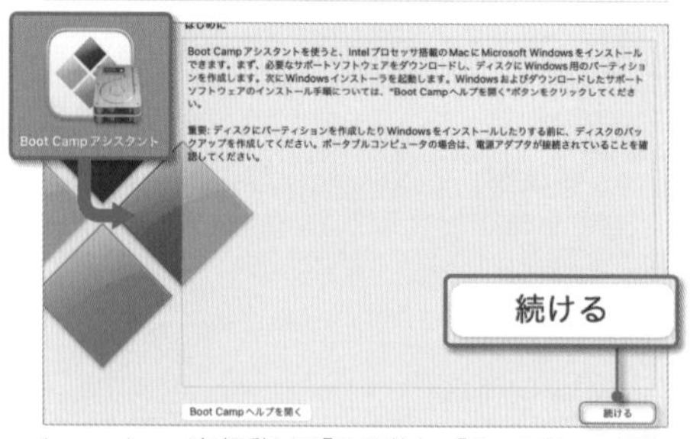

Launchpadを起動して「その他」→「Boot Campアシスタント」を起動しよう。上のような確認画面になるので「続ける」をクリック。

インストール中は外付けドライブをすべて外すこと

Boot CampアシスタントでWindows 10をインストールする場合は、MacBookに接続している外付けドライブをすべて外しておかなければならない。すなわち、外付けドライブでmacOSを起動している場合は、Boot Campのインストール作業が行えないので注意。そもそも、Boot Campアシスタントでは、Macの内蔵ストレージにしかWindowsをインストールできない仕様となっている。BootCampアシスタントを使わず、外付けディスクにWindowsをインストールする方法もあるが、本記事では解説しない。

2 ISOファイルを選択してパーティションサイズを決める

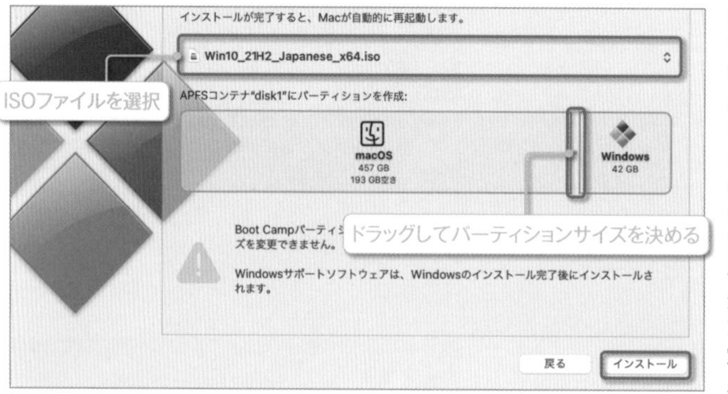

この画面になったら、「選択」で先ほどダウンロードしたWindows 10のISOファイルを選択しておこう。また、Boot Campアシスタントでは、MacBookの内蔵ディスクにWindows用のパーティションを別に作成してインストールする仕組みとなっている。パーティションの境界部分をドラッグし、パーティションサイズを決めておこう。設定が終わったら「インストール」をクリック。

3 設定後に再起動してWindowsのセットアップが開始される

必要なファイルがダウンロードされ、パーティションの作成などが行われる。しばらく待っていると、途中でユーザアカウントの認証が求められるので認証。その後再起動するとWindowsのセットアップ画面に切り替わる。

Windows 10のセットアップを行う

通常通りWindowsをインストールする

続けてWindows 10のセットアップを行おう。基本的には表示される指示に従って設定していけばいい。セットアップが終わると「Boot Camp インストーラ」が起動し、MacBookでWindowsを使うために必要なソフトなどがインストールされる。これでMacBookでWindowsが使えるようになる。

1 Windows 10のセットアップを開始する

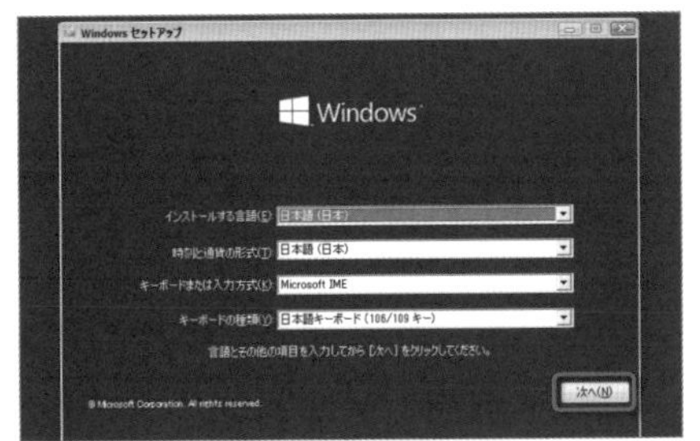

Windows 10のセットアップ画面になったら、言語やキーボードの種類などを選ぶ。基本的には設定を変えずに「次へ」をクリックすればいい。

2 ライセンス認証を行う

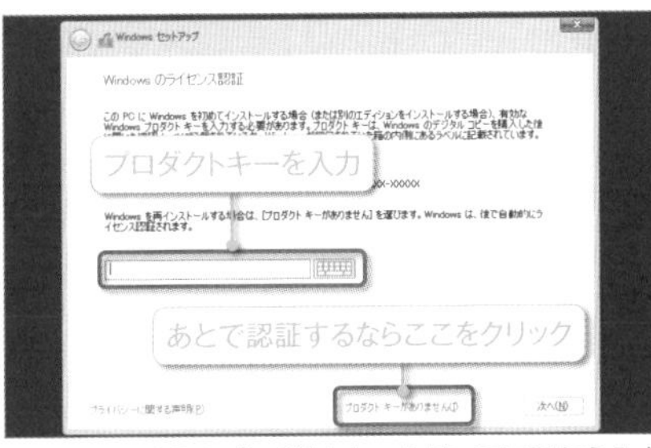

Windows 10のプロダクトキーを持っているなら入力しておこう。あとでライセンスを購入するなら「プロダクトキーがありません」で手順を進めてもいい。

3 インストールするWindows 10の種類を選択する

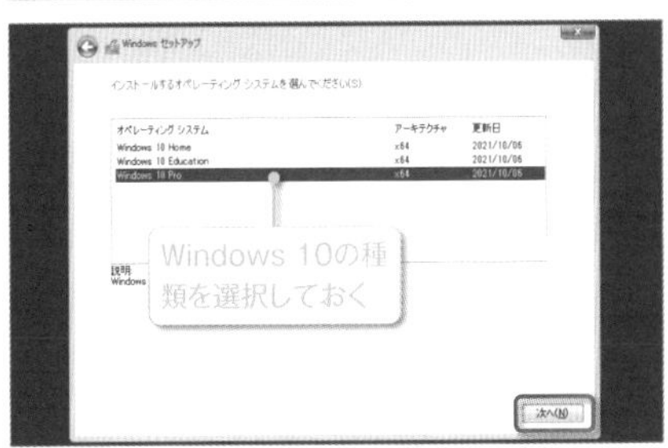

上の画面になった場合は、インストールしたいWindows 10の種類を選ぶ。あとでライセンスを購入するのであれば、ここで種類を合わせておくこと。

4 ライセンス条約に同意してインストールを開始する

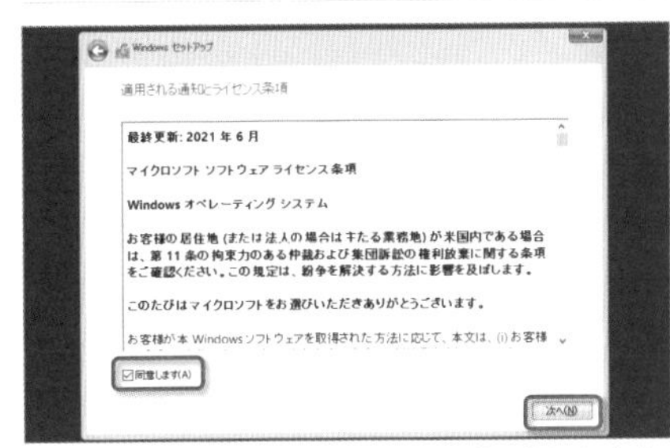

ライセンス条項の画面になったら、「同意します」にチェック入れて「次へ」をクリック。これでWindows 10のインストールが開始されるのでしばらく待とう。

5 Windows 10の初期設定を行う

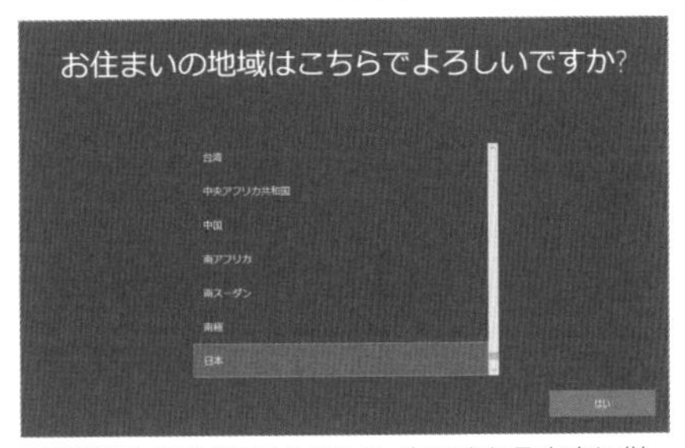

初期設定画面が表示されたら、表示される内容に従って設定を進めていこう。なお、設定によってはマイクロソフトアカウントが必要になるので用意しておくこと。

6 「Boot Camp インストーラ」でインストールする

初期設定が終わるとWindows 10が起動する。続けて「Boot Camp インストーラ」が起動するので、インストール作業を行っておこう。

7 MacBookでWindowsがセットアップできた

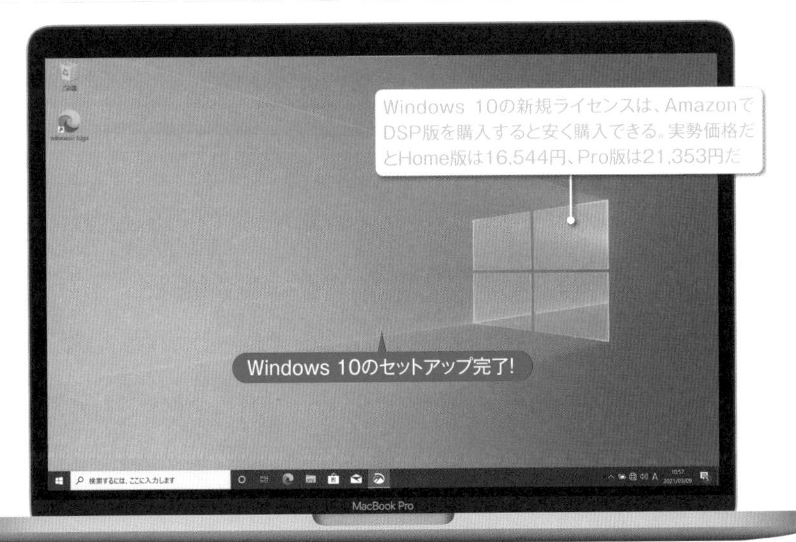

すべての設定が終われば、MacBookを普通のWindows 10端末として使える。なお、ライセンス認証をまだ行ってない人は、画面左下の検索欄に「ライセンス認証の設定」と入力して、表示されたシステム設定を起動。「プロダクトキーの変更」でプロダクトキーを入力して認証しておこう。

8 WindowsとmacOSの切り替え

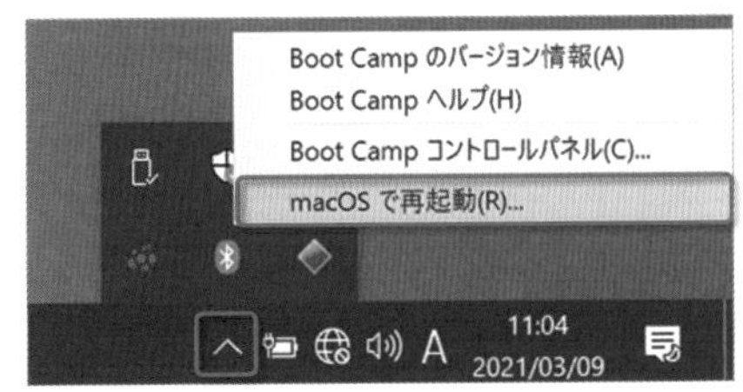

デスクトップ画面の右下にある「^」を押して、ひし形の黒いアイコンをクリック。ここからBoot Campの設定やmacOSの再起動が行える。また、再起動中に「option」キーを押し続けることでもWindowsとmacOSを切り替え可能だ。

日本語入力の切り替えは「caps」キーで行う

Windowsを起動しているとき、MacBookのキーボードで「caps」キーを押すと、日本語入力／半角英数の切り替えが行える。また、MacBookの「command」キーは、Windowsでの「Windows」キーに割り当てられているので覚えておこう。

012

クラムシェルモード

MacBookを大きな画面に接続して快適な作業空間を

外部ディスプレイを接続してクラムシェルモードで使おう

MacBookをデスクトップパソコン感覚で扱える

「クラムシェルモード」とは、MacBookを閉じた状態にして、外付けのディスプレイと接続して使用する形態のこと。MacBookを縦置きスタンドなどに収納すれば、超省スペースなデスクトップパソコンのように扱うことができる。また、大画面のディスプレイにつなぐことで、通常より作業効率がアップするというメリットも。このクラムシェルモードを使うには、以下でまとめたようなアイテムが必要になるので用意しておこう。

自宅や会社では「クラムシェルモード」が使いやすい

MacBookを閉じてディスプレイに接続

MacBookを外部ディスプレイと接続し、クラムシェルモードで利用している図。大きな画面で作業がしやすい。

クラムシェルモードを使うのに必要なもの

1 外付けディスプレイ

UltraFine 4K Display
メーカー／LG
実勢価格／85,580円(税込)

クラムシェルモードにまず必須なのは外部ディスプレイだ。LGのUltraFine 4K Display(23.7インチ)であれば、Thunderbolt 3ケーブル1本で接続できる。

2 外付けキーボードとマウス

Appleシリコン搭載Macモデル用Touch ID搭載Magic Keyboard
メーカー／Apple
実勢価格／15,800円(税込)

Magic Mouse
メーカー／Apple
実勢価格／8,800円(税込)

外付けのキーボードとマウスも必須。できれば有線よりも無線の方が使いやすい。Appleの純正Magic KeyboardとMagic Mouseがあればベストだ。

3 MacBook用スタンド

MacBookを閉じたまま縦置きできるスタンド。工具なしで設置幅を1～3cmまで調整できる。設置面にはシリコーンゴムが付いているので、機器に傷が付くこともない。

ノートパソコンスタンド 縦置き型 200-STN034
メーカー／サンワサプライ
実勢価格／3,980円(税込)

設置スペースに余裕がある場合は、浮遊型スタンドもオススメ。外部ディスプレイとの接続がうまくいかなかったときなどに、すぐ本体を開いて操作できる。

Curve Stand for MacBook
メーカー／Twelve South
実勢価格／7,480円(税込)

HDMI端子がないMacBookでHDMI接続するには?

PowerExpand+ 5-in-1
メーカー／Anker
実勢価格／4,190円(税込)

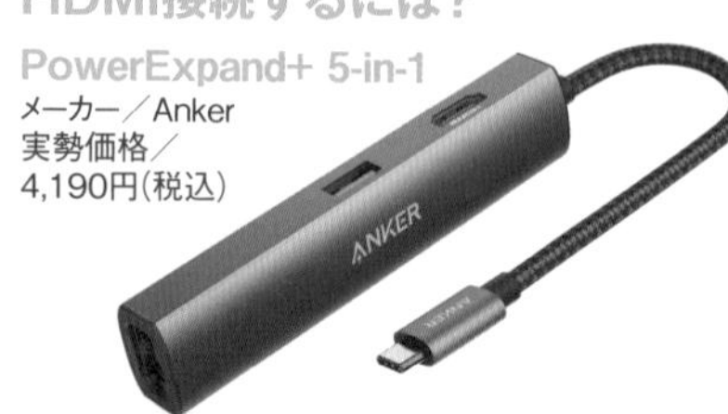

HDMI端子が搭載されていないMacBookの場合、ディスプレイとの接続には注意が必要だ。もし、MacBookと外付けディスプレイをHDMIケーブルで接続したい場合は、HDMI端子付きのUSB-Cハブも別途用意しておこう。

クラムシェルモードを使ってみよう

必要なデバイスを接続してMacBookを閉じよう

クラムシェルモードに移行するには、まず、電源アダプタをMacBookに直接接続し、外付けキーボードやマウス、ディスプレイも接続しておこう。あとは、MacBookを閉じれば自動でクラムシェルモードになる。もちろん、MacBookを開いたまま使ってもいい。

1 MacBookに電源アダプタを直接接続する

USB-Cハブ経由では十分に充電されない恐れがあるので、電源ケーブルは直接MacBookに接続しよう。

2 外付けのキーボードとマウスを接続する

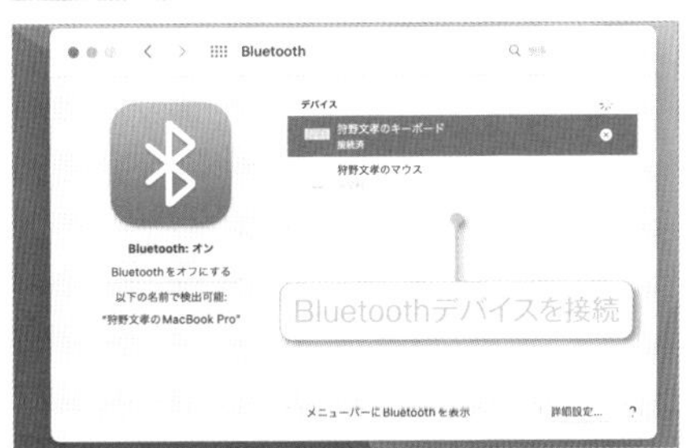

外付けキーボードとマウスを使えるようにしておこう。Bluetooth接続のデバイスを使う場合は、「システム環境設定」の「Bluetooth」から接続しておく。

3 外付けディスプレイを接続する

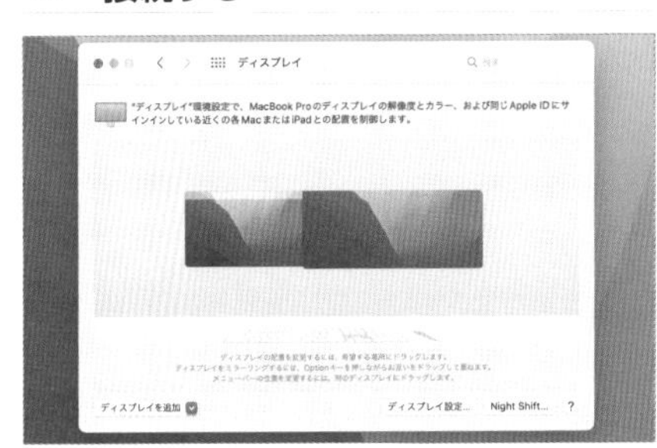

次に外付けディスプレイを接続しよう。接続したら、「システム環境設定」の「ディスプレイ」から解像度や配置などを使いやすいように設定しておく。

4 MacBookを閉じればクラムシェルモードになる

MacBookを閉じれば、自動でクラムシェルモードに切り替わる。外部キーボードとマウス、ディスプレイで操作しよう。

MacBookのスタンドは冷却にも役に立つ

MacBookを外部ディスプレイと接続した場合、通常よりも処理に負荷がかかりやすく、本体の温度が上がりやすい。特に夏場は、机に置いたまま使うと本体に熱がこもって不具合が発生する可能性もある。MacBook用のスタンドを使うと本体の熱を効率よく冷却できるので、安定した動作が可能だ。

気になるポイント

外部ディスプレイの最大同時出力数には制限がある

Intelプロセッサ搭載のMacBookであれば、USB-C端子1ポートにつき1台の外部ディスプレイに接続することができる。2台以上の外部ディスプレイを接続すれば、それぞれ個別の映像を出力することが可能だ。また、Appleシリコン搭載のMacBookであれば、M1の場合は1台の外部ディスプレイ、M1 Proの場合は最大2台、M1 Maxの場合は最大で4台まで同時出力が可能となっている。ちなみに、「AirPlay」や「Sidecar」などで映像を外部出力しているときでも、クラムシェルモードが使えるので覚えておこう。

HDMI端子付きのUSB-Cハブを選ぶときの注意点

上の製品のようにHDMI端子が2つ以上あるアダプタには要注意。MacBookでは、本体のUSB-C端子1つにつき、1つの映像しか出力することができない。そのため、上のアダプタでディスプレイを2台つないだとしても、別々の映像を映すことができず、同じ映像のミラーリングしか行えないのだ。

AirPlayやSidecarでもクラムシェルモードが使える

「AirPlay」や「Sidecar」で接続したディスプレイでもクラムシェルモードが利用可能。iPadを外部ディスプレイとして使うのもアリだ。

013

キーチェーン

面倒なパスワード管理を簡単かつ安全に
パスワードの管理はMacBookにまかせよう

パスワードを保存してiPhoneとも同期できる

macOSでは、Safari上で利用するWebサービスのログイン情報（ID、パスワード）を保存し、次回のログイン時にすぐ呼び出して自動入力できる「キーチェーン」機能が搭載されている。キーチェーンの情報は、同じApple IDを使っているiPhoneやiPadにも自動同期されるので、複数のApple製端末を使っている人はさらに便利だ。他にも、新規アカウント作成時にパスワードを自動で生成する機能や、パスワードの使い回しや漏洩リスクを警告してくれる機能なども備えている。パスワード管理が安全かつ手軽になるので、ぜひ使いこなしてみよう。

iCloudのキーチェーンを有効にしておこう

iPhoneやiPadともパスワードを同期したい場合は、システム環境設定にある「Apple ID」をクリック。「iCloud」の画面を表示し「キーチェーン」にチェックを入れておこう。これで保存したパスワードが全端末で同期されるようになる。

Safariでログイン情報を保存して自動入力する

1 新規アカウント作成時に安全なパスワードを自動生成

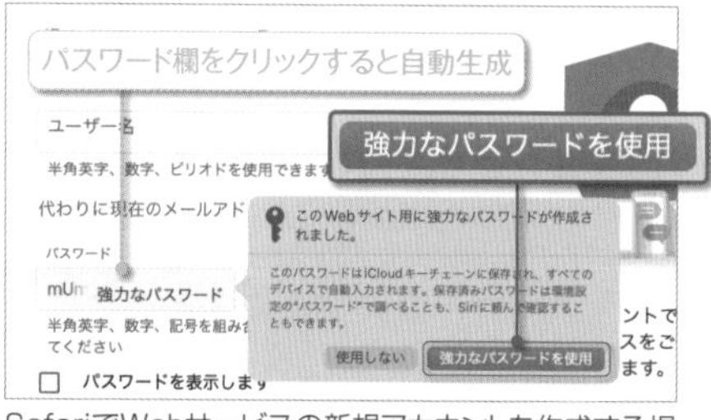

SafariでWebサービスの新規アカウントを作成する場合、自動的に強力なパスワードを生成してくれる。「強力なパスワードを使用」をクリックすれば、そのパスワードをキーチェーンに保存可能だ。

2 Webサイトログイン時にパスワードを保存しておく

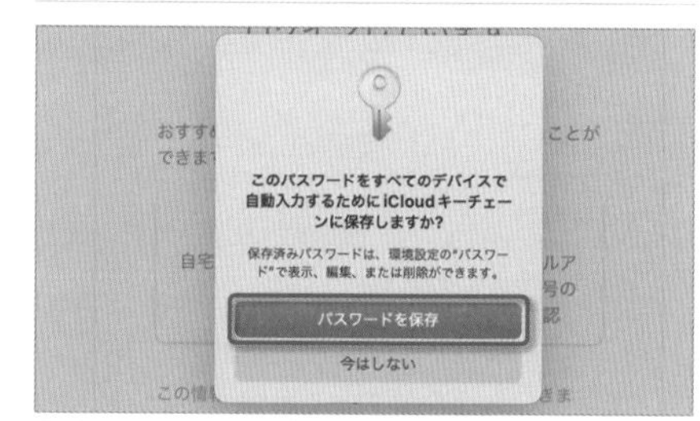

SafariでWebサービスを既存のアカウントでログインした場合、上のような表示が出る。ここで「パスワードを保存」をクリックすれば、ログイン情報がキーチェーンに保存される。

3 キーチェーンに保存されたログイン情報を自動入力する

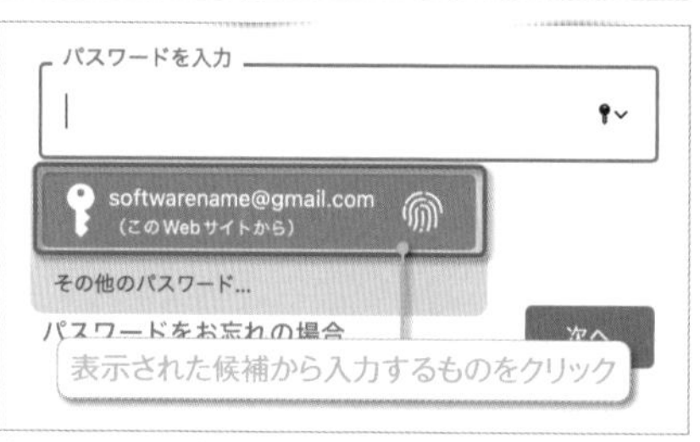

キーチェーンに保存したログイン情報は、次回のログイン時に自動入力できる。ユーザ名やパスワード入力欄をクリックして候補を選ぼう。複数のアカウントがある場合は「その他のユーザ名／パスワード」から選べる。

4 ログイン情報が自動入力された

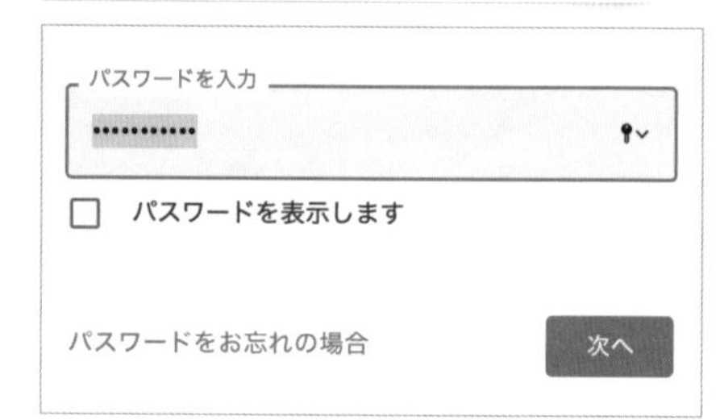

Touch IDなどで認証を済ませれば、ユーザ名やパスワードが自動入力される。入力欄が黄色になっていれば、その情報は自動入力されたことを示している。

保存したパスワードを管理する

1 システム環境設定でパスワードを修正、削除する

システム環境設定の「パスワード」を表示すれば、保存したパスワードを管理できる。修正や削除したいものがあれば、左の項目一覧から選んで「編集」をクリックしよう。

2 パスワード漏洩の危険性をチェックする

警告マークが付いたパスワードは、過去に漏洩したもの、漏洩の危険性があるもの、使い回しているものなどを示している。パスワードを変更するなどの対処をしよう。

POINT

macのキーチェーンはそのほかにもさまざまな情報を保存できる

macOSのキーチェーンに保存されるのは、Webサイトのログイン情報だけではない。Mac、アプリケーション、サーバなどのログイン情報およびクレジットカード情報や銀行口座のPIN番号など、さまざまな機密情報が保存される。現在キーチェーンに保存されている情報は、「キーチェーンアクセス」という標準アプリを使えばチェックできるので確認してみよう。なお、iCloudキーチェーンで他端末と同期できるのは、Safariの自動入力で使用しているWebサイトのログイン情報とクレジットカード情報、Wi-Fiネットワーク情報、および「メール」、「連絡先」、「カレンダー」、「メッセージ」で使用するアカウント情報に限られる。

014

ショートカット

作成したショートカットはiPhoneとも同期が可能

「ショートカット」アプリでよく行う操作を自動化する

毎日行っている操作を登録して効率化しよう

macOSには、「ショートカット」アプリが搭載されている。macOSやアプリの機能を複数組み合わせて一連の操作を自動化し、「ショートカット」として登録、いつでも呼び出せるものだ。例えば、「メモとSafariを起動してSplit Viewで分割表示する」といった操作を普通に行うと、何度もクリックが必要で面倒だったりする。しかし、あらかじめショートカットに登録しておけば、ショートカットのボタン押すだけで実行できるのだ。よく使われるショートカットは「ギャラリー」からひな形が選べるので、初心者はそこから自分好みのショートカットを使ってみよう。なお、登録したショートカットはiOS端末にも同期できる。

ギャラリーからショートカットを追加して実行する

1 ショートカットアプリを起動してギャラリーを表示

ショートカットアプリ（Launchpadの「その他」フォルダ内にある）を起動したら、まず「ギャラリー」を表示してみよう。ショートカットのひな形が並んでいるので、ここから使いたいものをダブルクリックする。

2 ショートカットの設定を行って追加する

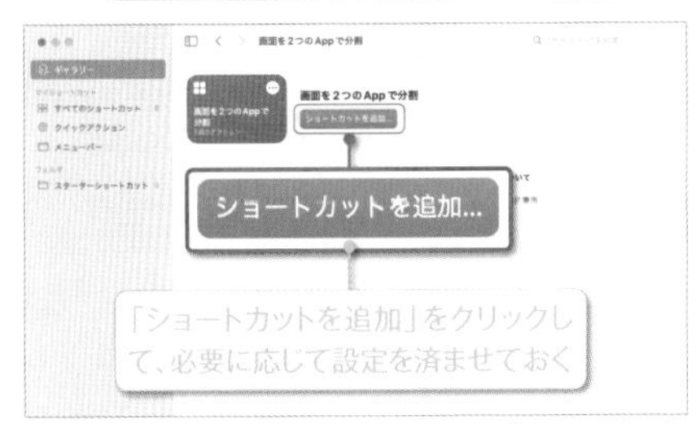

ショートカットの説明が表示されるので「ショートカットを追加」をクリック。ショートカットの内容によっては、追加の設定が必要なのでそれも済ませておこう。ここでは「画面を2つのAppで分割」を追加してみた。

3 追加したショートカットを確認して実行する

追加したショートカットは、サイドバーの「すべてのショートカット」をクリックすると確認できる。各ショートカットボタンにマウスカーソルを重ね、再生ボタンをクリックすればショートカットを実行可能だ。

4 ショートカットをメニューバーからすぐ実行できるようにする

追加したショートカットは、メニューバーアイコンなどに登録して実行することができる。追加したショートカットボタンをダブルクリックして編集画面を開き、「メニューバーにピン固定」にチェックを入れよう。

5 ショートカットを実行しよう

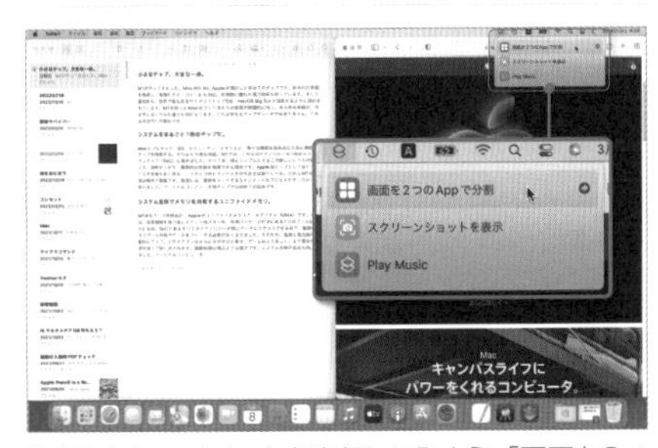

追加したショートカットを実行してみよう。「画面を2つのAppで分割」の場合は、設定した2つのアプリがSplit Viewで左右に表示されるようになる。

自分だけのショートカットを新規作成してみよう

1 ショートカットを新規作成する

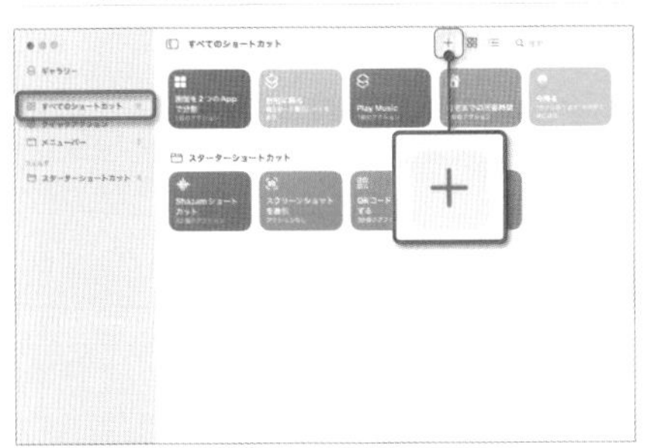

ギャラリーのひな形を使わず、新規にショートカットを作りたい場合は、「すべてのショートカット」を表示して画面上部にある「+」をクリックしよう。

2 アクションを選んでショートカットを作っていこう

ここでは「写真アプリ内にある最新のスクリーンショットをリサイズして保存する」というショートカットを作る。まずは「最新のスクリーンショットを取得」を追加しよう。

3 「候補」を表示してさらにアクションを追加して完成

さらに「イメージのサイズを変更」と「ファイルを保存」を追加し、各アクションの設定を済ませればショートカットの完成だ。画面上の再生ボタンでテスト実行できる。

015

アプリ

Macユーザーなら必須の定番アプリを試してみよう

まずはインストールしたいおすすめアプリ集

Google日本語入力で日本語入力をもっと快適に

macOS標準の日本語入力が使いにくいときに試そう

macOS標準の日本語入力システムは、ここ数年で大きく進化しており、変換の精度も高く、ライブ変換など独特の入力方法に慣れてしまえば、特に問題なく使える。とはいえ、毎日仕事やプライベートで長文を入力しているような人なら、他社製の日本語入力システムも試してみるといい。より自分の用途に最適なものが見つかるかもしれない。他社製の日本語入力システムで代表的なものは「Google日本語入力」だ。Webサイトなどで使われる膨大な語彙から辞書を作成しているので、最新ニュースのキーワードや珍しい人名、流行っている店名、ネットスラングなどをスムーズに変換できるのが特徴。堅苦しいビジネス文章だけでなく、SNSで用いるような砕けた表現にも対応しているので使いやすい。入力ミスを正しい文字に補完してくれる機能に関しても優秀だ。

Google日本語入力
作者/Google
価格/無料
入手先/https://www.google.co.jp/ime/

他社製日本語入力システムに切り替える方法

1 Google日本語入力をインストールする

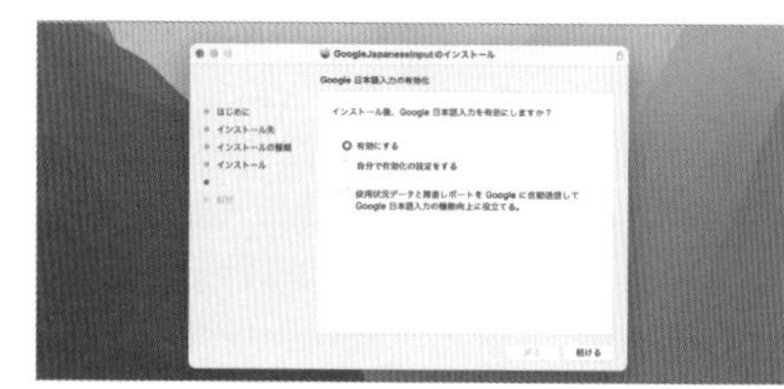

まずは、Googleの公式サイトからGoogle日本語入力をダウンロードして、インストールしておこう。

2 日本語入力システムを切り替える

インストールが終わったら、ステータスメニューの日本語入力アイコンをクリック。Google日本語入力システム（青いアイコン）に切り替えてみよう。

標準の日本語入力システムを削除するには?

他社製日本語入力システムをメインに使うのであれば、標準の日本語入力システムを削除してステータスメニューの項目をすっきりさせておこう。削除する場合は「システム環境設定」→「キーボード」→「入力ソース」の画面を表示したら、標準の日本語入力システムを選択して「ー」ボタンをクリックすればいい。

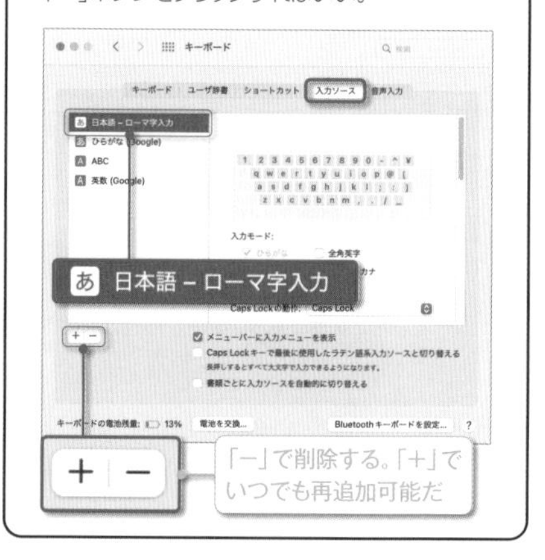

Google日本語入力の優れたポイント

使えば使うほど入力効率が上がる

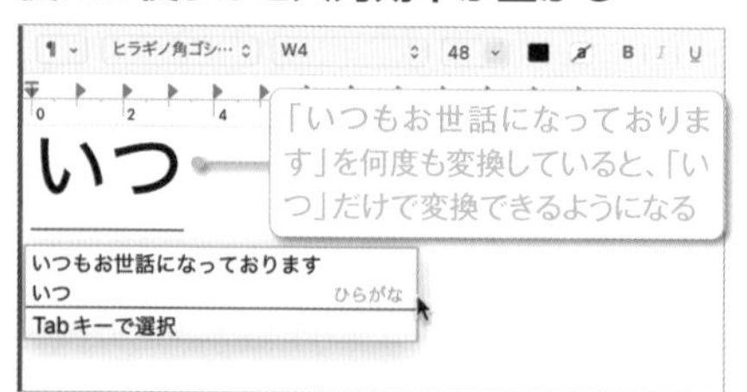

何度も同じ文章を入力していると、補完機能により変換候補にその文章が表示される。なお、macOSの日本語入力システムにも同じような機能はある。

入力ミスもある程度補完してくれる

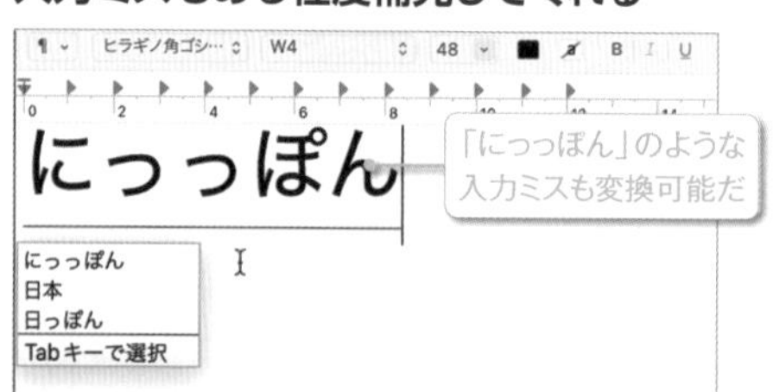

macOS標準の日本語入力システムでは補完できなかった入力ミスも、しっかり変換してくれる。こういった補完機能があるだけでも、入力の時短につながるのだ。

変換候補を見せないシークレットモード

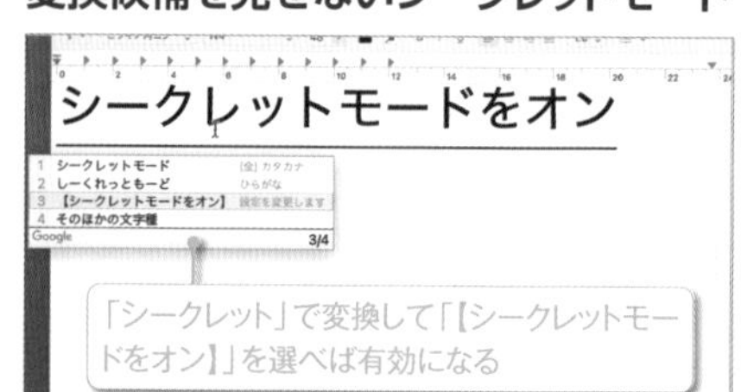

シークレットモードをオンにすると、学習した変換候補を一時的に非表示にすることが可能。プレゼンテーションや動画配信など、人前で日本語を変換する際に使いたい。

気になるポイント

文章を書く仕事の人にはATOKがおすすめ

プロのライターなどによく使われているATOKは、現時点で最も優れた日本語入力システムだ。他社アプリの追随を許さない高い変換精度はもちろん、日本語表現の間違いを指摘してくれたり、言葉の別の表現を提案してくれたりなど、使うだけで自分の文章力がアップするような機能が魅力となっている。

ATOK for Mac
(ATOK Passport)
作者/ジャストシステム
価格/ベーシックプラン:月額330円(税込)、プレミアムプラン:月額660円/年額7,920円(税込)
入手先/https://www.justsystems.com/jp/products/atokmac/

効率的にメールを管理できる最強のメールアプリ

メールの自動送信や共同編集機能などを搭載

「Spark」は、最先端のメール管理機能を搭載したメールアプリだ。複数のメールアカウントを一括管理でき、すべての受信メールは「受信トレイ」に集められる。同時に、個人用、メールマガジン、通知などのグループに自動で振り分けられ、重要だと判断されたメールは受信トレイ上部に表示される仕組みだ。そのため、効率的なメールチェックが可能となっている。macOS標準のメールアプリだと全メールアカウントで通知が行われるが、Sparkならメールアカウントごとに通知設定が可能。重要なメールのみ通知してくれる「スマート通知」機能も搭載している。また、仕事でメールをやりとりする場合に便利なのがチーム機能だ。複数メンバーで新規メールを共同編集したり、受信したメールを共有してチャットで相談したりなどが手軽に行える。

Spark
作者／Readdle Inc.
価格／無料
入手先／App Store

1 重要な未読メールが受信トレイ上部に表示される

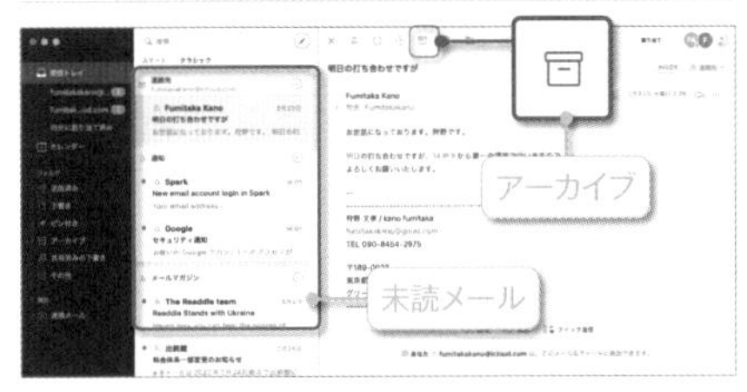

Sparkでは、重要な未読メールのみが受信トレイ上部に表示され、既読メールは下部に集まるようになっている。確認や返信などの対応が完了したメールは、「アーカイブ」ボタンでアーカイブ状態にしておこう。

2 重要なメールだけに通知するスマート通知を有効にする

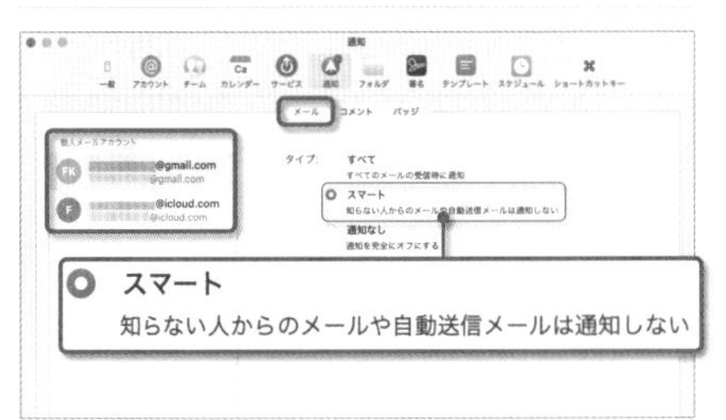

環境設定の「通知」画面では、メールアカウントごとの通知設定が行える。「メール」でアカウントを選び、「スマート」を選択すれば、重要なメールのみが通知される。

3 チームを作成してメンバーを招待する

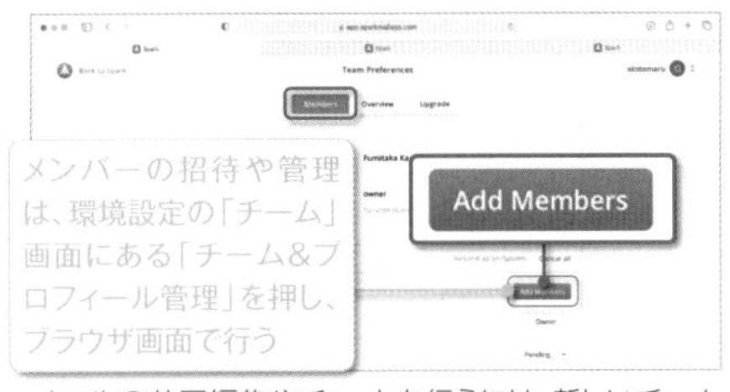

メールの共同編集やチャットを行うには、新しいチームを作成しよう。アプリケーションメニューの「Spark」→「チーム」から作成可能だ。「チーム&プロフィール管理」からメンバーも招待しておこう。

4 新規メールを共同編集してみよう

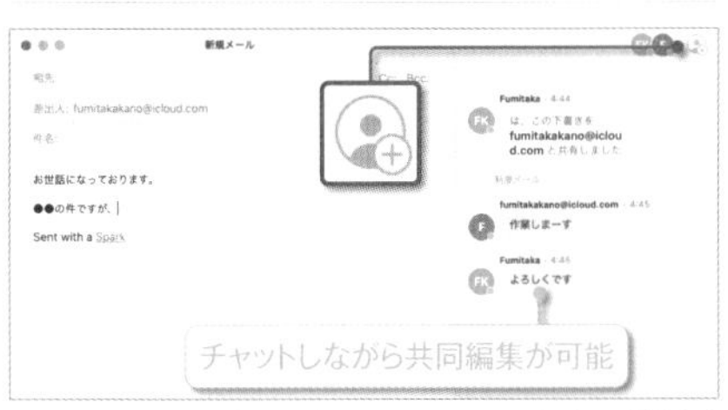

メールの新規作成画面を開いたら、画面右上の「共有」ボタンをクリック。「チーム全体」を選べば、チームメンバーで共同編集が可能だ。画面右側にはチャット欄も用意されており、相談しながら文面を考えられる。

ウインドウを画面端にドラッグして位置やサイズを整頓できる

簡単操作で隙間なくウインドウを配置できる

macOSには、2つのウインドウを画面の左右に並べてタイル表示するSplit View機能（P096で解説）が搭載されている。「BetterSnapTool」は、このSplit Viewをさらに強化したような機能を実現するアプリだ。簡単にいえば、ウインドウを画面の端にドラッグすることで、ウインドウサイズや位置を自動的に調整してくれるというもの。たとえば、ウインドウを画面上端にドラッグすれば全画面表示、画面左端にドラッグすれば画面半分のサイズで左側に表示、右上隅にドラッグすれば画面1/4サイズで右上に表示してくれる。複数のウインドウを隙間なく画面に配置したいときに便利だ。また、各ウインドウの配置は、ショートカットキーに割り当てが可能なので、画面端にわざわざドラッグしなくても配置を変更することができる。一度使い慣れてしまうと、なくてはならないアプリとなること間違いなしだ。

BetterSnapTool
作者／folivora.AI GmbH
価格／370円
入手先／App Store

1 システム環境設定で各種アクセスを許可する

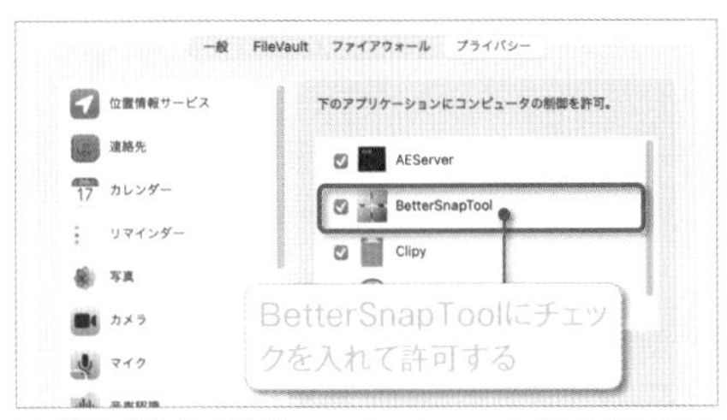

アプリを起動して「Open System～」ボタンを押すとシステム環境設定が開く。「BetterSnapTool」にチェックを入れて各種アクセスを許可しておこう。

2 アプリを起動して設定画面を開く

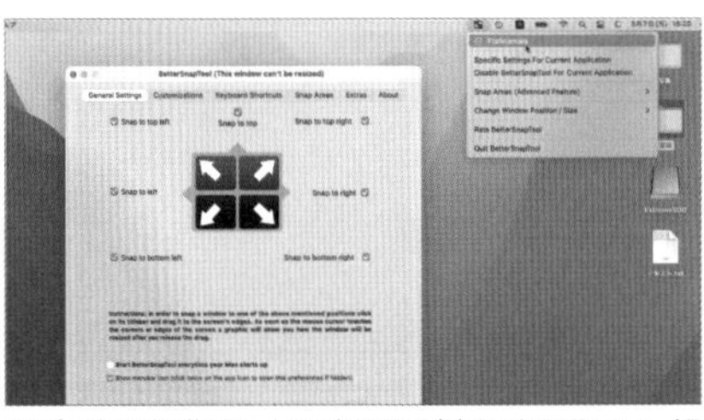

アプリを再起動すると設定画面が表示されるので、好みの状態にしておこう。また、アプリ起動中はステータスメニューからも各種設定を呼び出せる。

3 ウインドウを画面端にドラッグしてみよう

ウインドウを画面の上か左右端、または四隅にドラッグしてみよう。ドラッグした位置に応じて、ウインドウサイズや位置が最適な状態にスナップされる。

4 ショートカットキーで瞬時にウインドウサイズを調整

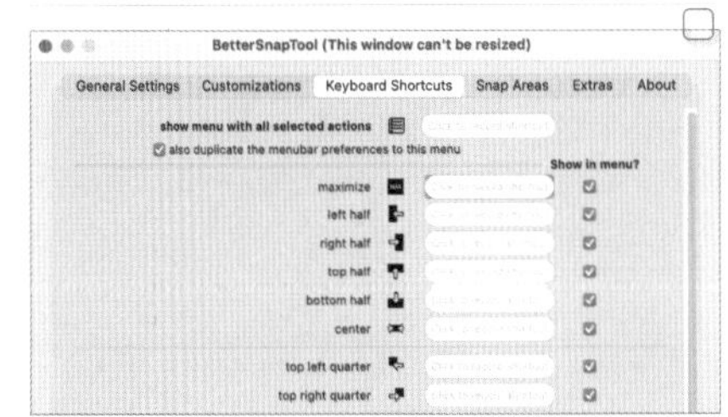

ステータスメニューから「Preferences」をクリックして、「Keyboard Shortcuts」タブを開くと、各ウインドウ配置ごとにショートカットキーを設定できる。

動画編集をスピーディかつ高品質にこなせる無料アプリ

ハリウッドでも使われている高性能な動画編集ツール

「DaVinci Resolve」は、プロフェッショナルな編集を実現するハイエンドな動画編集アプリだ。無料アプリにもかかわらず、カット編集やトランジション、タイトル（字幕）、エフェクトなど、動画編集アプリに必要な機能はほぼ網羅。より高度な機能を搭載した有料バージョン（35,980円）も用意されているが、一般的なYouTubeの動画編集用途なら無料版で十分だ。多機能なわりに画面がごちゃつかず、直感的に操作できるインターフェイスも秀逸。頻繁に使うトランジションやタイトルといった機能にはすぐアクセスできるため、思い付いたアイディアを即座に反映させやすく、複雑な編集も高速にこなすことが可能だ。なお、本アプリは、App Storeからダウンロードしたバージョンに一部機能に制限があるため、できれば公式サイトから直接ダウンロードした方がよい。

DaVinci Resolve
作者／Blackmagic Design Inc
価格／無料
入手先／https://www.blackmagicdesign.com/jp/products/davinciresolve/

1 初期設定を済ませたらアプリを日本語化しておく

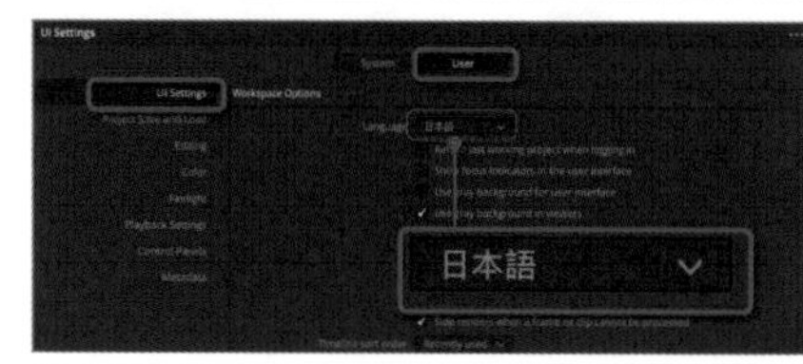

アプリを起動して初期設定を済ませたら、日本語化しておこう。アプリケーションメニューから「DaVinch Resolve」→「Preferences」を開き、「User」タブ→「UI Settings」の「Language」を「日本語」にして、「Save」→「OK」をクリック。アプリを再起動しよう。

2 新規プロジェクトで素材をメディアプールに取り込む

新規ブロクジェクトを作成したら、動画の素材となる各種ファイルをメディアプールにドラッグ&ドロップ。画面下のタイムラインに並べて動画を編集していこう。

3 トランジションでシーンをつなげる

別々のシーンをうまくつなぐには、「トランジション」を活用する。「トランジション」をクリックして適用したい効果をタイムライン上にドラッグ&ドロップすればいい。

4 完成動画はYouTubeなどにすぐアップロードできる

動画が完成したら「クイックエクスポート」で動画をエンコードできる。YouTubeに最適な形式で変換して、そのままアップロードできるので面倒な設定も不要。

見栄えのいい文書を作れる新感覚のドキュメント作成アプリ

ブログ記事などの長文を効率よく作成、共有できる

「Craft」は、美しい見た目の文書を作成し、簡単に共有できるクラウド型ドキュメント作成ツールだ。ドキュメント内にはテキストだけでなく、画像や動画、PDFなどを挿入することが可能。また、段落を「ブロック」として扱い、ブロックを別ページにリンクさせたり、ブロックをグループ化させたりなど、ユニークな機能も搭載されている。これなら、文書を効率よく構造化しながら編集することが可能だ。作成したドキュメントは、そのままWebサイト（シークレットリンク機能）で共有、PDFやHTMLメール形式で出力できる。ちょっとしたメモやアイディアをまとめるだけでなく、ブログやメールマガジンといった文書作成にも活躍するはずだ。なお、無料版では使用ブロックが1000までに制限されている。必要ならサブスクリプション制のPro版にアップグレードしよう。

Craft
作者／Luki Labs Limited
価格／無料（Pro版は月額580円／年額4,800円）
入手先／App Store

1 アプリを起動して新規ドキュメントを作成する

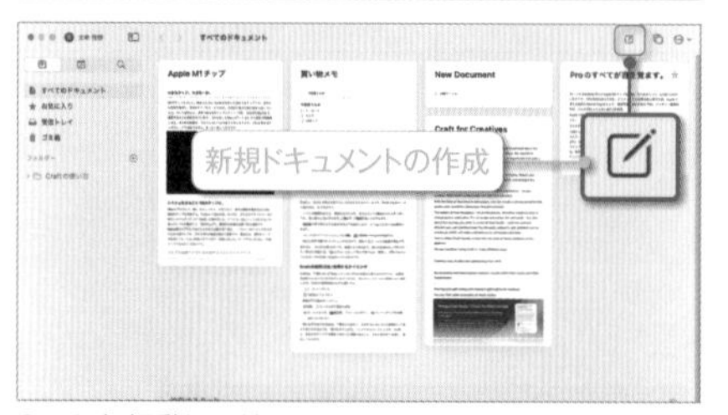

Craftを起動してサインインすると、過去に作成したドキュメント一覧が表示される。新規ドキュメントを作成するには、画面右上のボタンをクリックすればいい。

2 サイドバーなどからスムーズにスタイルを変更できる

テキストを選択、またはサイドバーを表示すると、スタイルの編集やコンテンツの挿入、ページ設定などが行える。マークダウン記法によるスタイル編集にも対応。

3 ブロックごとに別ページでコンテンツを追加できる

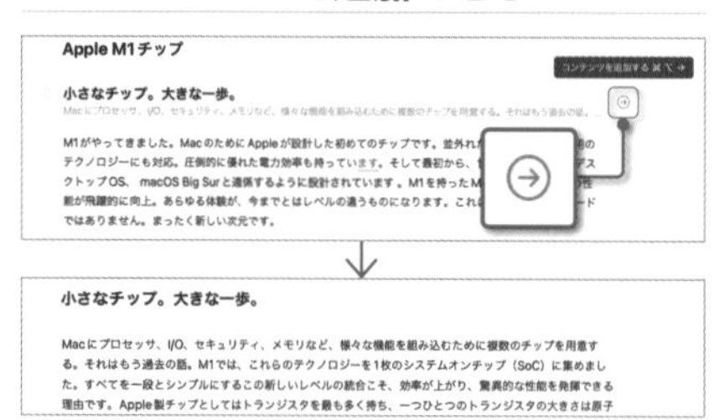

段落（ブロック）ごとの右端にある矢印ボタンを押すと、別ページにコンテンツを追加してリンクできる。別ページに詳細を記載しておきたいときなどに便利。

4 複数のブロックをグループ化でまとめる

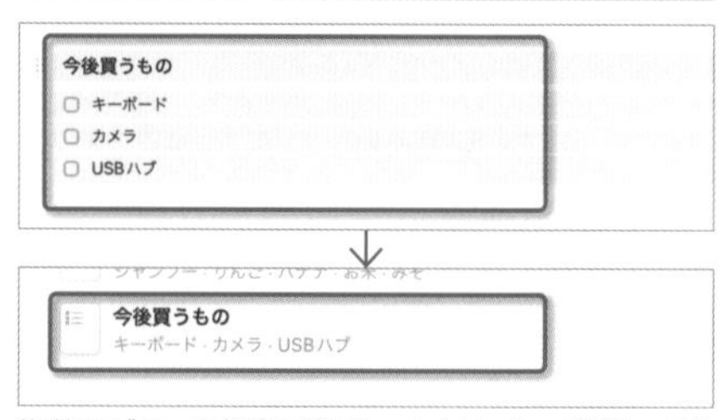

複数のブロック（行）を選択し、右クリック→「グループ」でまとめることが可能だ。グループをダブルクリックするとまとめた各ブロックが表示されるようになる。

アプリのアンインストールを行うなら必須のアンインストーラー

アプリに関連するファイルを根こそぎ削除できる

macOSでアプリをアンインストールする場合、Launchpadから削除するか、アプリケーションフォルダ内のAppファイルをそのままゴミ箱に捨てて削除してしまえばいい。ただ、この方法だと、削除したアプリに関連するファイルや設定が一部システムに残ってしまう。多くの場合は問題にならないが、不必要なデータでストレージ容量を圧迫してしまうだけでなく、場合によっては何らかの不具合が発生することもまれにあるのだ。そうならないように、アプリのアンインストールには「App Cleaner」を利用するといい。アンインストールしたいアプリのAppファイルをドラッグ&ドロップするだけで、そのアプリに関連するファイルを自動で検索。Appファイル本体だけでなく、関連する不要なファイルを一気に削除することが可能だ。MacBookで多種多様なアプリを試したいのであれば、必須のアプリといえる。

App Cleaner
作者／FreeMacSoft　価格／無料
入手先／https://freemacsoft.net/appcleaner/

1 公式サイトからアプリをダウンロードする

App Cleanerは、公式サイトから入手できる。アプリをダウンロードしたら、Appファイルを「アプリケーション」フォルダに入れておこう。

2 アンインストールしたいアプリをドラッグ&ドロップする

App Cleanerを起動したら、アンインストールしたいアプリのAppファイルをドラッグし、App Cleanerのウインドウ内にドロップしよう。

3 関連するファイル一覧が表示される

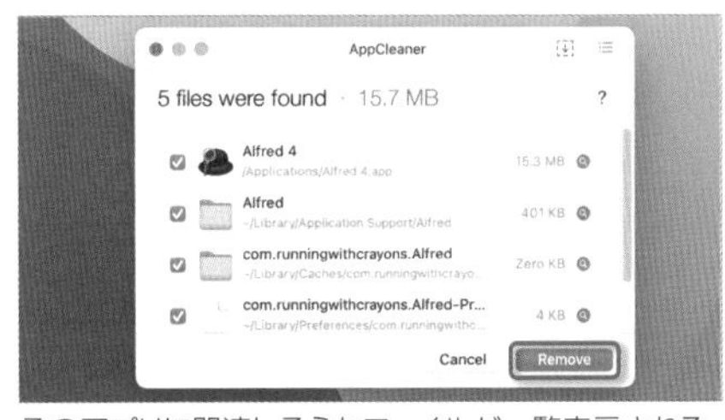

そのアプリに関連しそうなファイルが一覧表示される。削除したいものにチェックを入れて「Remove」をクリックすれば、即座にアンインストールが行われる。

4 リスト表示でアプリ一覧から削除できる

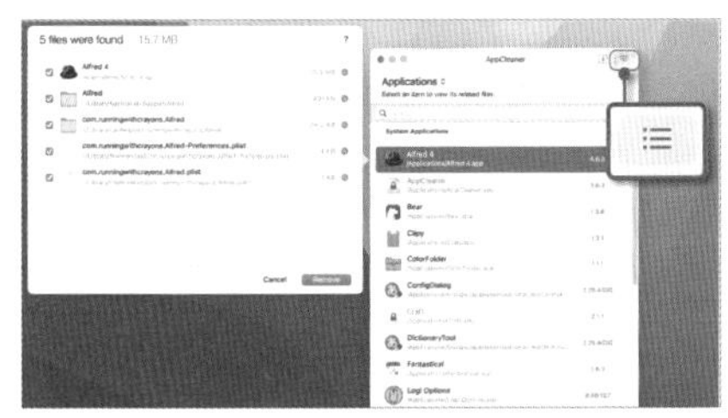

ウインドウ右上にあるリスト表示ボタンをクリックすると、インストールされているアプリ一覧が表示される。そこから各種アプリをアンインストールすることも可能だ。

macOSのシステム周りをメンテナンス&カスタマイズできる

不調や動作の重さを解消できる定番アプリ

MacBookを長期間使っていると、システム内に不要なファイルやログが溜まったり、システムで使用するデータベースや検索用インデックスの一部に不具合が生じたりといったことがどうしても起きてしまう。これらは、MacBookの動作を重くさせたり、システムを不安定にさせる原因にもなりかねないのだ。そこでおすすめしたいのが、長年Macユーザーに愛されている定番メンテナンスアプリ「Onyx」。「メンテナンス」タブで「実行」ボタンを押すだけで、不要なファイルやログをクリーニングし、データベースやインデックスなども再構築してくれる。また、「各種設定」タブでは、スクリーンキャプチャ時のウインドウの影を無効にしたり、不可視ファイルの表示／非表示などを切り替えたりといった、通常では行えないシステム周りの設定が行える。

OnyX
作者／Titanium Software
価格／無料
入手先／https://www.titanium-software.fr/en/onyx.html

1 OSのバージョンに最適なものをダウンロードすること

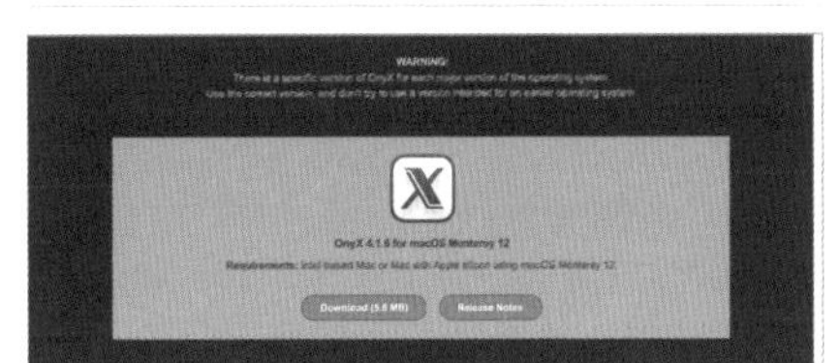

Onyxは、公式サイトからダウンロードできる。OSのバージョンごとにアプリが分けられているので、最適なものをダウンロードしよう。なお、アプリインストール後は、システム環境設定でOnyxのフルディスクアクセスを許可しておくこと(右下の記事参照)。

2 メンテナンスを実行してみよう

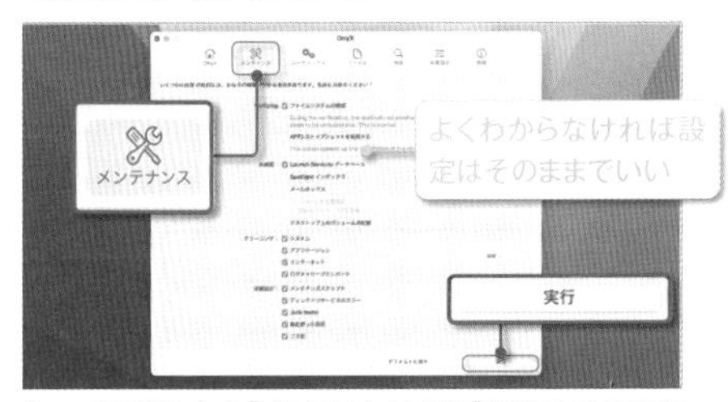

Onyxを起動したら「メンテナンス」タブを開き、そのまま「実行」をクリック。これでシステム内の不要なファイルやログを削除し、キャッシュなどを再構築してくれる。

3 システムの各種設定をカスタマイズする

「各種設定」タブでは、FinderやDockの挙動やログイン時の背景画像などを変更できる。自分好みの動作になるようにカスタマイズしてみよう。

気になるポイント

システム環境設定でフルディスクアクセスを許可する

アプリ起動時に「警」と書かれた画面が出たら一旦閉じ、システム環境設定を開こう。「セキュリティとプライバシー」の「プライバシー」タブで左下のカギをクリックして認証を行い、「フルディスクアクセス」を開いて「Onyx」にチェックを入れておくこと。

あらゆる圧縮ファイルを即座に展開できる

macOSは標準でZIP形式の圧縮ファイルを展開（解凍）することが可能だ。しかし、RARや7-ZIPなど、そのほかの圧縮ファイル形式を展開したい場合は、別のアプリが必要となる。そこでインストールしておきたいのが、シンプルで使いやすい「The Unarchiver」。インストールして初期設定を済ませれば、あらゆる圧縮ファイルをダブルクリックだけで展開できるようになる。

The Unarchiver
作者／MacPaw Inc.
価格／無料
入手先／App Store

初期設定を終えたら、圧縮ファイルを右クリック→「情報を見る」を開き、「このアプリケーションで開く」を「The Unarchiver」にして「すべてを変更」でデフォルトアプリに設定しておくといい。

アプリやファイルなどを素早く見つけ出せる

「Alfred 4」は、Spotlightのようにキーワードを入力して目的のアプリやファイル、ブックマークなどを素早く探し出せるランチャーアプリだ。設定によってはログアウトや再起動などのシステム操作をコマンドで実行することも可能。また、有料の「Powerpack（29ポンド～）」を購入すると、クリップボード履歴やスニペット（定型文）、自動化など、強力な機能を追加することができる。

Alfred 4
作者／Running with Crayons Ltd
価格／無料
入手先／https://www.alfredapp.com/

「option」+「スペース」キーで検索欄を表示させ、キーワードを入力すればアプリを検索できる。冒頭にスペースを入力すればファイル検索に切り替え可能だ。

マルウェアをスキャンして駆除できる無料アプリ

macOSでは、マルウェアがシステムに侵入しないようにするための仕組みが何重にも施されており、通常の使用では感染しにくくなっている。とはいえ、最近ではmacOSを狙ったマルウェアも多数登場しており、感染リスクはゼロではない。万が一のときに備え、「Intego VirusBarrier Scanner」などのマルウェア対策アプリで、定期的にシステム全体をスキャンしておくと安心だ。

Intego VirusBarrier Scanner
作者／Intego
価格／無料
入手先／App Store

アプリを起動して初期設定を終えたら、「スキャンを開始」をクリックして、スキャンしたい場所を指定するだけでOK。スキャンを毎日実行させることも可能だ。

クリップボードの履歴や定型文をすぐに呼び出る

「Clipy」は、シンプルで使い勝手の良いクリップボード拡張アプリだ。過去にコピーしたテキストや画像などを履歴として蓄積し、必要なときに呼び出して貼り付けることができる。また、よく使う文章をスニペット（定型文）として登録しておき、いつでも呼び出せる機能も搭載。スニペットの登録は、ステータスメニューから「スニペットを編集」を選んで、フォルダを追加すれば可能だ。

Clipy
作者／Clipy Project
価格／無料
入手先／https://clipy-app.com/

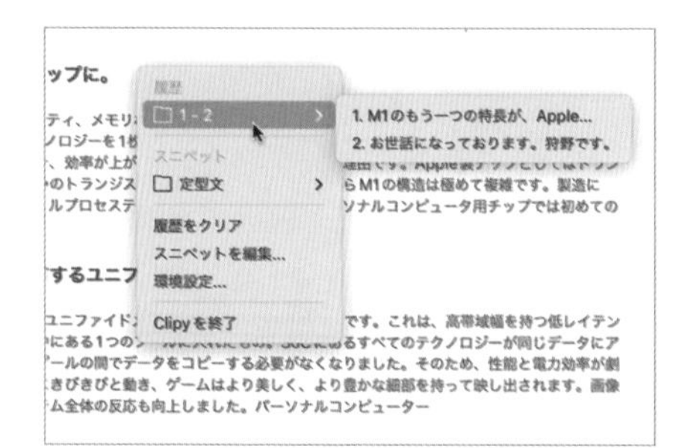

Clipyのメニューは「shift」+「command」+「V」キーなどのショートカットキーで呼び出すことができる。ここから過去の履歴やスニペットを貼り付けることが可能だ。

Photoshop並に使いやすい本格的な画像編集アプリ

「Pixelmator」は、強力な画像編集機能を備えた画像編集アプリだ。手頃な価格ながら、プロ用画像編集アプリの定番である「Photoshop」並の機能が揃っているのが特徴。機械学習アルゴリズムで写真を自動補正する「ML Enhance」や、不要なゴミなどをキレイに削除できる「修復」ツール、被写体の背景を簡単に消せる「スマート消去」ツールなど先進的な機能を搭載している。

Pixelmator Pro
作者／Pixelmator Team（公式サイトで15日間試用できるトライアル版を入手可）
価格／4,900円
入手先／App Store

手っ取り早く写真の色補正をしたい場合は、右端から「カラー調整」を選び、「ML Enhance」をクリックしよう。機械学習アルゴリズムで最適な色に補正してくれる。

スケジュールとタスクを一括で管理したいなら

「Fantastical」は、使い勝手に優れたカレンダー＆タスク管理アプリだ。iCloudやGoogle、Outlookなどの主要なカレンダーやタスク管理サービスと同期することができ、仕事やプライベートの予定を効率的に管理することができる。まずは「Fantastical」→「環境設定」→「アカウント」からアプリで同期したいカレンダーまたはタスク管理サービスを追加しておこう。

Fantastical
作者／Flexibits Inc.
価格／無料（Premium版は月額550円～）
入手先／App Store

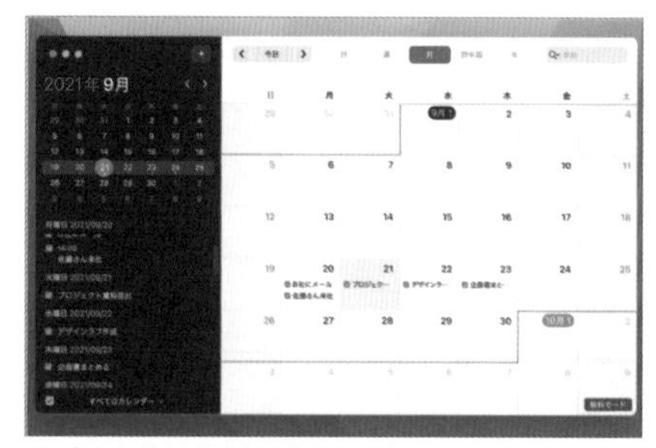

アプリ自体は無料で使えるが、ほとんどの機能はPremium版のサブスクリプション契約が必要になる。試してみて気に入ったらApp内課金をしよう。

高速かつ美しくメモできるMarkdown対応メモアプリ

「Bear」は、ちょっとしたメモはもちろん、ブログ記事などの長文執筆にも適した高性能なメモアプリだ。段落や見出し、リンク、太字などの書式をMarkdown記法でスピーディに指定できるため、階層的で複雑な構造をもつ文章でも効率的に作成することが可能。Markdown記法がよくわからなくても、スタイルパネルから主要な書式が呼び出せるので、誰でも簡単に扱える。

Bear
作者／Shiny Frog Ltd.
価格／無料
入手先／App Store

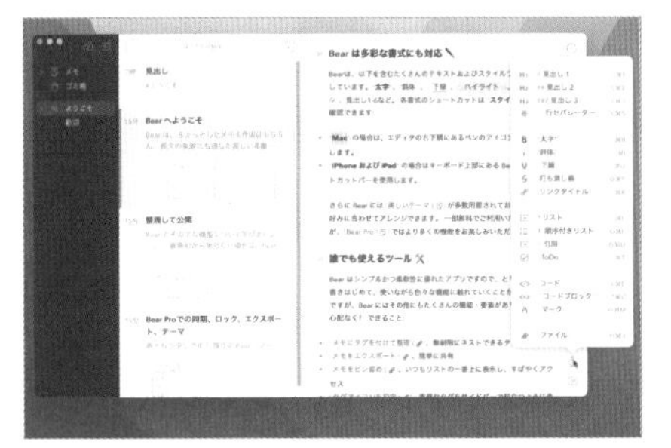

右下のペン型アイコンからスタイルパネルを表示すれば、各種書式を適用できる。各書式のショートカットキーを覚えれば、スピーディに文章を編集することが可能だ。

PDFに手書きメモや注釈を自由に挿入できる

PDFに手書きメモや注釈などの書き込みをしたい場合は、「PDF Viewer Pro PSPDFKit」を使ってみよう。無料のPDF編集アプリの中でもトップクラスに操作性が高く、効率的な作業が可能だ。リモート会議やオンライン授業で配られた資料に書き込みをしたいときなどにも重宝する。なお、有料のPro版（3ヶ月で800円）を購入すれば、より高度な機能も使えるようになる。

PDF Viewer Pro PSPDFKit
作者／PSPDFKit GmbH
価格／無料
入手先／App Store

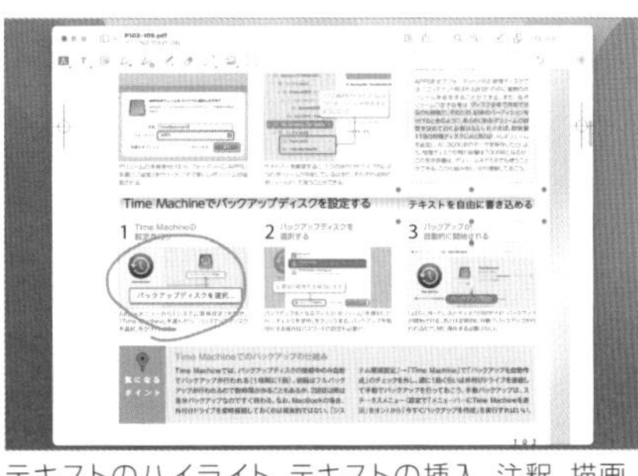

テキストのハイライト、テキストの挿入、注釈、描画、ページの削除などひと通りの編集機能を搭載。まっさらな状態から新規にPDFを作ることもできる。

本格的な2Dグラフィックを制作できる無料アプリ

「Vectornator」は、無料で使えるベクターベースのグラフィックエディタだ。プロ用アプリ並の機能を備えており、ちょっとしたロゴデザインやイラスト制作、本格的なWebサイトやアプリのインターフェイスデザインなどが行える。各種ブラシやレイヤー、グループ化、整列機能など、グラフィックエディタとして必要な機能はほぼ網羅されているので、ストレスなく作業が可能だ。

Vectornator: Vector Design
作者／Linearity GmbH
価格／無料
入手先／App Store

無料とは思えないほど高機能で、本格的なデザイン作業にも十分使える。なお、iPhoneやiPad用のアプリもあるので、気に入ったらそちらも利用してみよう。

ファイルのドラッグ&ドロップ操作をより快適にする

「Yoink」は、フォルダやウインドウ、デスクトップ間でのドラッグ&ドロップ操作をスムーズに行えるようにするアプリだ。Yoinkを起動した状態でファイルをドラッグすると画面左端にウインドウが表示される。ここにファイルをドロップすると一時的に保管することが可能だ。あとは移動先やコピー先のフォルダやウインドウを表示して、ファイルをドラッグ&ドロップすればいい。

Yoink
作者／Matthias Gansrigler
価格／1,100円
入手先／App Store

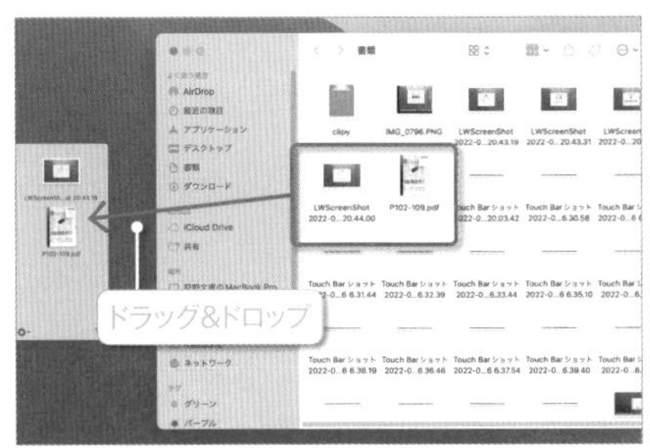

画面左端のウインドウにファイルを保管したら、移動先やコピー先を表示してファイルを移動しよう。「option」キーを押しながらドラッグすればコピーになる。

フォルダごとに色分けして管理しよう

「Color Folder Master」は、フォルダの色を自由に変更できるアプリだ。アプリを起動したら、表示された画面にフォルダをドラッグ&ドロップ。好きな色を選択してチェックマークをクリックしよう。これでフォルダの色が変更される。フォルダの色自体が変化するので、Finder標準のタグ機能での色分けよりも見た目がわかりやすい。フォルダを色分けで管理したい人は使ってみよう。

Color Folder Master
作者／成浩 吴
価格／250円
入手先／App Store

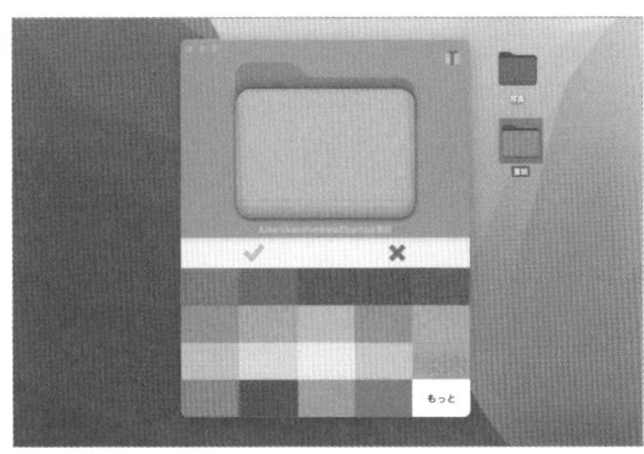

フォルダをウインドウ内にドラッグ&ドロップして、カラーチップから色を選ぼう。画面右下の「もっと」から自分の好きな色を作成することも可能だ。

Mac上でWindowsをリモート操作できる

「Microsoft Remote Desktop」を使えば、MacからWindowsをリモート操作することが可能だ。まずは、Windows側の設定でリモートデスクトップを有効にしておこう。次にMac側で本アプリの「+」ボタンから「Add PC」をクリックし、接続するPC名を入力して追加。あとは接続するPC名をダブルクリックし、接続先のアカウント名とパスワードを入力すれば接続できる。

Microsoft Remote Desktop
作者／Microsoft Corporation
価格／無料
入手先／App Store

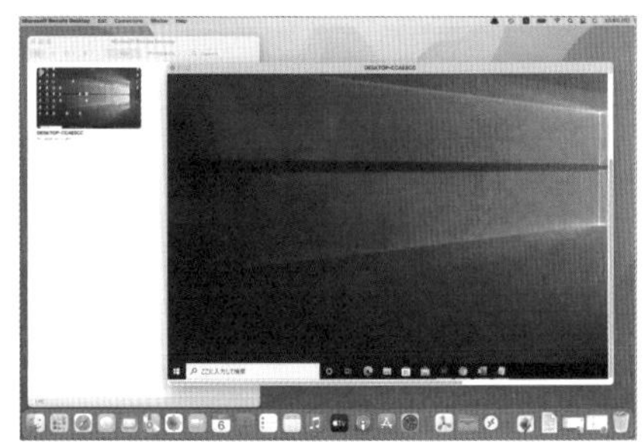

外出先から自宅のWindowsを操作するには、別途ネットワーク設定も必要だ。なお、Home版のWindowsだとリモートデスクトップ機能が使えないので注意。

016

周辺機器

MacBookをもっと便利&快適にするアイテムを厳選紹介

MacBookと一緒に利用したい良品周辺機器

本誌オススメの製品を全10点ピックアップ

ここでは、MacBookを購入したときにあわせて買っておきたいアクセサリや周辺機器を紹介。本体を保護するケースや接続デバイスを増やすUSBハブ、充電に使えるモバイルバッテリーなど、さまざまな製品を紹介していくので参考にしてほしい。

リサイクル材を使ったカラフルでタフなケース

スイス発のバッグブランドFREITAGが手がけたノートパソコン用スリーブ。使い古されたトラックの幌（ほろ）を再利用して作られているため、1点1点デザインが違うのが特徴だ。内部はクッション性のある素材が使われ、MacBookを傷から守ってくれる。

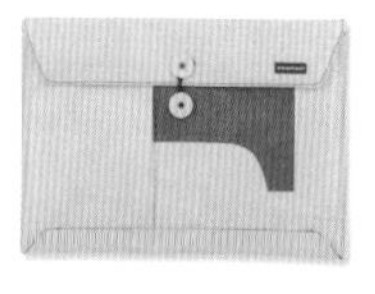

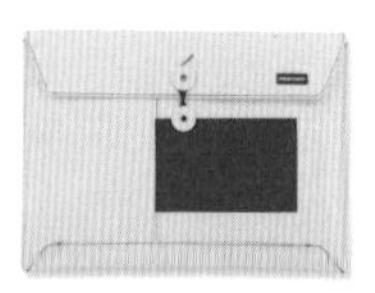

F411 SLEEVE FOR LAPTOP 13"/14"
メーカー／FREITAG　実勢価格／¥12,980円(税込)

F411 SLEEVE FOR LAPTOP 15"
メーカー／FREITAG　実勢価格／¥13,640円(税込)

PVC製のトラックの幌で作られているので、耐久性が高い。色合いもカラフルでオシャレだ。なお、サイズは13／14インチ用と15インチ用（16インチMacBook Proにも対応）がある。

MacBookの外側を完全に保護するケース

MacBookを傷から守りたいなら、外観全体をすっぽりと覆うハードシェルタイプのケースを利用したい。Tech21の「Evo Tint Case」は、耐衝撃素材を採用した透明ケースで、MacBookの形にぴったりとフィット。使用中や持ち運び中に付いてしまう擦り傷などを防いでくれる。

13インチEvo Tint Case for MacBook Air 2020
メーカー／Tech21　実勢価格／10,868円(税込)

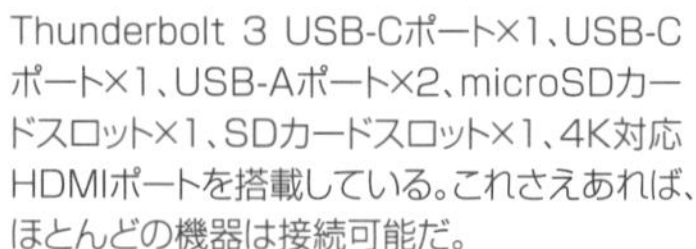

Thunderbolt 3 USB-Cポート×1、USB-Cポート×1、USB-Aポート×2、microSDカードスロット×1、SDカードスロット×1、4K対応HDMIポートを搭載している。これさえあれば、ほとんどの機器は接続可能だ。

PowerExpand Direct 7-in-2 USB-C PD メディア ハブ
メーカー／Anker
実勢価格／5,999円(税込)

Thunderbolt 3端子を搭載したUSBハブ

13インチMacBook ProやAirでは、接続ポートがUSB-Cのみなので、さまざまな外部デバイスを接続するにはUSBハブが必須だ。Ankerの「PowerExpand Direct 7-in-2」を使えば、USB-AやSDカードスロット、HDMI端子を用いるデバイスをスマートに接続できるようになる。

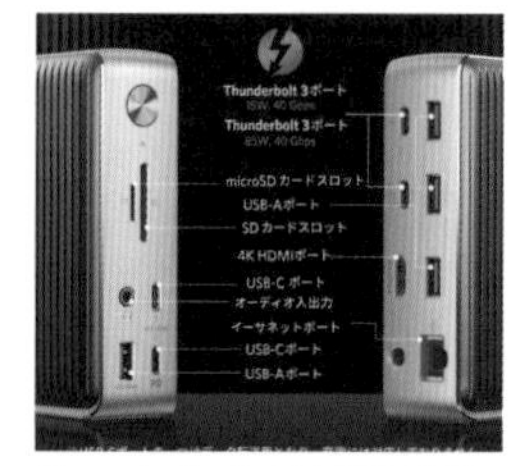

Thunderbolt 3 USB-Cポート、USB-Cポート、USB-Aポート、HDMIポート、イーサネットポート、microSD&SDカードスロットに接続できる。

Anker PowerExpand Elite 13-in-1 Thunderbolt 3 Dock
メーカー／Anker
実勢価格／29,990円(税込)

超高性能セルフパワータイプのドッキングステーション

USBハブを介して多数の外部機器を接続すると、供給電力が不足して接続が不安定になりやすい。そんな場合は本製品のようなドッキングステーションを使ってみよう。最大85Wと最大15W出力に対応した2つのThunderbolt 3ポート、最大18W出力のUSB PDに対応したUSB-Cポートなどを搭載し、高速で安定した接続が可能だ。

MacBookにも充電できる大容量モバイルバッテリー

MacBookはモバイルバッテリーからの給電も行える。Ankerの「PowerCore III Elite 25600 87W」であれば、25600mAhの超大容量かつ最大87W出力のUSB-Cポートを備えているので、MacBookの外部バッテリーとして使うことが可能だ。ただし、2021年モデルの14インチ（10コアCPU搭載）および16インチMacBook Proでは電源としてのW数が足りないため、充電速度が遅くなる。

Anker PowerCore III Elite 25600 87W with PowerPort III 65W Pod
メーカー／Anker
実勢価格／12,990円（税込）

持ち運びに重宝するコンパクトな急速充電器

Anker Nano II 65W
メーカー／Anker
実勢価格／3,990円（税込）

MacBook付属のUSB-C電源アダプタは意外とサイズが大きく、持ち運び時にかさばってしまうことがある。そこでおすすめしたいのが「Anker Nano II 65W」だ。最大65Wというパワフルな出力ながら、一般的な60W出力の充電器よりも約60%小さいサイズを実現している。ただし、2021年モデルの14インチおよび16インチMacBook Proでは電源としてのW数が足りないため、急速充電器としては対応していない。

ALUMINUM SLIM RECHARGEABLE BLUETOOTH KEYPAD
メーカー／SATECHI
実勢価格／4,539円（税込）

定番のワイヤレスイヤホンが空間オーディオに対応

「AirPods（第3世代）」は、Apple製のワイヤレスイヤホンだ。音を3次元的に配置できる空間オーディオとダイナミックヘッドトラッキングに対応し、臨場感のあるサウンドが楽しめる。耐汗耐水性能（IPX4）も高いため、雨の中のランニングなどでも装着することが可能だ。

AirPods（第3世代）
メーカー／Apple
実勢価格／23,800円（税込）

イヤホンの充電は専用ケースに入れて行う。ワイヤレス充電ができるMagSafeにも対応。

MacBookにぴったりの薄型ワイヤレステンキー

仕事で数値データを頻繁に入力する人は、外付けのテンキーを利用するといい。SATECHI製の薄型ワイヤレステンキーは、MacBookの見た目にジャストフィットするスタイリッシュなデザインが特徴だ。USB充電式バッテリーを内蔵し、1回の充電（充電時間は1～2時間）で約2週間使うことができる。

ここまでMacBookと親和性の高いワイヤレステンキーは他にない。見た目で選ぶならこれ一択だ。

Bluelounge Kickflip 13インチラップトップ用
メーカー／BlueLounge
実勢価格／3,300円（税込）

Macユーザーのためのポータブルブルーレイドライブ

MacBook用の外付けドライブを探しているなら、ロジテックの「LBD-PVC6UCMSV」がおすすめだ。CDやDVD、Blu-rayの読み書きにすべて対応。USB-Cポートを製品側に標準搭載しているので、MacBookとの接続も簡単だ。Mac用のBDXL対応書き込みソフトなども付属する。

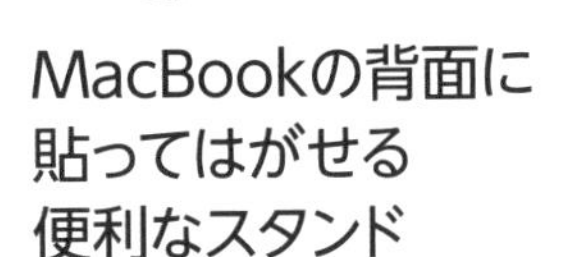

外付けBlu-rayドライブ LBD-PVC6UCMSV
メーカー／ロジテック
実勢価格／18,450円（税込）

MacBookの背面に貼ってはがせる便利なスタンド

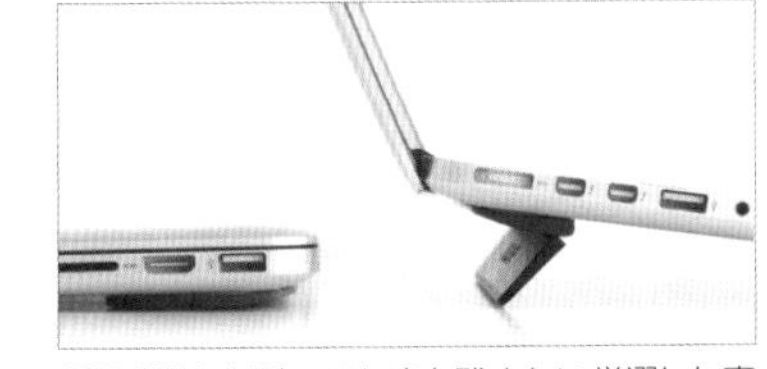

吸着部分には貼っても痕を残さない厳選した素材を採用。何度でも貼ってはがすことができる。

「Bluelounge Kickflip」は、MacBookの背面に貼り付けて使うスタンドだ。スタンドによる傾斜でタイピングしやすくなるほか、本体内にこもりがちな熱をうまく逃がせるようになる。使わないときは邪魔にならない形でたためるので、スタンドを付けたままでも持ち運びしやすい。

SECTION 04

iPhone&iPadとの連携操作法

MacBookとiPhone&iPadの相性は抜群だ。macOSは、アップデートと共にiOSやiPadOSとの親和性を高めている。iCloudを使ったデータの同期はもちろん、iPhone&iPadをそばに置くことでMacBookの機能を拡張できるさまざまな仕組みを活用できる。まずは、どのように接続、連携できるのか、その概要を右ページで把握しよう。

接続する前に

MacBookとiPhoneやiPadを連携する仕組みを理解する

MacBookとiPhone／iPadを連携する3つの方法

1 iCloudで同期

iCloudに保存されたデータをそれぞれのデバイスで同期する使い方。MacBookの標準アプリの多くはiCloudで同期して、iPhoneやiPadでも同じデータを利用できる。

2 接続して同期

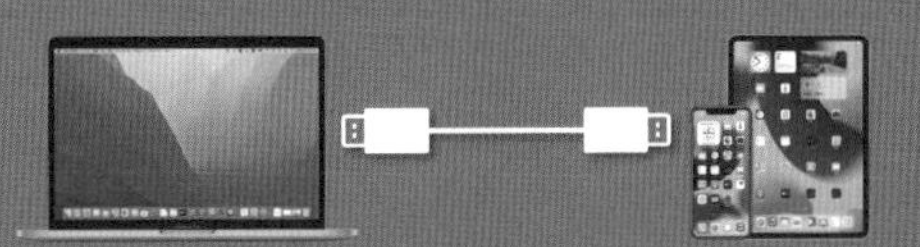

MacBookとiPhoneやiPadをUSBケーブル（またはWi-Fi）で直接接続すると、FinderでiPhoneやiPadを管理できる。iPhoneやiPadのアプリ内にファイルを転送するといった操作も可能。

3 その他の連携方法

それぞれのデバイスで同じApple IDを使ってサインインし、Bluetooth、Wi-Fi、Handoffをオンにしておくと、他のデバイスで途中の作業を引き継いだりディスプレイを共有できる。

iPhoneやiPadと直接接続する方法と画面の見方

MacBookとiPhoneやiPadを連携させる方法としては、上記の3パターンがある。iCloudでの同期方法は、P056やP065でも解説しているのでご確認いただきたい。この章では、3つの連携方法を使ったさまざまな機能や使い方を紹介する。まず最初に、MacBookとiPhoneやiPadを直接ケーブル（やWi-Fi）で接続する操作と、管理画面の見方を確認しておこう。MacBookとiPhoneやiPadをケーブルで接続すると、Finderのサイドバーの「場所」欄に、iPhoneやiPadの名前が追加される。これをクリックすると管理画面が表示され、上部のメニューで「ミュージック」「映画」「Podcast」「ブック」「写真」など、アプリやコンテンツごとに同期する項目を設定できる。また「一般」ではバックアップや復元の操作も可能だ。なお、iCloudで「ミュージック」や「写真」の同期機能を有効にしていると、Finderの画面では「ミュージック」や「写真」の項目を操作できない点に注意しよう。

MacBookとiPhoneやiPadを直接接続する

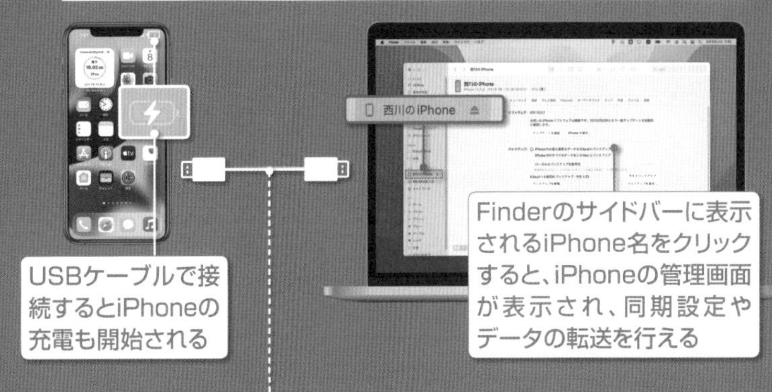

USBケーブルで接続するとiPhoneの充電も開始される

FinderのサイドバーにiPhone名をクリックすると、iPhoneの管理画面が表示され、同期設定やデータの転送を行える

USB-Cケーブルで接続

MacBookとiPhoneやiPadを接続するには、MacBookのUSB-CポートとiPhoneおよびiPadのLightning（もしくはUSB-C）ポートを接続するケーブルが必要。基本的にはiPhoneやiPadの充電に使っているケーブルをそのまま使用できる。ケーブルがない場合は、Apple純正の「USB-C - Lightningケーブル」（1mで税込み1,980円）などを購入しよう。

初めて接続した時は「信頼」をクリック

MacBookとiPhoneやiPadを初めて接続すると、それぞれの画面で接続したデバイスを信頼するか、確認画面が表示される。双方で「信頼」をクリックすれば、FinderでiPhoneやiPadの同期を設定できるようになる。

iPhoneやiPadをWi-Fiで接続する

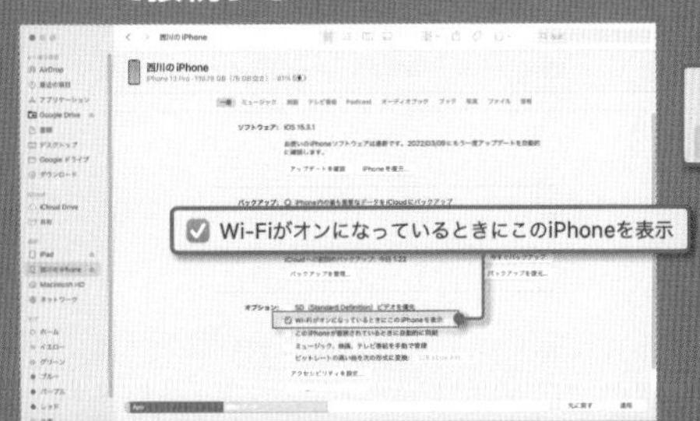

初回接続時にはUSBケーブルが必要だが、「一般」タブの「Wi-FiがオンになっているときにこのiPhone（iPad）を表示」にチェックしておけば、ケーブルで接続しなくてもWi-Fiで無線接続できるようになる。

iPhoneとiPadの同時接続も可能

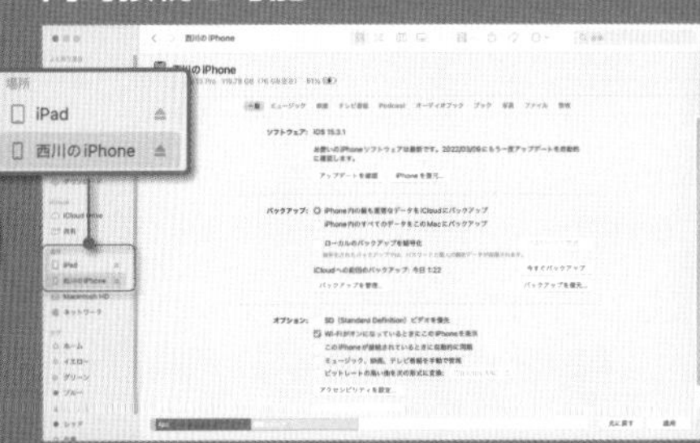

iPhoneやiPadを個別に接続しなくても、ケーブルやWi-Fiで複数のデバイスを接続しておけば、「場所」欄にそれぞれのデバイス名が表示され、クリックして管理画面を切り替えて操作できる。

iCloudではできない完全なバックアップを実行

iPhoneやiPadのデータをMacBookにバックアップする

iPhoneやiPadでは、「iCloudバックアップ」さえ有効にしておけば自動でバックアップが作成されるが、すべてのデータがiCloud上に保存されるわけではない。完全なバックアップを保存しておきたいなら、MacBookで暗号化バックアップを作成しておこう。

MacBookへのバックアップと復元の手順

暗号化にチェックすれば IDやパスワードも保存可能

iPhoneやiPadは通常、「iCloudバックアップ」でバックアップが自動的に作成される。ただし、iCloudバックアップでは、アプリデータやデバイスの設定など重要な情報は保存されるものの、アプリ内のアカウント情報などは保存されない。これらもすべて含めた完全なバックアップデータを作成しておきたいなら、暗号化バックアップを有効にした上で、MacBook上にバックアップを作成しておくのがおすすめだ。

1 このMacに バックアップを選択

iPhoneをMacBookに接続したら、Finderのサイドバーで「iPhone」をクリック。「一般」タブで「iPhone内のすべてのデータをこのMacにバックアップ」にチェックしよう。iPadでも操作は同様だ。

2 暗号化にチェックし パスワードを設定

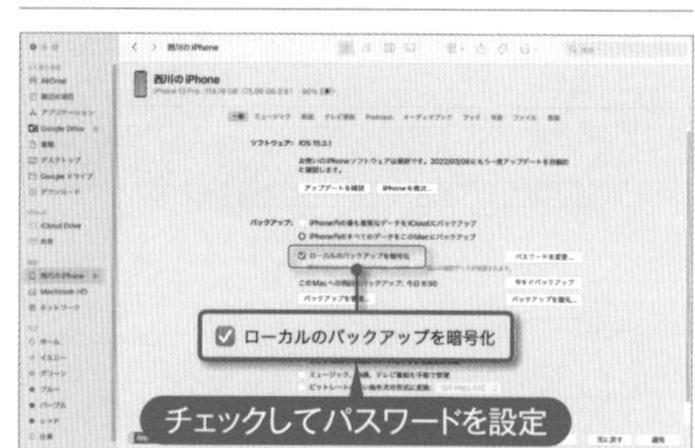

パスワードやIDも含めた完全なバックアップを作成するには「ローカルのバックアップを暗号化」にチェック。表示された画面でパスワードを設定しよう。このパスワードは復元時に必要なので忘れないように。

3 バックアップが 開始される

自動的にバックアップが開始される。開始されない時は「今すぐバックアップ」をクリックしよう。進捗状況は、「一般」タブ下部の進捗バーや、サイドバーの「iPhone」横のアイコンで確認できる。

4 バックアップから 復元する

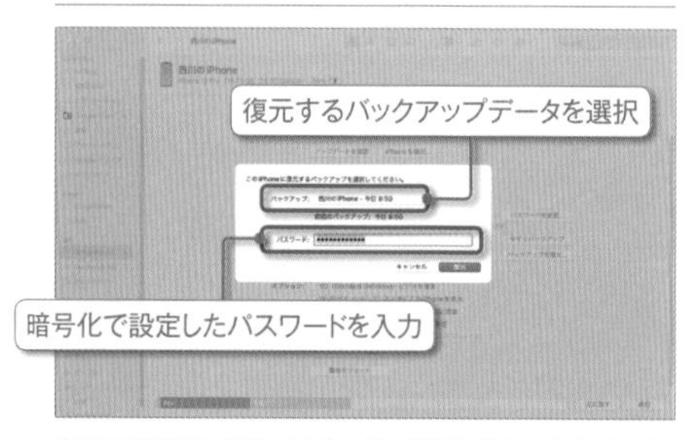

復元する時は、「バックアップを復元」ボタンをクリック。最新日時のバックアップを選択し、暗号化バックアップで設定したパスワードを入力したら「復元」ボタンをクリックしよう。

5 「探す」がオンだと 復元できない

iPhoneの「探す」がオンのままだと復元できない。iPhoneで「探す」機能をオフにするか初期化しておこう。iPhoneで操作できない時は、iCloud.comなどで遠隔操作で初期化することもできる。

POINT

「iCloudにバックアップ」で保存されるデータ

「iPhone内の最も重要なデータをiCloudにバックアップ」の方を選んで「今すぐバックアップ」すると、iPhoneやiPadで作成するiCloudバックアップと同じく、アプリデータやデバイスの設定、ホーム画面とアプリの配置など重要なデータのみがiCloud上に保存される。この時「バックアップを管理」をクリックすると、バックアップデータがiCloudバックアップの作成日時に更新されるので、以前作成した暗号化バックアップのデータが消えたように見える。しかしバックアップデータはそのままのサイズで残っており、暗号化バックアップにiCloudバックアップの最新の更新データが適用されているだけのようだ。復元時も問題なく暗号化バックアップのデータを選択して復元できる。

途中の作業を別のデバイスで再開する

MacBookとiPhoneやiPadでアプリの作業を引き継ぐ

MacBookやiPhone、iPadでは、「Handoff」機能によって、対応アプリでやりかけの作業を他のデバイスに引き継ぐことができる。例えば、移動中にiPhoneで書いていたメールを、帰宅してからMacBookで開いて続きを書くといったことが可能だ。

iPhoneで作成中のメールをMacBookへ引き継ぐ

1 iPhoneでメールの作成を開始する

iPhone側では、同じApple IDを使ってサインインし、BluetoothとWi-Fiの両方をオンにし、「設定」→「一般」→「AirPlayとHandoff」→「Handoff」をオンにしていれば機能が有効になる。この状態で標準メールアプリを起動し、メールを作成してみよう。

2 MacBookでメールの作成を引き継げる

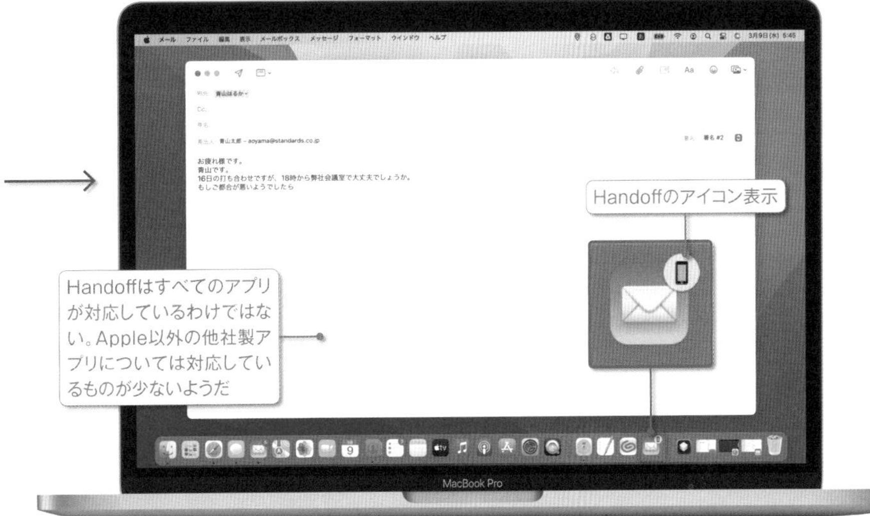

MacBook側でも、同じApple IDを使ってサインイン。BluetoothやWi-Fiを有効にし、Appleメニューの「システム環境設定」→「一般」→「このMacとiCloudデバイス間でのHandoffを許可」にチェックしておく。すると、iPhoneで作業中のメールアプリが、Dockの最近使用したアプリ欄に表示されるようになる。これをクリックすると、iPhoneで作成途中のメール画面が開く。

MacBookの作業をiPhoneで引き継ぐ場合

MacBookの作業をiPhoneで引き継ぎたい場合は、iPhone側でAppスイッチャー画面を表示しよう。画面の下の方にMacBookで作業中のアプリ名のバナーが表示されるので、これをタップすればよい。

MacBookの作業をiPadで引き継ぐ場合

MacBookの作業をiPadで引き継ぐ場合は、iPadのDockに表示される、Handoffのマークが付いたアイコンをタップすればよい。

POINT

Handoff機能でうまく連携できない時は

Handoffは、メール、Safari、Pages、Numbers、Keynote、マップ、メッセージ、リマインダー、カレンダー、連絡先などのアプリが対応しているが、機能が有効でもうまく連携しないことがある。特にMacBookとiPhoneとiPadなど複数のデバイスを同時に使っていると、うまく動作しないことが多い。連携させたいデバイス以外はHandoffの機能を切っておこう。それでも連携しない時は、それぞれのデバイスを一度再起動するか、Apple IDをサインアウトしてからもう一度サインインし直そう。

MacBook内の曲をiPhoneやiPadでも楽しもう

MacBookとiPhoneやiPadで音楽ライブラリを同期する

MacBookのライブラリ内にある曲をiPhoneやiPadで聴けるように同期するには、Finderを使って直接転送するほかに、「iCloudミュージックライブラリ」を使う方法がある。こちらの方が便利なので、Apple Musicなどに登録済みなら活用しよう。

iCloudミュージックライブラリを理解する

手持ちの曲をすべてアップロードしておける

Apple Music（P082で解説）を登録すると利用できるのが、「iCloudミュージックライブラリ」だ。これはiCloudの容量とは別に、最大10万曲まで保存できる音楽専用のクラウドスペースで、MacBook内にある音楽ファイルもすべてアップロードできる機能だ。つまり、MacBookにしかない音楽CDから取り込んだ曲も、iCloudミュージックライブラリに保存しておくことで、iPhoneなどで同期して再生できるようになるのだ。ただしApple Musicを解約すると使えなくなるため、クラウド上にあるからといってMacBookにある元の曲ファイルを消さないようにしよう。

iCloudミュージックライブラリを有効にする

iCloudミュージックライブラリの利用条件

「iCloudミュージックライブラリ」による同期を有効にするには、Apple Musicか、iTunes Matchの契約が必要となる。Apple Musicの登録方法はP082で詳しく解説している。iTunes Matchの登録方法は次ページを参照。

1 MacBook側で機能を有効にする

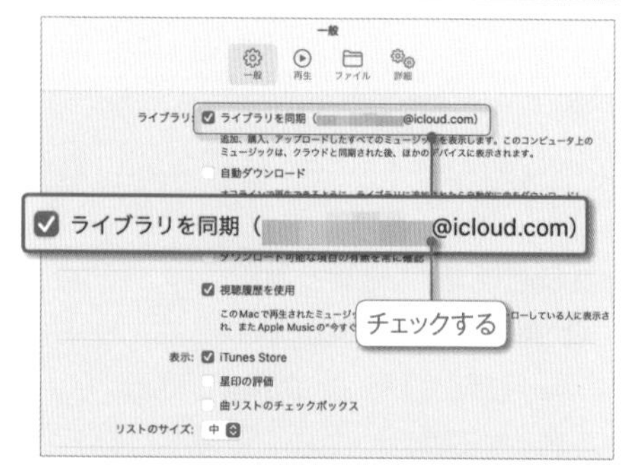

MacBookでは、ミュージックアプリのメニューバーから「ミュージック」→「環境設定」→「一般」で「ライブラリを同期」にチェック。MacBookのすべての曲がiCloudミュージックライブラリにアップロードされる。

2 iPhone側で機能を有効にする

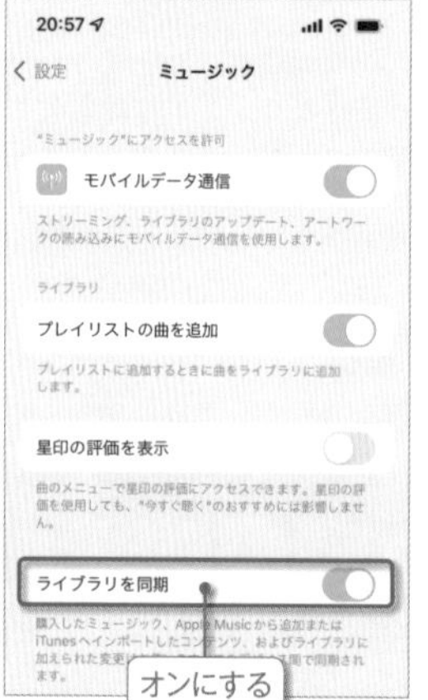

iPhoneでは、「設定」→「ミュージック」→「ライブラリを同期」をオンにしよう。MacBookとまったく同じライブラリやプレイリストがiPhone側にも表示され、ストリーミング再生したりダウンロードできるようになる。

POINT

MacBook内の曲をiPhoneで削除した時

MacBook内の曲をiPhoneの操作でライブラリから削除しても、MacBook内の曲は削除されない。「×」が表示されたクラウドボタンをクリックし、「クラウドミュージックライブラリに追加」でクラウド上のライブラリに再アップできる。

POINT

ライブラリへの追加やダウンロードにも必要

「iCloudミュージックライブラリ」は、MacBook内の曲をアップロードする以外に、Apple Musicの曲をライブラリに追加して管理するのにも必要な機能となる。iPhoneなどでApple Musicの曲を検索し、直接ストリーミング再生することは可能だが、ライブラリに追加しないとプレイリストなども作成できないし、ダウンロード保存もできない。特に理由がない限りオンにしておこう。

MacBookとiPhoneやiPadを直接接続してFinderで同期

直接接続した場合は Finderで同期を管理する

Apple Musicを利用していないなら、MacBookとiPhoneやiPadをUSBケーブルなどで直接接続して、Finderで曲を同期しよう。選択したアーティストやアルバムの曲のみを同期することもできる。なお、Apple Musicに加入中でも、iPhoneの「ライブラリを同期」をオフにすればFinderを使って手動で曲を転送できるが、「ライブラリを同期」を有効にして、iCloud上にある全ての曲から必要な曲だけダウンロードした方が早い。

1 iPhoneを接続して Finderで開く

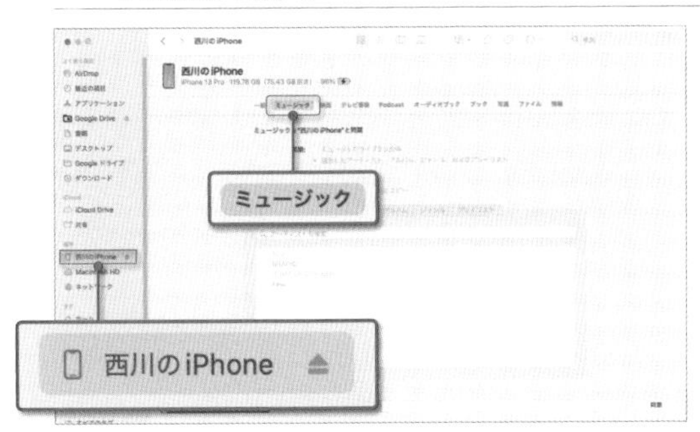

iPhoneをMacBookに接続したら、Finderのサイドバーで iPhone名をクリック。上部のメニューで「ミュージック」タブを開こう。この画面でミュージックの同期を設定できる。

2 ライブラリ全体を 同期する

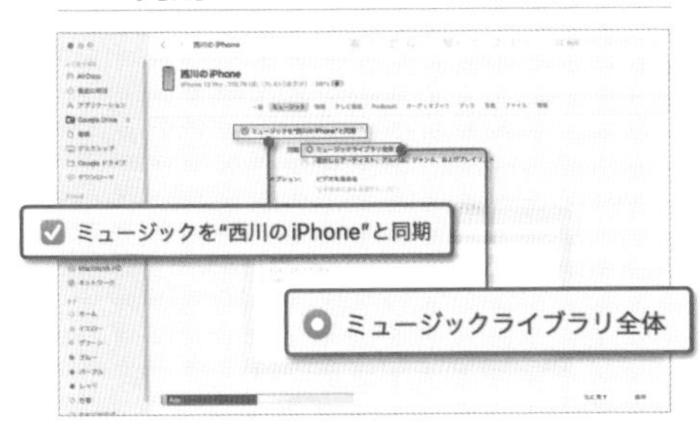

「ミュージックを"○○"と同期」にチェックし、その下の「ミュージックライブラリ全体」を選択すると、MacBookのミュージックライブラリ全体をiPhoneと同期することができる。

3 プレイリストを 同期する

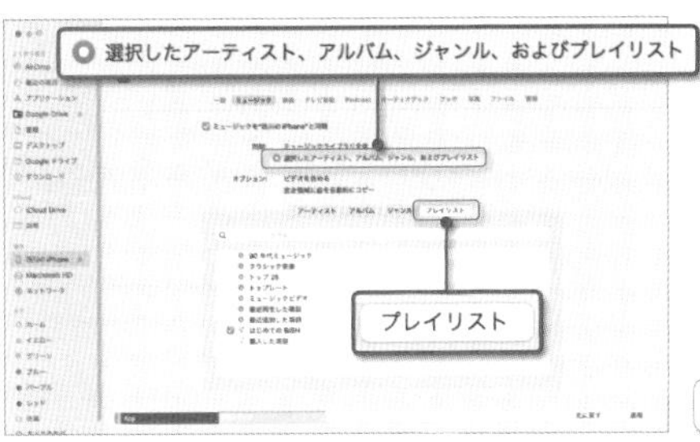

一部の曲やアルバムだけ同期したい時は、専用のプレイリストを作成しておくと便利。「選択した」〜にチェックして「プレイリスト」画面を開き、同期用のプレイリストにチェックしよう。

4 ドラッグ&ドロップで 曲を転送する

上部メニューで「一般」タブを開き、「ミュージック、映画、テレビ番組を手動で管理」にチェックしておくと、ミュージックアプリを使って、iPhoneにドラッグ&ドロップで曲を転送できる。

iTunes Matchを利用する

ライブラリの同期機能 のみ利用できるサービス

手持ちの曲をクラウドに保存して同期できる「iCloudミュージックライブラリ」の機能が必要なだけで、Apple Musicの定額聴き放題のサービスは不要なら、「iTunes Match」というサービスも用意されており、年額3,980円で利用できる。Apple Musicと違って、クラウド上で管理する曲がDRM（デジタル著作権管理）で保護されないので、サービスを解約したあとでもiPhoneやiPadにダウンロード済みの曲はそのまま残り再生できる点がメリットだ。

1 ミュージックで iTuensストアを開く

iTunes Matchに登録するには、ミュージックアプリを起動して、サイドバーの「iTunes Store」をクリック。一番下の「特集」メニューにある「iTunes Match」をクリックしよう。

2 このコンピュータを 追加する

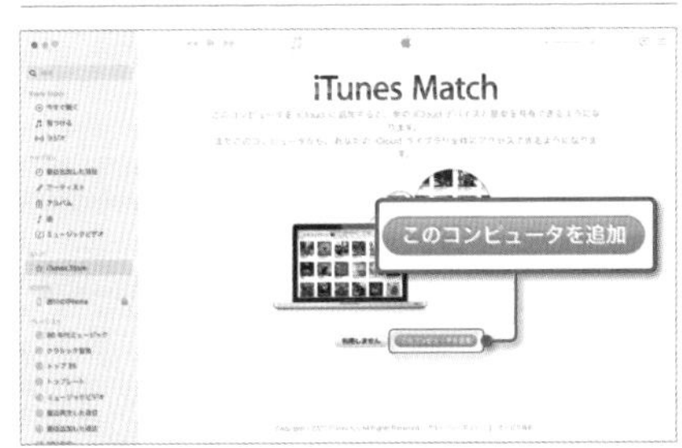

「年間サブスクリプション料¥3,980」をクリックして購入処理を済ませる。購入が済んだらもう一度同じ画面を開いて「このコンピュータを追加」をクリックし、ライブラリをアップロードしておこう。

POINT

各種音楽ファイルを 同期するには

保存しているMP3ファイルや、Bandcampなどで購入した曲ファイルをミュージックアプリに読み込むには、Finderからミュージックアプリの「ライブラリ」欄に曲ファイルをドロップすればよい。「ミュージック」フォルダにコピーが保存されて、ミュージックアプリのライブラリに登録される。元のファイルは現在の場所に残ったままになる。

どのデバイスからも同じ写真やビデオを楽しめる

MacBookとiPhoneやiPadで写真を同期する

「iCloud写真」を有効にすることで、iPhoneやiPadで撮影した写真はすべてiCloud上に保存され、MacBookからもすぐに表示して楽しめるようになる。iCloud写真を使わずに、写真を同期したり転送する方法もあわせて紹介する。

iCloud写真を有効にして写真を同期する

iPhoneやiPadの写真と同期するもっとも手軽な方法

iPhoneやiPadで撮影した写真やビデオをMacBookと同期しておけば、MacBookの写真アプリでも同じ写真を楽しめる。逆にMacBook上で写真アプリに取り込んだ写真をiPhoneやiPadで見ることもできる。この写真の同期を最も手軽に実現できる機能が「iCloud写真」だ。それぞれのデバイスで機能を有効にしておけば、撮影した写真や取り込んだ写真はすべてiCloud上に自動アップロードされるようになり、各デバイスはいつでもiCloud上のすべての写真を表示できるようになる。どのデバイスから見ても常に同じ状態で表示されるように「同期」する機能なので、iPhoneで写真を削除するとMacBookのライブラリからも写真が消えるし、MacBookで編集を加えた写真はiPhoneでも編集された状態で表示される。なお、写真やビデオを保存するのにiCloudの容量を消費するので、頻繁に写真やビデオを撮影するユーザーにとっては、iCloud容量の追加購入が前提となるサービスという点には注意しよう。iPhoneやiPadの写真を手動で同期したり、MacBookへ写真を転送したい場合の方法も、次ページで解説する。

iCloud経由で写真アプリのライブラリが同じ状態になる。撮影したり保存した写真をiCloudに自動保存する機能なので、MacBookでiPhoneの写真を見ないなら、iPhoneだけ機能を有効にしてiCloud上へのバックアップとして使うこともできる

iCloud写真を有効にする

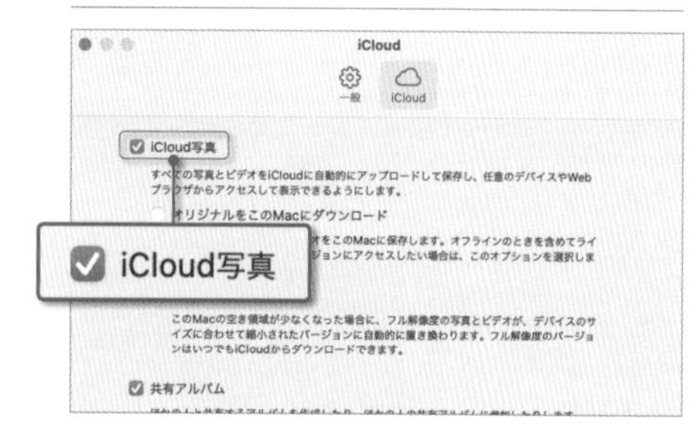

MacBookは写真アプリのメニューバーから「写真」→「環境設定」で「iCloud」タブを開き、「iCloud写真」にチェック。iPhoneやiPadは「設定」→「写真」→「iCloud写真」をオンにすると機能が有効になる。

iCloudの容量を追加購入する

月額130円で50GB追加などのプランから選択できる

iCloud写真を有効にすると、無料で使える5GBでは容量が足りない場合が多い。Appleメニューの「システム環境設定」→「Apple ID」→「iCloud」で右下の「管理」をクリックし、「さらにストレージを購入」をクリックして容量を追加しておこう。

POINT

iCloudの容量が足りないならマイフォトストリーム

iCloudの容量が足りないがiPhoneの写真をMacBookと同期したい時は、iCloudの容量を使わずに写真を同期できる「マイフォトストリーム」を利用しよう。ただし保存期間は30日まで、最大1,000枚まで、ビデオのアップロードもされないといった制限がある。また、最近作成されたApple IDでは、残念ながらマイフォトストリームが使えなくなっている。

MacBookではメニューバーの「写真」→「環境設定」→「iCloud」タブで「マイフォトストリーム」にチェック。iPhoneやiPadでは「設定」→「写真」→「マイフォトストリーム」をオン。ただし最近作成されたApple IDでは、マイフォトストリームの項目が表示されず利用できない

iCloud写真の動作を確認する

1 iPhoneで撮影した写真はすぐにMacBookに表示される

2 MacBookのストレージ容量を節約する

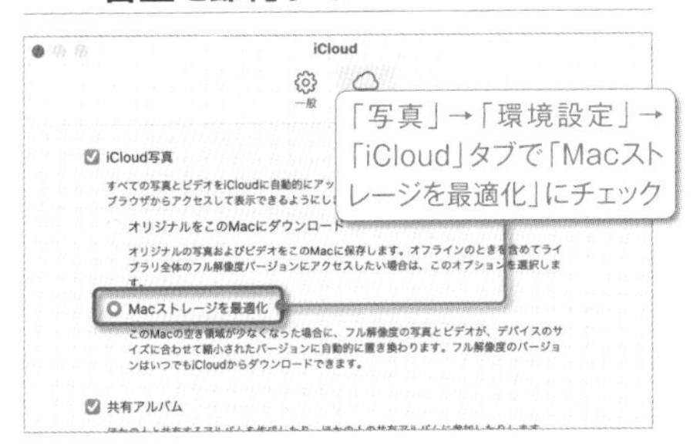

MacBookの空き容量が足りない時は、設定で「Macのストレージを最適化」に変更しよう。空き容量が少なくなると、MacBook内の写真が縮小版に置き換わり、フル解像度のオリジナル写真はiCloud上に残るようになる。

3 それぞれのデバイスで写真を削除した時の動作

iCloud写真を有効にしたデバイスで写真を削除すると、すべてのデバイスから写真が削除されるので要注意。誤って消しても、30日以内なら「最近削除した項目」から探して復元できる。

4 それぞれのデバイスで写真を編集した時の動作

MacBookやiPhoneで写真に編集を加えると、同期しているすべてのデバイスで編集結果が反映される。なお、オリジナル写真はiCloudに残っているので、いつでも元の状態に戻すことが可能だ。

5 写真アプリ外にコピーしてバックアップ

iCloudの容量がどうしても足りない時は、古い写真をMacBookへコピーし、iCloud上から削除してしまおう。iPhoneなど他のデバイスから古い写真が見えなくなるが、MacBook内には残しておける。

iCloudを使わず写真を同期する

1 MacBookとiPhoneやiPadを接続する

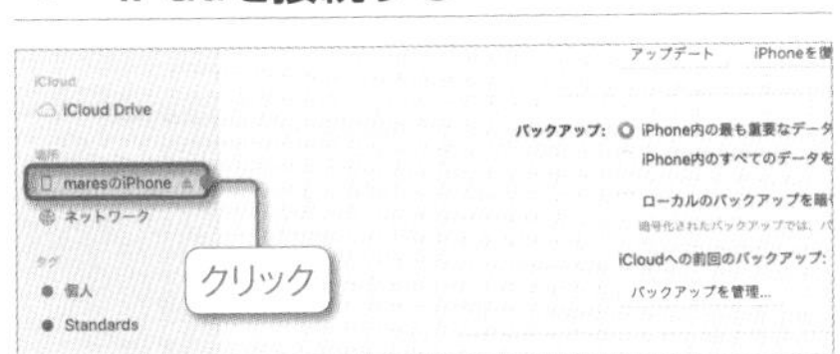

iCloud写真がオフの時は、Finderを使って写真を手動で同期できる。まずMacBookとiPhoneやiPadをUSBケーブルまたはWi-Fiで接続し、Finderのサイドバーからデバイス名をクリックしよう。

2 デバイスとの写真の共有元で写真を選択

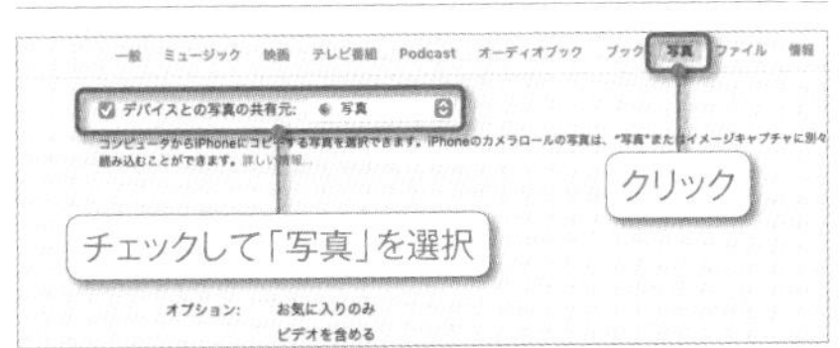

iPhone（iPad）の管理画面が開くので、上部メニューの「写真」を開く。iCloud写真が有効だとこの画面は操作できない。続けて「デバイスとの写真の共有元」にチェックし、「写真」を選択。

3 すべての写真または指定したアルバムを同期する

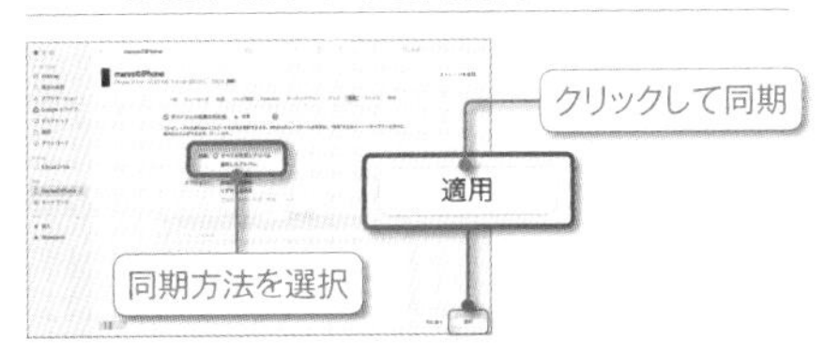

すべて同期するなら「すべての写真とアルバム」を選択。「選択したアルバム」を選ぶと、下部のリストで選択したアルバムや人の写真のみ同期することも可能だ。あとは「適用」をクリックで同期できる。

POINT

同期せずにiPhoneやiPadを接続して写真を取り込む

同期するのではなく、接続したiPhoneやiPadから、必要な写真だけ選んで取り込むことも可能だ。USBケーブルで接続すると、写真アプリのサイドバーにデバイス名が表示されるので、これをクリック。MacBookにない写真やビデオが一覧表示されるので、必要なものにチェックして、右上の「選択項目を読み込む」をクリックしよう。「すべての新しい項目を読み込む」でまとめて追加することもできる。

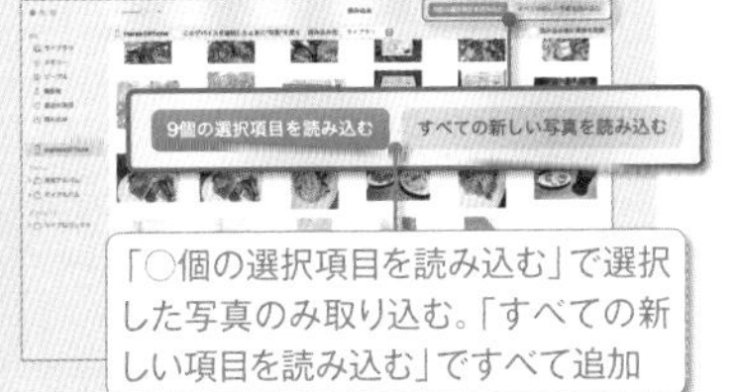

iPadを2台目のディスプレイとして使える

SidecarでiPadをサブディスプレイやペンタブレットとして利用する

iPadを持っているなら、ぜひ利用したい機能が「Sidecar」だ。iPadの画面をMacBookの2台目のディスプレイとして使えるので、単純に作業スペースが広がるし、MacBookのアプリをiPadのApple Pencilで操作できるようにもなる。

MacBookの画面とiPadの画面を連携させせよう

デュアルディスプレイ環境を簡単に構築できる

iPadを、MacBookcの2台目のディスプレイと活用できる便利な機能が「Sidecar」だ。この機能を利用するにはいくつか条件があって、まずMacBookとiPadの両方が、Sidecarに対応した機種であることが必要だ。また双方のデバイスを連携するのに、USBケーブルを使わずワイヤレスで接続する場合は、同じApple IDでサインインしており、Bluetooth、Wi-Fi、Handoffが有効になっている必要がある。これらの条件さえ整っていれば、MacBookの画面の延長先にiPadの画面があるように使うこともできるし、MacBookと同じ画面をiPadに表示させることもできる。Sidecarで接続中はiPadの画面をタッチ操作できないが、Apple Pencilの操作には対応しているので、特にイラストを描く時などはiPadをペンタブレットとして使えて便利だ。なお、有線接続する場合は、USBケーブルで接続し、iPadで「このコンピュータを信頼しますか?」と表示されたら「信頼」をタップすればよい。

表示方法❶ 個別のディスプレイとして使用

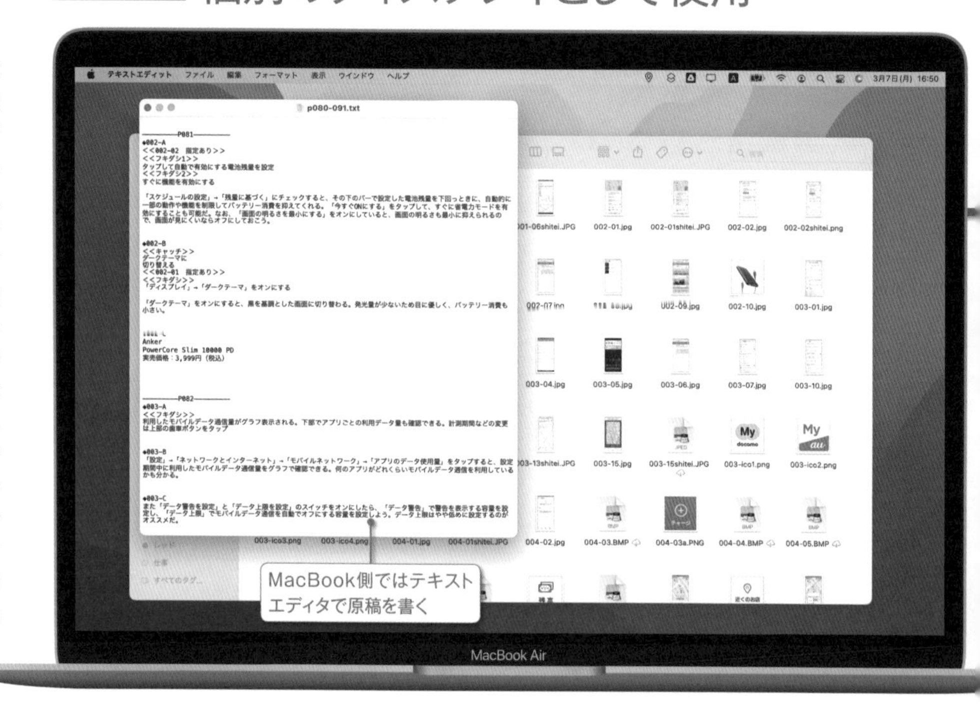

MacBook側ではテキストエディタで原稿を書く

2つのディスプレイ表示方法の違い

表示方法❶ 個別のディスプレイ……別々の内容を表示

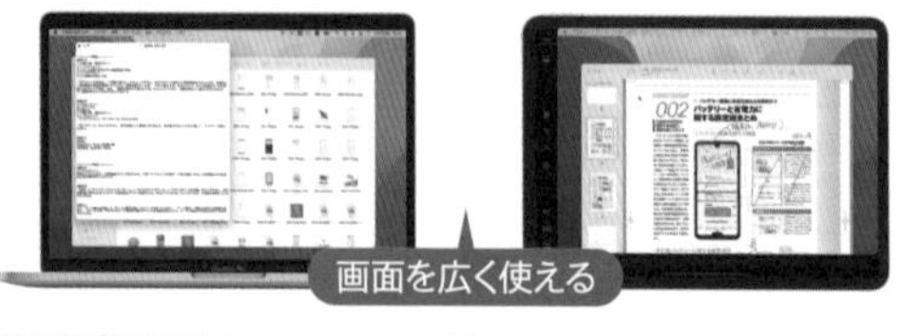

画面を広く使える

iPadの画面をMacBookの画面の延長として使うモード。余分なウインドウをiPad側に置いて画面を広く使えるほか、MacBookにはアプリのメイン画面だけ配置してツールやパレットをiPad側に配置したり、ファイルを2つ開いて見比べながら作業したい時にも便利。

表示方法❷ ミラーリング……同じ内容を表示

ペンタブレット化できる

MacBookと同じ画面をiPadにも表示するモード。プレゼンで相手に同じ画面を見せたい時などに役立つほか、iPadをペンタブレット化できる点も便利。MacBookでイラストアプリを起動すれば、iPad側ではApple Pencilを使ってイラストを描ける。

Sidecarの利用条件

●macOS Catalina以降をインストールしたMacBook

●iPadOS 13以降およびApple Pencil(第1世代、第2世代どちらも対応)に対応したiPad

●両方のデバイスで同じApple IDでサインイン

●ワイヤレスで接続する場合は、10メートル以内に近づけ、両デバイスでBluetooth、Wi-Fi、Handoffを有効にする。また、iPadはインターネット共有を無効にする

●有線で使う場合は、両デバイスともBluetooth、Wi-Fi、Handoffがオフでもよい。iPadでインターネット共有中でも利用できるが、その場合iPadのWi-FiとBluetoothはオンにする必要がある

個別のディスプレイとして接続する操作手順

1 コントロールセンターのディスプレイから接続

メニューバーからコントロールセンターを開いて「ディスプレイ」をクリックすると、「接続先:」欄に接続可能なiPad名が表示される。これをクリックするとSidecarで接続できる。

2 個別のディスプレイを選択する

iPadをMacBookのサブディスプレイとして使う場合は、「個別のディスプレイとして使用」を選択。するとiPadの画面にMacBookの壁紙が表示され、拡張ディスプレイとして利用可能になる。

3 Sidecarの接続を解除する

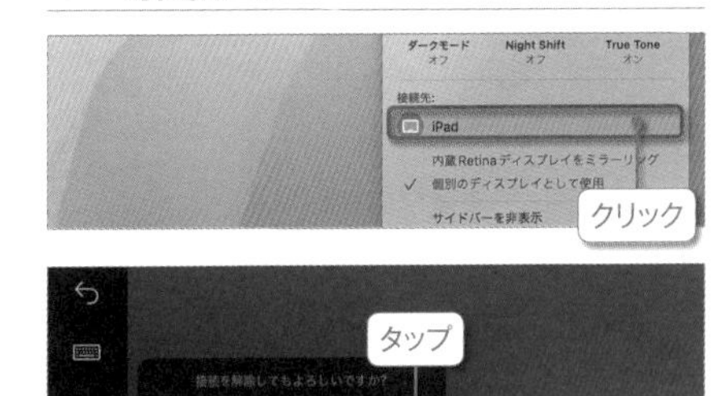

MacBook側で「接続先:」欄のiPad名をもう一度クリックするか、iPad側のサイドバーにある接続解除ボタンをタップして「接続解除」をタップすると、Sidecarの接続を解除できる。

ディスプレイの位置関係を変更する

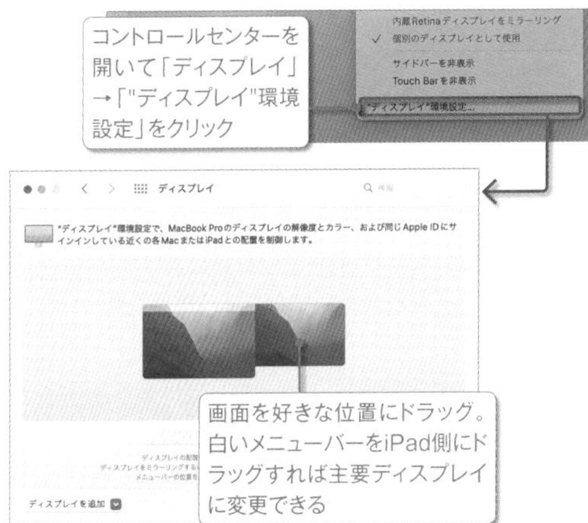

初期配置ではMacBookの画面の右端がiPadの画面の左端とつながるが、この位置関係は変更できる。主要ディスプレイをMacBookとiPadのどちらにするかも変更可能だ。

ウインドウを移動させる方法

1 ウインドウをドラッグして移動する

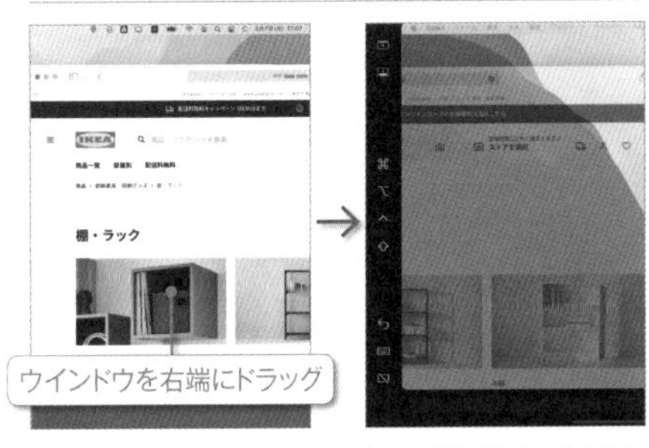

MacBookの画面でウインドウを右端にドラッグすると、iPadの画面の左端にウインドウが表示される。ポインタがiPad側に移動した時点でウインドウも移動する。

2 フルスクリーンボタンで移動する

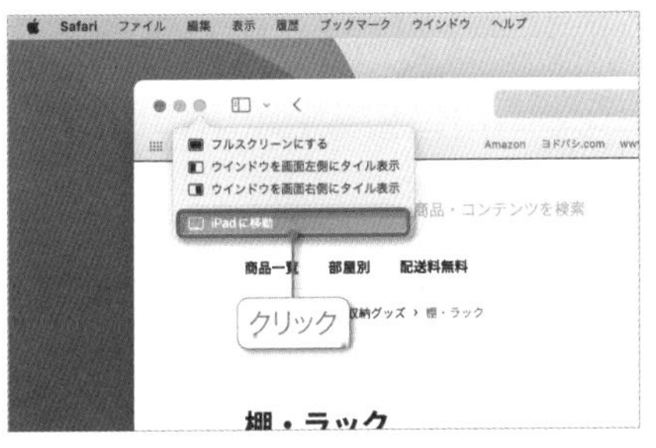

ウインドウのフルスクリーンボタンの上にポインタを置くとメニューが表示され、「iPadに移動」で素早くiPad側に移動できる。iPad側では「ウインドウをMacに戻す」でMacBook側に戻せる。

3 iPad側の画面で新しいウインドウを開く

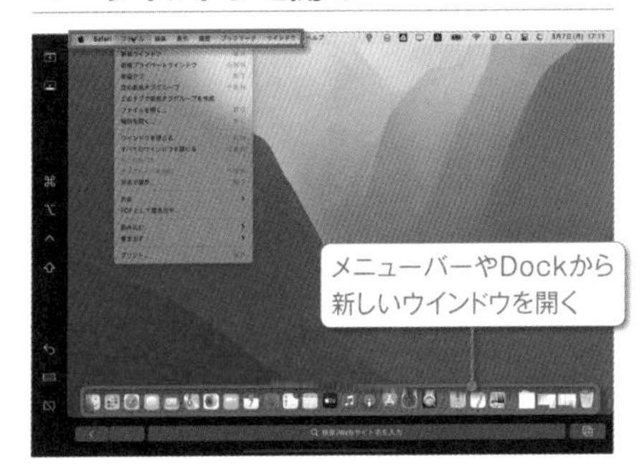

iPad側の画面にもメニューバーやDockは表示できる。MacBook側でウインドウを開いて移動しなくても、iPad側の操作で新しいウインドウを開くことが可能だ。

表示方法❷ 内蔵Retinaディスプレイをミラーリング

MacBookとiPadをミラーリングする手順

1 コントロールセンターのディスプレイから接続

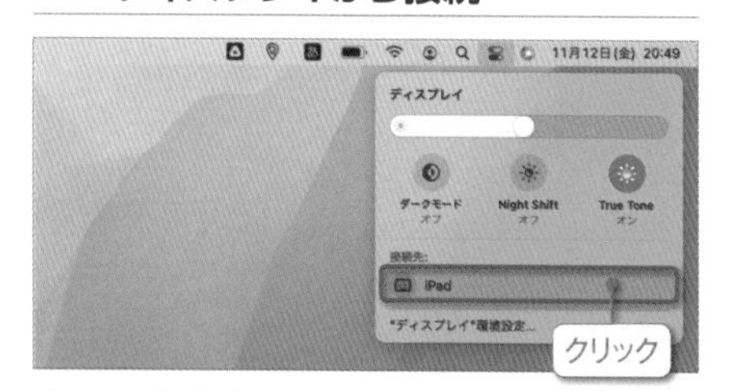

メニューバーからコントロールセンターを開いて「ディスプレイ」をクリックすると、「接続先:」欄に接続可能なiPad名が表示される。これをクリックするとSidecarで接続できる。

2 ミラーリングを選択する

MacBookとiPadの画面をミラーリングして使う場合は、「内蔵Retinaディスプレイをミラーリング」を選択。MacBookとiPadで同じ画面が表示されるようになり、ポインタの操作も連動する。

3 Sidecarの接続を解除する

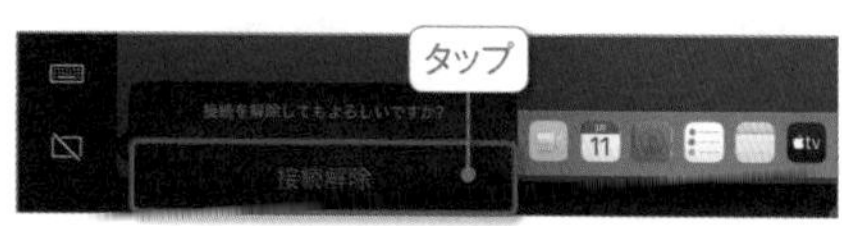

MacBook側で「接続先:」欄のiPad名をもう一度クリックするか、iPad側のサイドバーにある接続解除ボタンをタップして「接続解除」をタップすると、Sidecarの接続を解除できる。

Sidecarを利用する際の注意点

1 Apple Pencilを使うなら解像度をiPadに合わせせる

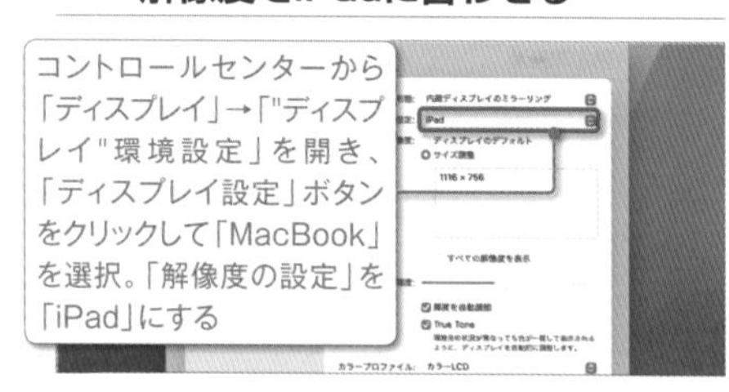

ミラーリング時の解像度がMacBook側に合っていると、iPadでApple Pencilを使う際に、ペン先とポインタの位置がずれることがある。「"ディスプレイ"環境設定」で解像度をiPad側に合わせせると直る。

2 Apple Pencilのペアリングが解除される

Sidecarで接続した際に、Apple Pencilのペアリングがすぐ解除されるようなら、一度iPadを再起動してみよう。Apple Pencilを再度ペアリングし直せば、解消することが多い。

3 Sidecarを使わずPDFに手書きする方法

PDFに手書きしたいだけなら、いちいちSidecarで接続する必要はない。P133で解説している「連係マークアップ機能」を使えば、クイックルック画面から素早くiPadと連携してApple Pencilで編集できる。

POINT

個別ディスプレイで手書きするのも便利

Sidecarをミラーリングで利用すると、メニューの選択やテキスト入力といった操作をMacBook側で行い、イラストの描画やPDFの書き込みといった手書き操作はApple Pencilが使えるiPad側で行うなど、MacBookとiPadで同じ画面を見ながら操作の使い分けができる点が便利だ。ただ、P128の「個別のディスプレイとして使用」に切り替えたほうが使いやすい場合もある。例えばMacBookで起動したイラストアプリを全部iPad側に移動して、MacBook側に表示した資料を見ながら、iPad&Apple Pencilでイラストを描くといった使い方だ。利用シーンに合わせて、Sidecarの接続方法も切り替えよう。

Sidecarのさまざまな機能を利用する

1 iPadの画面にメニューバーを表示

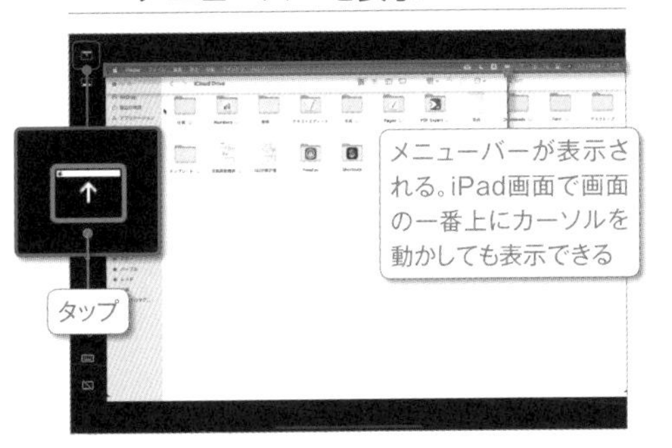

iPadでウインドウをフルスクリーン表示している時は、サイドバー(iPad画面左側のメニュー)の左上ボタンでメニューバーの表示/非表示を切り替えできる。サイドバーのボタンは指でタップできる。

2 iPadの画面にDockを表示する

メニューバー表示ボタンの下のボタンをタップすると、iPadの画面にDockが表示され、MacBookの画面からはDockの表示が消える(個別のディスプレイの場合)。もう一度タップで元に戻る。

3 iPadで装飾キーを利用する

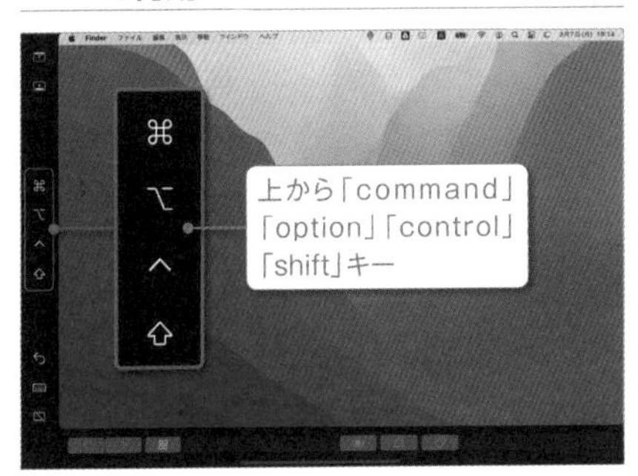

サイドバーには「command」や「option」などの装飾キーも用意されている。これらのキーはロングタップして利用できるほか、ダブルタップするとキーがロックされる。

4 サイドバーのその他のボタン

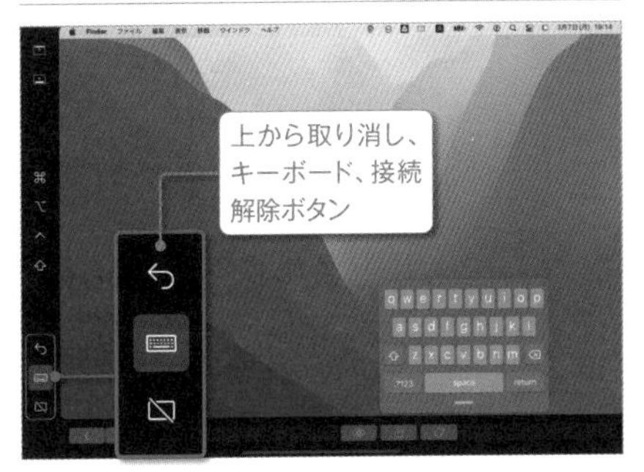

サイドバーの左下にある3つのボタンで、直前の操作の取り消しや、キーボードの表示/非表示切り替え、Sidecarの接続解除を行える。

5 iPadでTouch Barを使う

Sidecarで接続すると、MacBookにTouch Barが搭載されていなくても、iPadの画面にTouch Barが表示される。MacBookのTouch Barと同じように機能し、アプリごとにさまざまなメニューを操作できる。

6 サイドバーやTouch Barを隠す

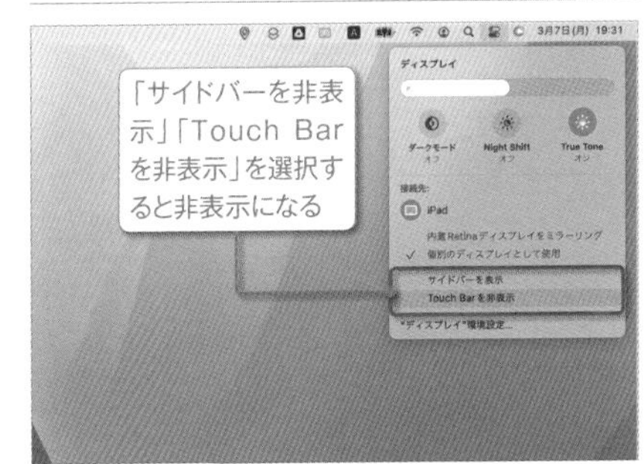

サイドバーやTouch BarがあるとiPadの作業領域が少し狭くなる。使わないなら非表示にしておこう。コントロールセンターの「ディスプレイ」で、サイドバーとTouch Barの表示/非表示を切り替えできる。

7 Apple Pencilでタッチ操作する

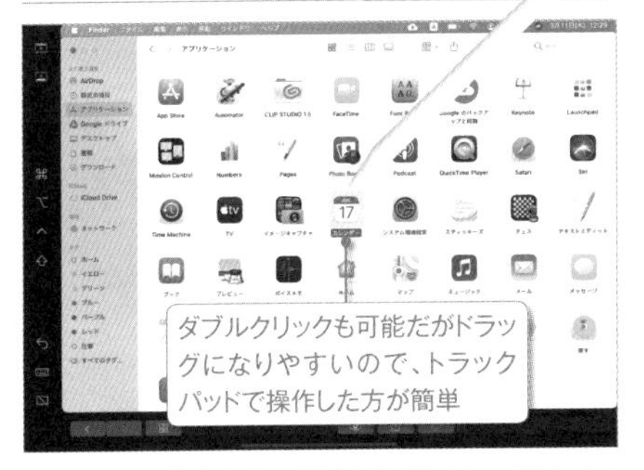

Sidecarを利用中はiPadの画面を指でタッチ操作できないが、Apple Pencilを使えばポインタの移動やクリックなどをタッチ操作で行える。またイラストを描いたり手書き文字を入力することも可能だ。

8 Sidecar利用中にiPadアプリを使う

Sidecarを利用中でも、ホーム画面に戻ればiPadのアプリを利用することが可能だ。Dockに表示されるSidecarのアイコンをタップすると、Sidecarの画面に戻る。

iPadの画面で使えるジェスチャー

iPad画面ではサイドバーやTouchバー以外の画面を指でタッチ操作できないが、iPadのジェスチャーは利用できる。利用可能なジェスチャーは下記の通り。

スクロール	2本指でスワイプ
コピー	3本指でピンチイン
カット	3本指で2回ピンチイン
ペースト	3本指でピンチアウト
取り消す	3本指で左にスワイプするか、3本指でダブルタップ
やり直す	3本指で右にスワイプ

POINT

iPadスタンドの利用がおすすめ

iPadをサブディスプレイとして使う場合、iPadの画面と見比べながらMacBookで作業をすることになるので、iPadの画面が自立していないと使いづらい。iPadのサイズに対応したタブレットスタンドを別途用意して、iPadの画面を見やすい環境を整えておこう。

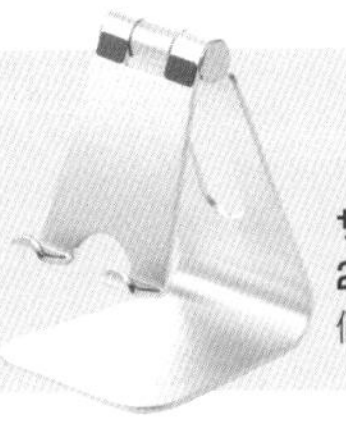

サンワダイレクト
200-STN035
価格/2,000円

まだまだある!

便利すぎるMacBook × iPhone/iPad連携技

はじめにチェック

MacBookとiPhoneやiPadを連携させる機能の多くは、事前に設定が必要だ。それぞれのデバイスで同じApple IDを使ってサインインし、Bluetooth、Wi-Fi、Handoff(P123で解説)をオンにしておこう。

MacBookとiPhoneやiPadの組み合わせでより便利に使えるようになる連携技は、まだまだある。ここでは、その他の連携技をまとめて紹介していこう。

MacBookのキーボードやトラックパッドでiPadの画面を操作する

ユニバーサルコントロールでポインタを行き来させる

原稿執筆時点ではまだ正式に搭載されていないが、MacBookの近くにiPadを置けば、ひとつのキーボードやマウス、トラックパッドで、MacBookの画面とiPadの画面をシームレスに行き来して操作できる、「ユニバーサルコントロール」という機能を利用できる。MacBookのマウスポインタを画面端まで移動すると、自動的にiPadの画面にポインタが現れて操作できる仕組み。2つのデバイス間でファイルをドラッグ&ドロップしてやり取りできるほか、MacBookとiPadの横にiMacなどを並べて3つのデバイス間でポインタを移動させることも可能だ。「Sidecar」(P128で解説)は、iPadをMacBookの画面の延長として使ったり同じ画面を表示させるための機能だが、ユニバーサルコントロールは、iPadの画面をそのままMacBookから操作できる点が異なる。MacBookの対応モデルは、macOS 12.3以上を搭載したMacBook Pro(2016以降)、MacBook(2016以降)、MacBook Air(2018以降)。iPadの対応モデルは、iPadOS 15.4以上を搭載したiPad Pro、iPad Air(第3世代以降)、iPad(第6世代以降)、iPad mini(第5世代以降)。

キーボードやマウスを複数デバイスで共用

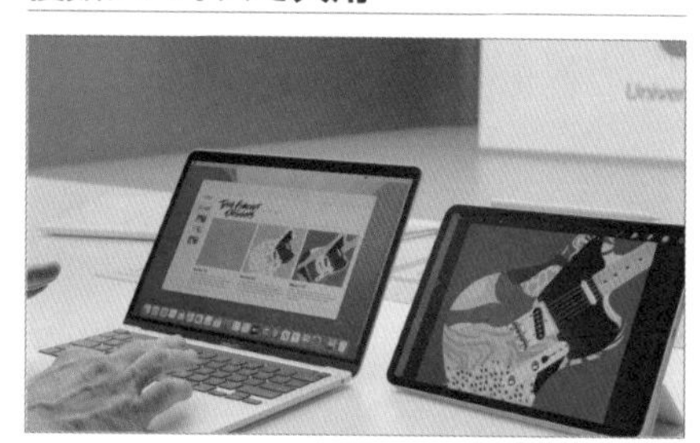

ユニバーサルコントロールに対応するMacBookとiPadを隣に並べて置けば、ひとつのキーボードやマウス、トラックパッドで両方の画面を操作できる。

iPhoneやiPadのカメラを利用して写真を取り込む

連係カメラで写真を瞬時に転送する

macOSには、iPhoneやiPadで撮影した写真をすぐに取り込める、「連係カメラ」機能が搭載されている。AirDropやiCloud写真などの機能を使って転送するより早いので覚えておこう。対応アプリは、Finder、メモ、メール、メッセージ、テキストエディット、Pages、Numbers、Keynote。これらのアプリの右クリックメニューから、「iPhoneまたはiPadから読み込む」を選択し、写真を撮影するデバイスを選んで「写真を撮る」か「書類をスキャン」をクリックすると、iPhoneやiPad側でカメラアプリが起動する。あとはカメラアプリで写真を撮影すれば、すぐにMacBookに転送されて、フォルダに保存したりメールに添付できる仕組みだ。なお「書類をスキャン」の場合は、カメラを書類に向けてしばらく待てば、書類の範囲を自動で取り込んでくれる。または、シャッターをタップして手動で撮影し、四隅をドラッグして書類の範囲を調整してから「スキャンを保持」をタップしてもよい。スキャンした書類はPDF形式で添付される。

撮影した写真をFinderに保存する

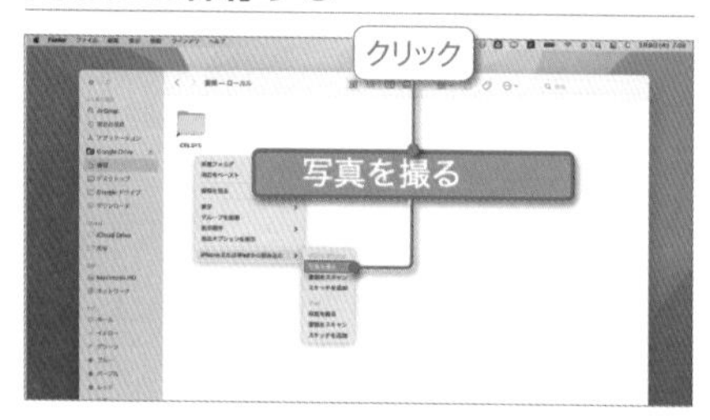

FinderでiPhoneやiPadで撮影した写真を取り込むには、右クリックメニューから「iPhoneまたはiPadから読み込む」→「写真を撮る」を選択する。

書類をスキャンしてメールに添付

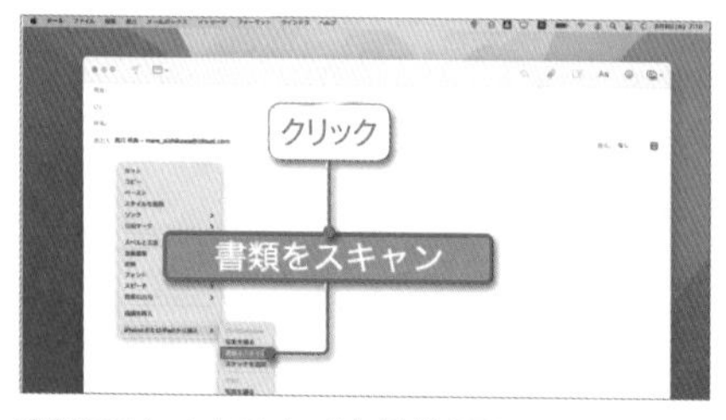

書類をスキャンしてメールに添付するには、メールアプリの右クリックメニューから「iPhoneまたはiPadから読み込む」→「書類をスキャン」を選択。

iPhoneではカメラが起動する

シャッターをタップして撮影すると、Finderで開いたフォルダやメールの作成画面に写真が挿入される。

MacBookとiPhoneやiPadをまたいでコピペを行う

ユニバーサルクリップボードを利用しよう

Appleデバイス同士では、「ユニバーサルクリップボード」機能でクリップボードを共有できる事を知っておくと、さまざまな作業が劇的にはかどるはずだ。例えばMacBookで長文を仕上げてコピーすれば、iPhone側でメールやLINEなどに貼り付けてすぐに送信できる。テキストだけでなく、画像やビデオのコピーも可能だ（ファイルを選択して「command」+「C」でコピー）。

1 MacBookで作成したテキストをコピー

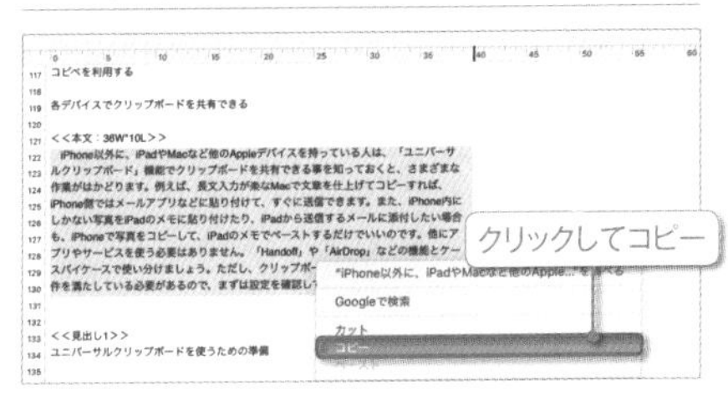

iPhoneで送りたいメールが長文ならMacBookで入力した方が早い。作成したテキストをコピーしよう。

2 iPhoneのメール画面でペースト

iPadを使ってすぐにPDFに指示を書き込む

連係マークアップで注釈を反映させる

PDFを選択してスペースキーを押すと、クイックルックでPDFの内容が表示される。この画面で上部のマークアップボタンをクリックすると、すぐにiPadの画面にもPDFの内容が表示され、Apple Pencilで細かい注釈を書き込める。iPadに表示されない時は、マークアップ画面のツールバーにあるマークアップボタンをもう一度クリックし、iPad名を選択しよう。

1 クイックルックでPDFを表示する

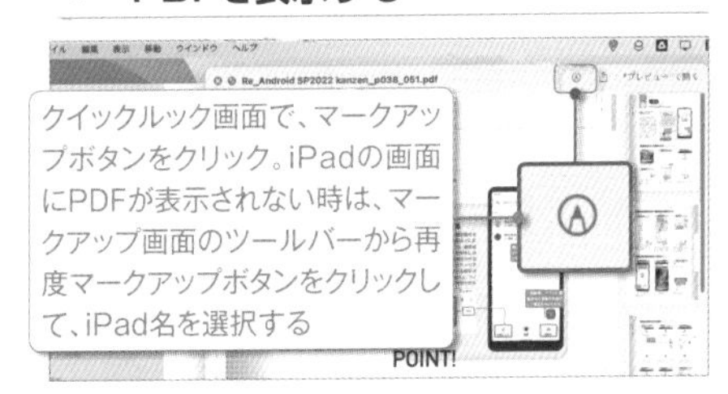

PDFを選択してスペースキーを押し、クイックルックで表示。続けてマークアップボタンをクリック。

2 iPadでPDFに指示を書き込む

iPhone経由で電話を発着信

iPhoneの回線を通して電話の発着信が可能

MacBookでの作業中にiPhoneに電話がかかってきても、iPhoneをカバンから取り出して手に取る必要はない。MacBookの画面にも着信通知が表示され、そのまま応答して通話ができるのだ。また、MacBookからiPhoneを経由して電話を発信することもできる。これはiPhoneの回線を通しての通話なので、FaceTime通話と違って、相手がAndroidスマートフォンや固定電話でも問題なく発着信が可能だ。通話中にキーパッドを操作したり、ミュートにすることもできる。ただしこの機能を使っていると、iPhoneに電話がかかってくる度に、MacBookでも毎回着信音が鳴ってしまう。機能が不要であれば、MacBookとiPhoneのどちらかの設定をオフにしておこう。片方の機能がオフになっていれば、MacBookでiPhoneの電話が着信しなくなる。

1 MacBook側で必要な設定

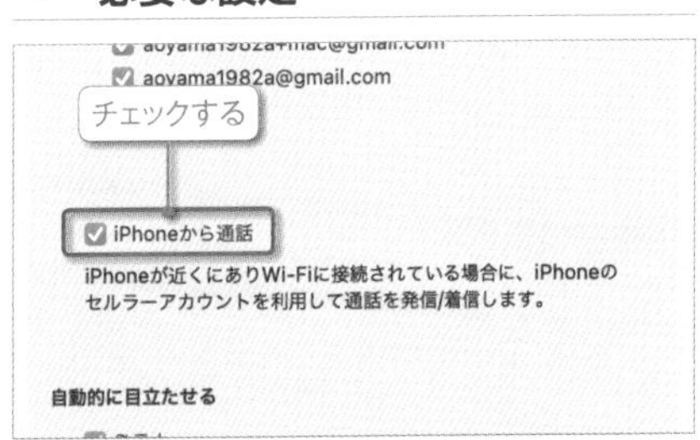

MacBookでは「FaceTime」アプリを起動。メニューバーの「FaceTime」→「環境設定」→「設定」タブを開いたら、「iPhoneから通話」にチェックしておく。

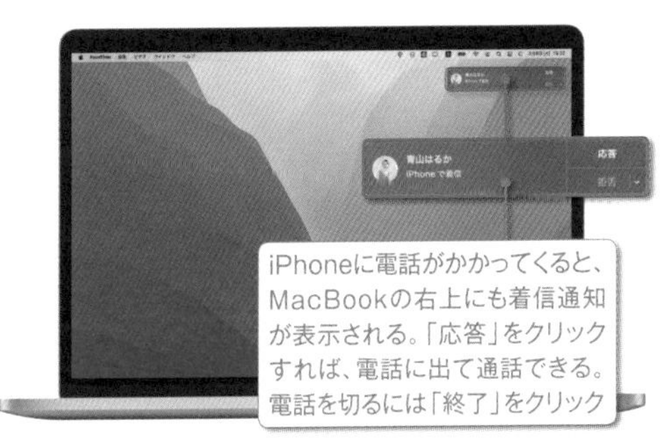

2 iPhone側で必要な設定

iPhoneでは「設定」→「電話」→「ほかのデバイスでの通話」をオンにし、iPhoneを経由して電話を発着信したいMacBook名のスイッチをオンにしておく。

MacBookから電話をかける

MacBookからはFaceTimeアプリで発信する。「新しいFaceTime」で電話番号を入力し、Returnキーを押してから、下矢印 をクリックして電話をかける電話番号を選択しよう。

iPhoneのSMSをMacBookで送受信

Androidスマートフォンともで SMSでやり取りできる

MacBookのメッセージは、基本的にiMessageを利用するためのアプリで、やり取りできる相手はiMessageを有効にしたiPhoneやiPad、Macに限られる。ただしiPhoneを持っており連携を有効にしていれば、iPhoneを経由して、AndroidスマートフォンにSMSやMMSでメッセージを送ることもできる。iPhoneの「設定」→「メッセージ」で「SMS/MMS転送」をタップし、MacBookのスイッチをオンにしておこう。MacBookでメッセージを起動して認証コードが表示される場合は、iPhone側でコードを入力して認証を済ませれば、MacBookでもiPhoneを通してSMSやMMSの送受信が可能になる。なお、メッセージのやり取りをMacBookとiPhoneで同期させるには、iPhoneのiCloud設定で「メッセージ」をオンにし、MacBookのメッセージの環境設定で「"iCloudにメッセージを保管"を有効にする」にチェックしておく必要がある。

1 iPhoneでSMSやMMSの転送を許可

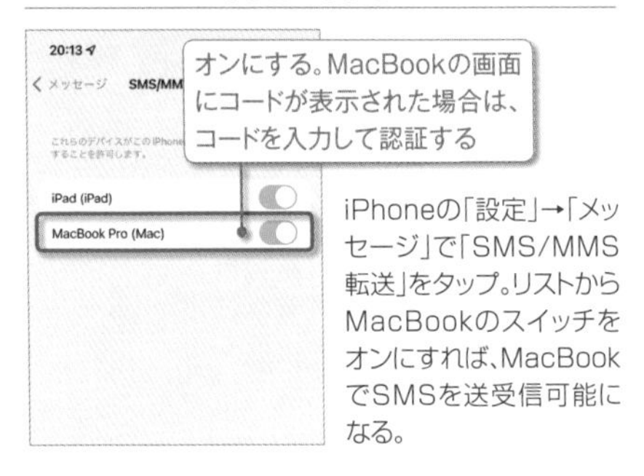

iPhoneの「設定」→「メッセージ」で「SMS/MMS転送」をタップ。リストからMacBookのスイッチをオンにすれば、MacBookでSMSを送受信可能になる。

2 MacBookでメッセージを同期

MacBookでは、メッセージの「環境設定」→「iMessage」タブで「"iCloudにメッセージを保管"を有効にする」にチェックしておくと、メッセージが同期される。

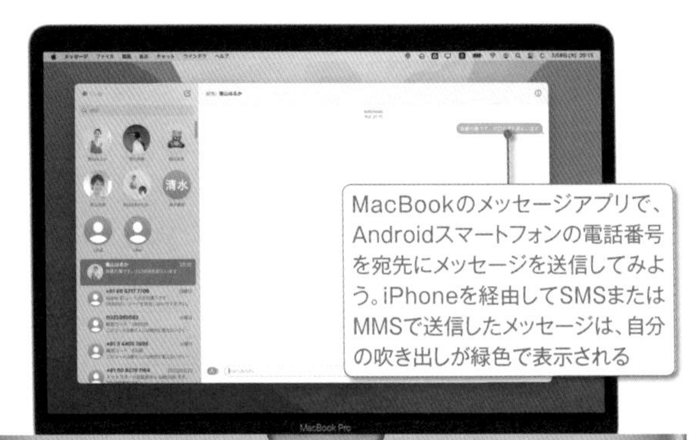

AndroidからのSMSもMacBookで確認できる

AndroidスマートフォンからSMSで届くメッセージも、このようにMacBookのメッセージアプリで受信して表示される。

AirDropでファイルや情報を素早く共有する

共有ボタンやFinderから手軽に送受信できる

「AirDrop」機能を使えば、近くのiPhoneやiPad、Macと手軽に写真や連絡先、各種ファイルを送受信できる。MacBookからAirDropで情報を相手に送る方法としては、アプリの共有ボタンやFinderの右クリックメニューで「共有」を選んで送る方法と、Finderのサイドバーにある「AirDrop」画面から送る方法の、2通りがある。今見ているWebサイトの記事を伝えたいときや、連絡先情報を送りたい時などは、それぞれのアプリの共有ボタンで操作しよう。複数の写真やファイルをまとめて送りたい時は、ドラッグ&ドロップで手軽に送信できる、Finderの「AirDrop」画面を使うのが便利だ。ファイルを選択して右クリック→「共有」→「AirDrop」を選択してもよい。なお、相手からAirDropでデータをもらうには、自分の方でも受け入れ体制が整っている必要がある。Finderの「AirDrop」画面の下部に「このMacを検出可能な相手」という項目があるのでクリックしよう。連絡先に登録していない人から貰うには「すべての人」を選択する必要がある。

1 共有ボタンからAirDropを使う

今見ているWebサイトを送りたい時などは、Safariの共有ボタンから「AirDrop」を選択。送り先の相手の名前をクリックすれば送信される。

2 Finderのサイドメニューから AirDropを使う

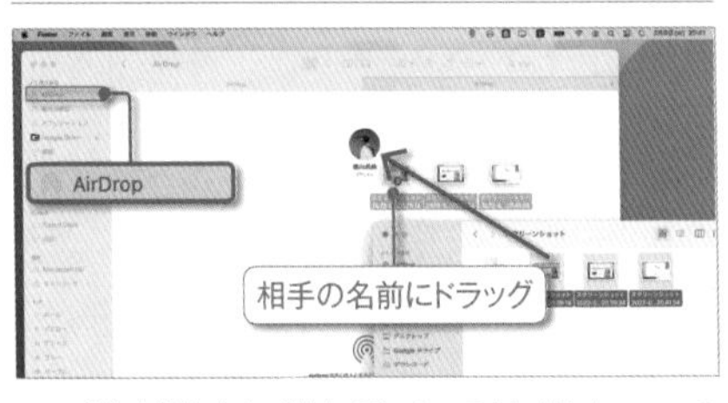

ファイルを送りたい時は、Finderのサイドメニューの「AirDrop」画面を利用しよう。送り先の相手の名前にファイルをドラッグすれば送信される。

3 AirDropで送られたファイルを受け取る

iPhoneやiPadからAirDropで送信されたファイルがあると、通知が表示される。「受け付ける」をクリックすると、「ダウンロード」フォルダに保存される。

4 相手のAirDropに表示されない場合の設定

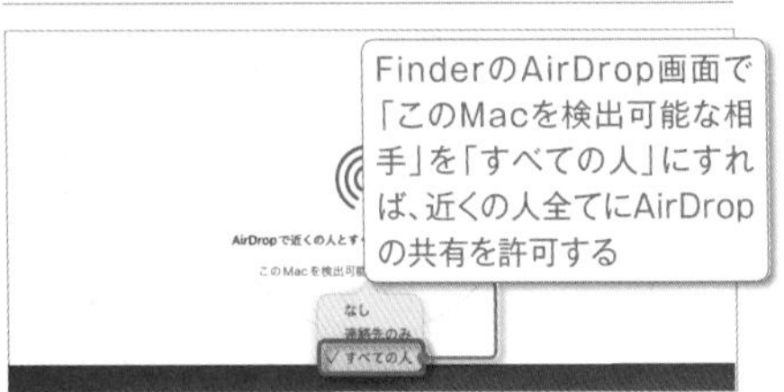

相手からAirDropでデータを貰う際に、自分のMacBookの名前が相手に表示されない時は、「このMacを検出可能な相手」を「すべての人」に変更しよう。

iPhoneやiPadで手書きメモを作成してMacBookに取り込む

連係スケッチでイラストを挿入

作成中のメモやメールにiPhoneやiPadで描いた手書きのイラストを追加したい、という時に便利なのが「連係スケッチ」機能だ。手順は「連係カメラ」と同じで、アプリの右クリックメニューから「iPhoneまたはiPadから読み込む」→「スケッチを追加」→「"○○"でスケッチを追加」をクリック。するとiPhoneやiPadでスケッチ作成画面が開く。

1 メモアプリにスケッチを追加

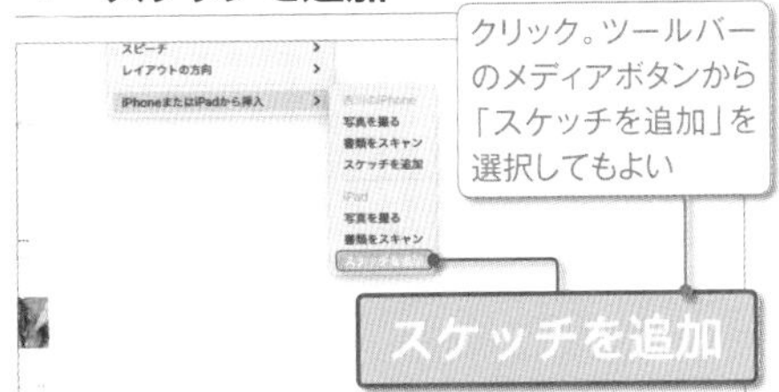

メモアプリの右クリックメニューから「iPhoneまたはiPadから読み込む」→「スケッチを追加」を選択。

2 iPhoneやiPadでスケッチを描いて挿入

iPhoneやiPadでスケッチウインドウが開き、指やApple Pencilでスケッチを描いたら、「完了」をタップ。MacBookのメモ内にスケッチが挿入される

iPhoneやiPadのアプリへファイルを転送する

ドラッグ&ドロップでコピーできる

iPhoneやiPadをMacBookと接続し、Finderのサイドバーでデバイス名を選択した際に表示される「ファイル」項目には、ファイル共有に対応したアプリが一覧表示される。アプリ名の横にある「>」ボタンでアプリ内のファイルを確認できるほか、ファイルをドロップすればこのアプリに転送できる。

1 iPhoneやiPadを接続しファイル項目を開く

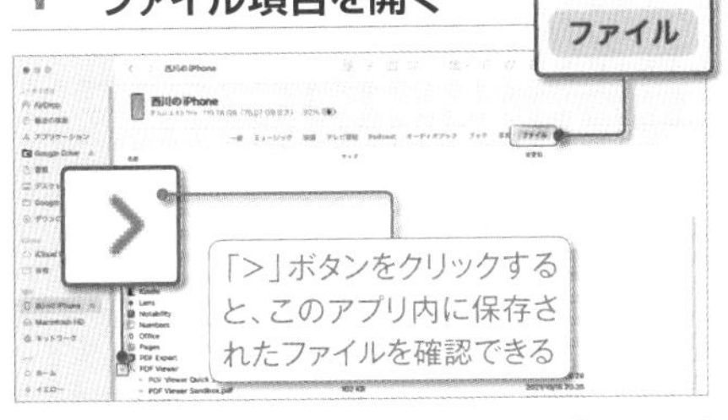

iPhoneやiPadを接続してFinderで表示し「ファイル」タブを開くと、共有に対応したアプリが表示される。

2 ファイルをドラッグして転送

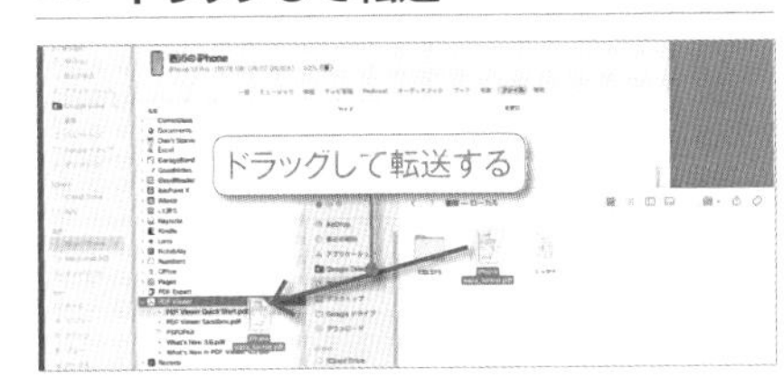

Finderに表示されたアプリ名にファイルをドラッグ&ドロップすると、iPhoneやiPadの該当アプリへコピーできる。逆にiPhoneやiPadからMacBookへコピーすることも可能。

iPhoneを使ってMacBookをロックする

MacBookから離れると自動でロックされる

ペアリングしたiPhoneとMacBookが一定以上の距離で離れるとMacBookを自動でロックし、近づくと自動でロックを解除してくれるアプリが「Near Lock」だ。まずはMacBookとiPhoneそれぞれでアプリのインストールを済ませ、画面の手順に従ってペアリングを設定しよう。あとはNear Lockのスイッチをオンにして機能を有効にしておけば、iPhoneを持ってMacBookのそばを離れると自動でロックされるし、近づくとパスワード入力やTouch ID認証の必要もなく自動でロックを解除してくれる。自動ロックまでの距離も任意で設定できる。なお、バックグラウンドでも動作させるには、490円のPro版の購入が必要だ。

Near Lock
作者／Filip Duvnjak
価格／無料
入手先／https://nearlock.me/

1 MacBook側のアプリで各種設定を行う

MacBookにNear Lockをインストールし、画面の指示に従って各種設定を済ませたら、「新しいデバイスを追加」をクリックしてiPhoneアプリの接続を待とう。

2 iPhone側のアプリとペアリングを済ませる

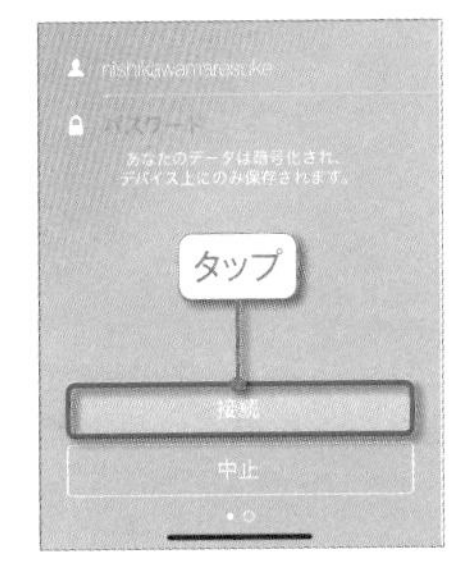

iPhoneにもNear Lockをインストールして起動すると、MacBookのパスワード入力を求められるので、入力して「接続」をタップしよう。これでペアリングが完了する。

3 Near Lockの機能を有効にする

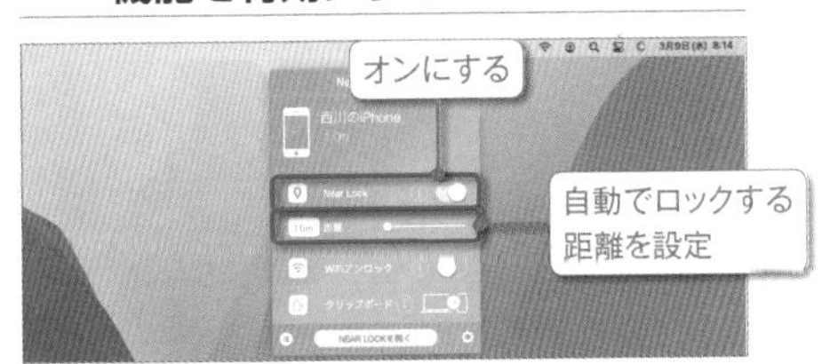

MacBookのメニューバーにNear Lockのアイコンが常駐し、クリックするとメニューが表示される。「Near Lock」をオンにすると機能が有効になる。

4 MacBookから離れると自動ロックされる

iPhoneを持ってMacBookから少し離れてみよう。自動で画面がロックされるはずだ。iPhoneを持ってMacBookに近づくと、自動でロックが解除される

SECTION

05

トラブル解決総まとめ

macOSの進化によって、一昔前よりはMacBookのトラブルは減少しており、その解決方法もわかりやすくなっている。とはいえ、やはりパソコンなのでフリーズや起動、終了のトラブルはゼロではなく、解決法を知っておかなければお手上げだ。本記事にあらかじめ目を通して、不測の事態に備えておこう。

修理を受ける前に保証期間が残っていないかチェック

Appleの保証期間と保証内容を確認しておこう

本体のシリアル番号で保証状況を確認できる

MacBookを含むすべてのApple製品には、購入後1年間のハードウェア保証と、90日間の無償電話サポートが付いている。また、購入後30日以内に「AppleCare+ for Mac」に加入すると、保証とサポートの期間が3年間に延長され、過失や事故による修理サービスを格安で受けられるようになる。この保証の残り期間は、「サービスとサポートの保証状況を確認」で調べることができる。MacBookが起動しない場合の調べ方も覚えておこう。

Macbookが起動しない場合は

MacBookが起動しない場合は、他のパソコンのWebブラウザでhttps://appleid.apple.com//にアクセスしてApple IDでサインインし、「デバイス」欄にあるMacBookをクリックしてシリアル番号を確認する。続けてhttps://checkcoverage.apple.com/jp/ja/にアクセスすると、右の「保証状況の確認」画面が開くので、シリアル番号とコードを入力して確認しよう。iPhoneやiPadがあれば、下記のAppleサポートアプリで確認できる。

保証期間と保証内容を確認する方法

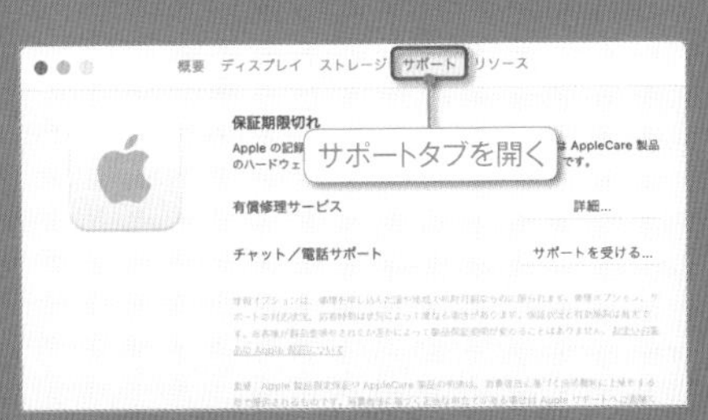

1 Appleメニューの「このMacについて」→「サポート」を開くと、保証期間が残っていれば残り日数などを確認できる。また「AppleCare+ for Mac」に加入可能な製品であれば、この画面からAppleCare+に加入できる。

2 より詳細な保証状況を確認するには、「このMacについて」の「概要」タブを開き、シリアル番号をコピーする。続けて、Webブラウザで「保証状況の確認」ページ(https://checkcoverage.apple.com/jp/ja)にアクセスしよう。

3 Webブラウザで「保証状況の確認」ページを開いたら、「シリアル番号を入力してください」欄にシリアル番号を貼り付け、その下の画像で表示されたコードを入力して、「続ける」をクリックしよう。

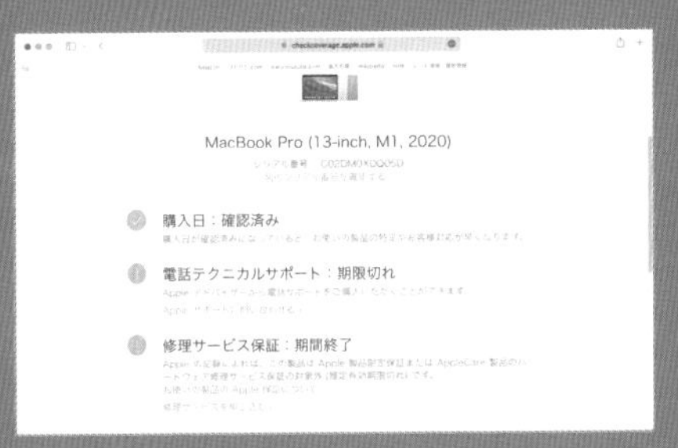

4 AppleCare+ for Macの購入資格や、購入日の確認、電話サポートの有効期限、修理サービス保証の状況を確認できる。まだ保証期間が残っていれば「有効」と表示され、有効期限も表示される。

iPhoneやiPadで「Appleサポート」アプリを使う

iPhoneやiPadを持っているなら、「Appleサポート」アプリをインストールして使ってみよう。「マイデバイス」からMacBookを選択すれば、「デバイスの詳細」で保証期間を確認できるほか、主なトラブルの解決方法も確認できる。チャットや電話で相談したり、持ち込み修理を予約することも可能だ。

Appleサポート
作者／Apple
価格／無料

MacBookが起動しなくなった

解決策 | 充電状況を確認しセーフモードなどを試す

電源が入らない、正常に起動しない時の確認手順

MacBookの電源ボタンを押しても起動できないときは、バックライトや「caps lock」キーなどのランプが点灯するかを確認してみよう。これらが点灯せず電源が完全に切れている場合、まず疑うのはバッテリーの充電状況だ。一度バッテリーが空になると、サードパーティ製の電源アダプタやケーブルではうまく充電できないトラブルが多いので、必ず純正のケーブルと電源アダプタを使って充電しよう。通常動作に必要充分なバッテリー残量が確保されるまで、5分程度はつないだままにしておく。正常に充電できるようなら、Intelチップ搭載のMacBookのみ、SMCリセットやNVRAM(PRAM)リセットを実行することで改善する場合があるので試してみよう。なお、Appleシリコン搭載のMacBookはSMCリセットやNVRAMリセット機能がなくなったので、そのまま電源ボタンを押して起動すればよい。デスクトップが表示されたあとの動作がおかしい時は、起動時に読み込まれたアプリなどが不調の原因になっている可能性があるので、「セーフモード」で起動し、直前にインストールしたアプリを削除してから再起動してみる。以上の手順を試しても駄目なら、最終手段として、macOSの再インストールを行おう(P143で解説)。

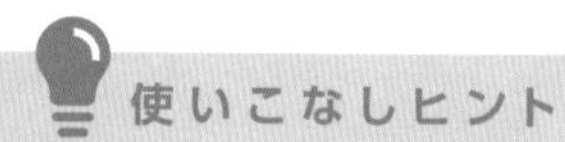

セーフモードでMacBookを起動する

起動後も不調な時は、最小限の構成で起動するセーフモードを試そう。セーフモード上で最近インストールしたアプリなどを削除し、もう一度再起動すれば問題が解決する場合がある。セーフモードの起動方法は、Intel版とApple M1版のMacBookで異なる。

●Appleシリコン版
電源ボタンを押し続ける → 起動オプション画面が表示されたら起動ディスクを選択 → 「shift」キーを押したまま「セーフモードで続ける」をクリックする

●Intel版
電源を入れる → ログイン画面が表示されるまで「shift」キーを押し続ける

純正のケーブルと電源アダプタを正しい組み合わせで使う

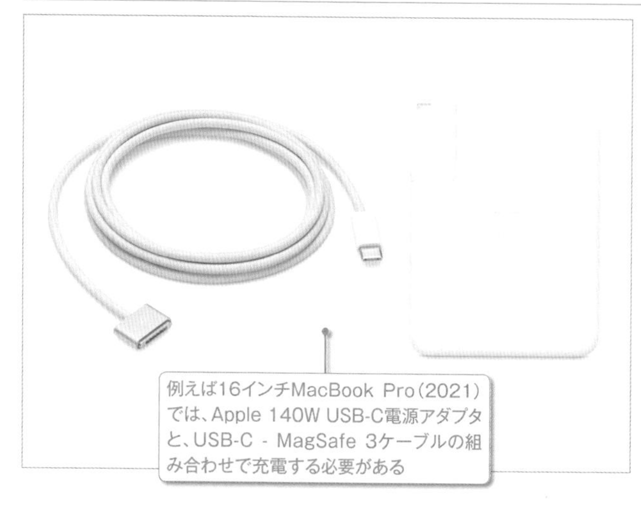

MacBookの電源が入らない時は、まずバッテリー切れを確認する。しばらく充電しているのに電源が入らない時は、使用しているケーブルと電源アダプタを疑おう。特に、一度バッテリーが完全に空になったMacBookを充電するには、純正ケーブルと電源アダプタを正しい組み合わせで接続しないと、うまく充電を開始できないことが多い。MacBookの電源アダプタには29W～140Wのものがあるが、付属のアダプタよりもワット数が小さい電源アダプタでは、十分な電力が供給されないので注意しよう。

Intel版のMacBookでのみ試せる操作

SMC(システム管理コントローラ)をリセットしてみる

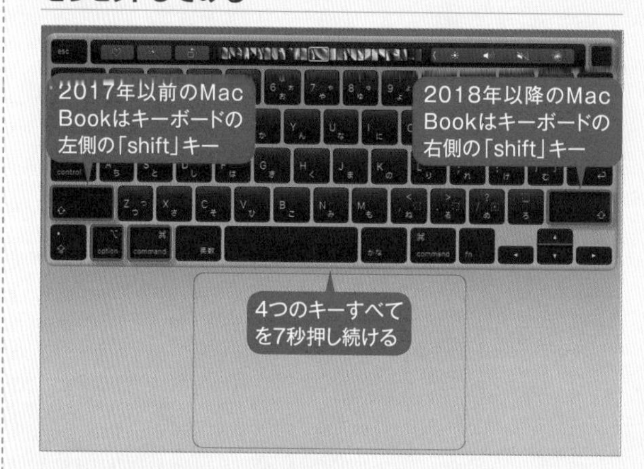

Intel版のMacBookなら、電源やバッテリー、ファン周りを管理する機能、SMC(システム管理コントローラ)をリセットしておこう。電源が入らなかったり充電できないトラブルに効果がある。MacBookの電源が切れた状態で、「control」+「option」+「shift」(キーボード右側)キーを7秒間押し続け、続けて電源ボタンも加えて4つのキーすべてを7秒押し続けてから指を離す。その後数秒待ってから電源を入れよう。なおT2チップを搭載していない2017年以前のMacBookでは、キーボード左側の「shift」キーを使う。

NVRAM(またはPRAM)をリセットしてみる

電源が入っても起動ディスクを読み込めない場合などは、NVRAMまたはPRAMをリセットしてみよう。どちらも、MacBookが素早く起動できるように決まった情報を記憶している小容量のメモリのことで、リセット方法も同じ。MacBookの電源を入れ直し、Appleのロゴが表示される前に「option」+「command」+「P」+「R」の4つのキーを同時に20秒ほど押し続けてからキーを離す。起動後は、音量、画面解像度、起動ディスクの選択、時間帯などがリセットされているので、必要に応じてシステム環境設定で修正しておこう。

トラブル

MacBookの電源を切ることができない

解決策 電源ボタンの長押しで強制終了できる

作業途中のデータは消えてしまうので注意

MacBookの電源を切るには、通常はAppleメニューから「システム終了」を選択する。この方法だと、開いているアプリがすべて自動的に閉じ、ユーザーアカウントがログアウトされ、正しいプロセスで電源が切られる。ただ、本体がフリーズするなどして、「システム終了」を実行できないことがある。そんな時は、電源ボタンを長押することで、強制的に電源を切ることができるので覚えておこう。Touch IDセンサーを非搭載の古いMacBookであれば、「control」+「command」+電源ボタンで、強制再起動することもできる。なお、強制的に電源を切ると、作業途中のデータなどはすべて消えてしまう。アプリの操作が可能であれば、あらかじめ作業中のファイルの保存を済ませてから、電源ボタンを長押しするようにしよう。

1 MacBookの電源を切る正しい手順

Appleメニューから「システム終了」を選択すると、終了プロセスが進められて正常に電源を切ることができる。通常はこの方法を選ぼう。

2 作業中のファイルは保存しておく

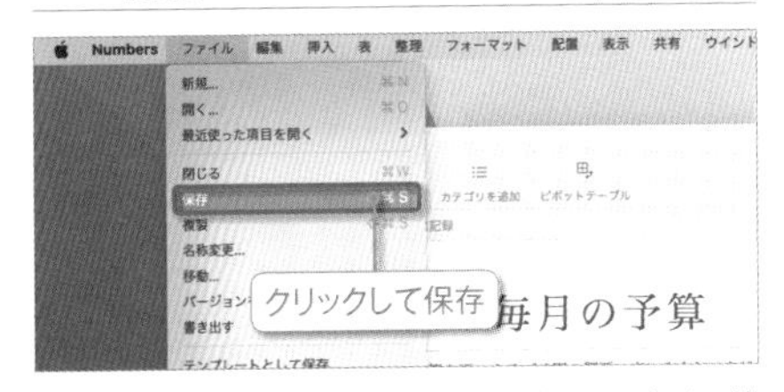

電源を強制的に切ると、作業途中のデータはすべて消える。アプリ自体を操作できるなら、ファイルの保存を済ませておこう。

3 電源ボタンの長押しで強制終了する

「システム終了」で電源を切ることができないなら、電源ボタンを押し続けよう。強制的に電源を切ることができる。

4 Touch ID非搭載のMacBookの場合

Touch IDセンサーを搭載していないMacBookの場合は、「control」+「command」+電源ボタンを同時に押すことで、強制的に再起動できる。

トラブル

アプリがフリーズして終了もできない

解決策 「アプリケーションの強制終了」で終了させよう

強制終了画面でアプリを選択して終了させよう

アプリが反応しなくなったり、「command」+「Q」キーで終了できない時は、強制終了を試そう。「option」+「command」+「esc」キーを同時に押すと、「アプリケーションの強制終了」画面が表示される。または、Appleメニューから「強制終了」を選択してもよい。この画面では起動中のアプリが一覧表示されるので、フリーズして終了できないアプリを選択して、「強制終了」をクリック。表示される警告画面でさらに「強制終了」をクリックすれば、アプリが強制的に終了する。アプリを強制終了すると、作業途中で保存していないデータは消えてしまうので注意しよう。なお、Finderがフリーズした場合も強制終了が可能だ。「アプリケーションの強制終了」画面で「Finder」を選択し、「再度開く」をクリックすればよい。

1 ショートカットかAppleメニューで「アプリケーションの強制終了」を開く

「option」+「command」+「esc」の3つのキーを同時に押すか、またはAppleメニューから「強制終了」を選択すると、「アプリケーションの強制終了」画面が開く。

2 「強制終了」をクリックして強制終了する

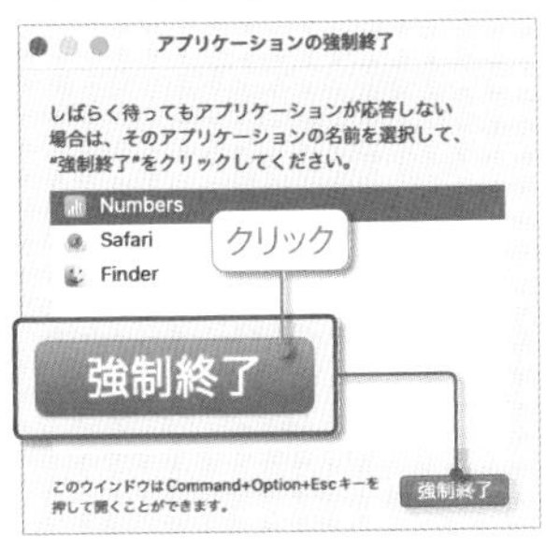

フリーズしたアプリを選択して「強制終了」をクリック。警告画面で「強制終了」をクリックすると、このアプリを強制的に終了できる。

3 Finderも「再度開く」で強制終了できる

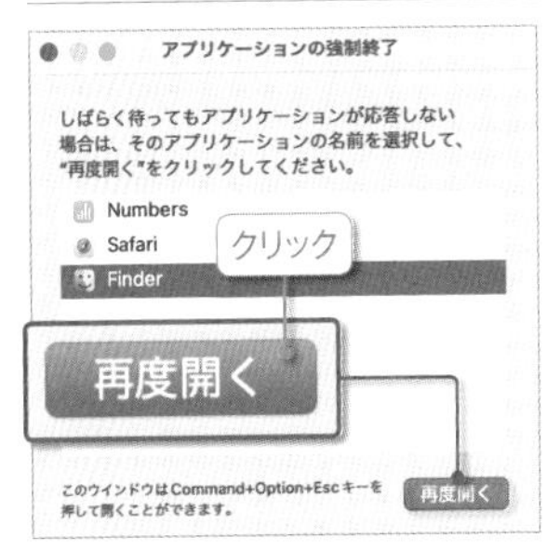

Finderがフリーズした場合は、「Finder」を選択して「再度開く」をクリックしよう。これでFinderを強制終了して再起動できる。

レインボーカーソルが頻繁に表示されて困る

解決策 アクティビティモニタで原因を特定しよう

CPUやメモリの使用率が高いプロセスを終了する

MacBookを使っていると、一度はレインボーカーソル（虹色でくるくる回った状態のカーソル）が出て、アプリの操作が何もできなくなった経験があるだろう。急に負荷のかかる操作を行った際に出ることが多いが、あまり頻繁に出現するようなら、他に原因が考えられる。まず「アクティビティモニタ」を起動して、CPUやメモリの使用率が極端に高いプロセスを確認しよう。操作中のアプリではなく、バックグラウンドで動作中の他のプロセスがCPUやメモリを専有していることもある。これを強制終了すれば、CPUやメモリが開放されて、動作が戻るはずだ。特定のアプリやサービスを使うたびにレインボーカーソルが出るなら、何か機能が競合している可能性もある。設定を見直すか、いっそ使わないというのも一つの手だ。

1 アクティビティモニタを起動する

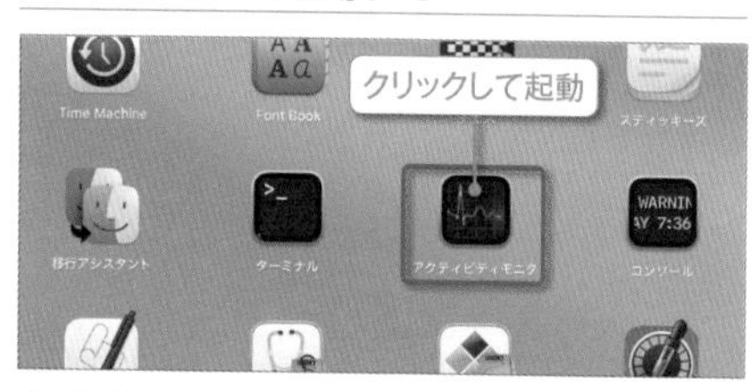

まずはDockのLaunchpadでアプリ一覧を開き、「その他」内にある「アクティビティモニタ」を起動する。

2 CPUやメモリの使用状況を確認する

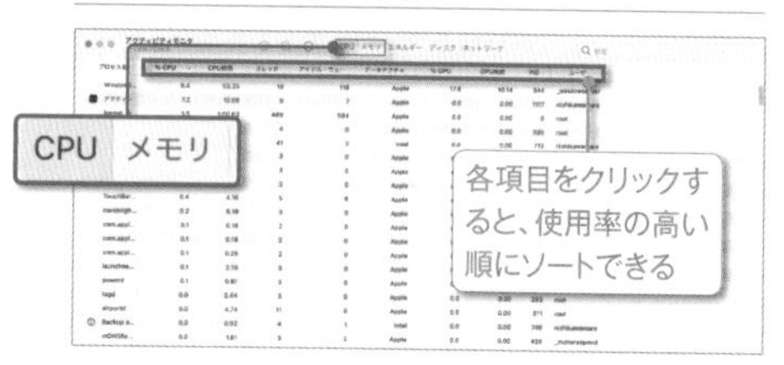

「CPU」や「メモリ」をクリックすると、実行中のプロセスの使用状況が表示される。極端に使用率が高いアプリやプロセスを確認しよう。

3 原因と思われるプロセスを選択

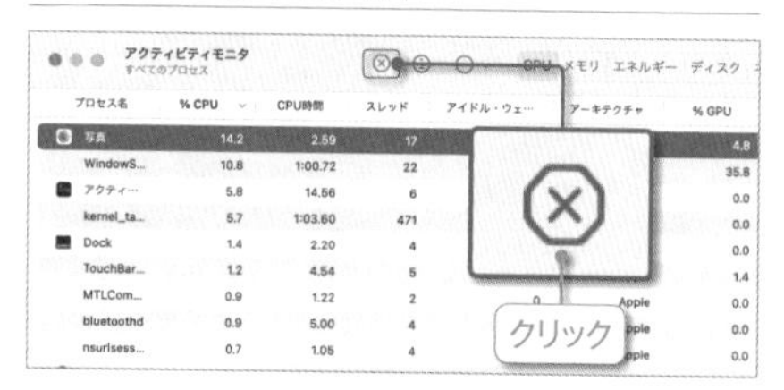

レインボーカーソルが頻出する原因となっていそうなアプリやプロセスを見つけたら、選択して上部の「×」ボタンをクリックする。

4 強制終了してCPUとメモリを開放

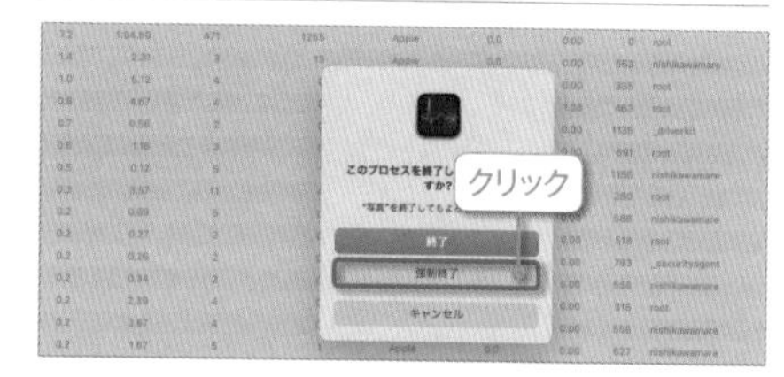

「強制終了」で強制的に終了させてみる。このプロセスが実行されるたびにレインボーカーソルが出るなら、設定の見直しや再インストールを試そう。

誤って上書き保存したファイルを元に戻す

解決策 バージョン機能で保存前の状態に復元できる

対応アプリなら指定した時点に戻すことができる

書類を作成している時に、保存せずに誤って閉じてしまったり、うっかり上書き保存してしまうのはよくあることだ。そんな時でも、バージョン機能に対応しているアプリなら安心。作業中のファイルは定期的に自動保存されており、いつでも好きな時点の書類に戻すことができるのだ。バージョンが自動保存されるタイミングは、基本的に1時間おきとなっている。それ以外でも、「ファイル」→「保存」で上書き保存したら、その時点のバージョンを保存する。以前の状態に戻すには、メニューバーの「ファイル」→「バージョンを戻す」→「すべてのバージョンをブラウズ」をクリック。左側に現在の内容が表示され、右側には過去のバージョンが一覧表示されるので、戻したい時点を選んで「復元」ボタンをクリックすればよい。

1 バージョンを自分のタイミングで保存する

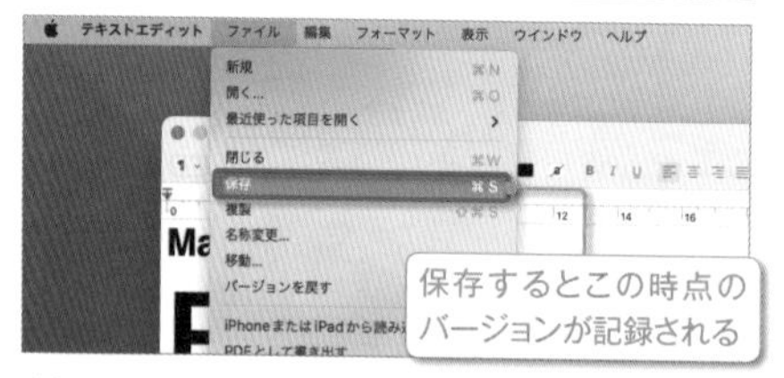

書類の編集中は1時間ごとにバージョンが作成されるが、自分のタイミングで作成したい時は、「ファイル」→「保存」で保存すればよい。

2 バージョンを表示する

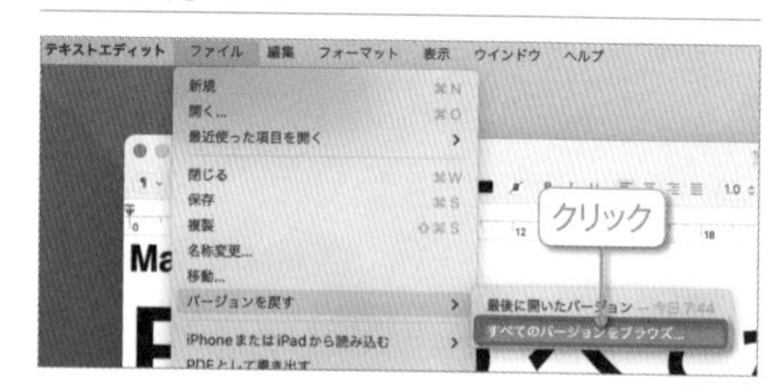

保存されたバージョンを表示するには、「ファイル」→「バージョンを戻す」→「すべてのバージョンをブラウズ」をクリックしよう。

3 バージョンを選んで復元する

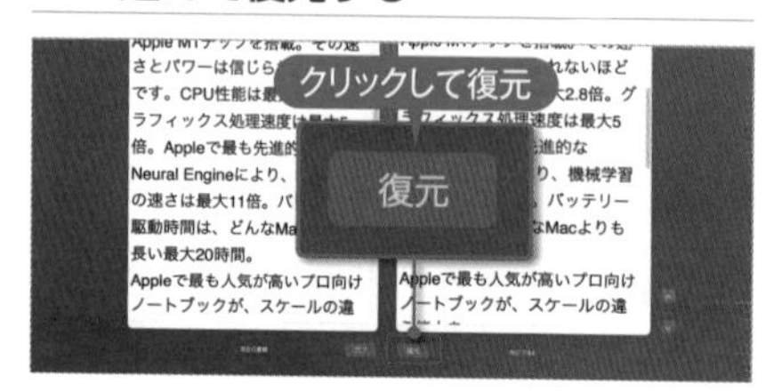

左に現在の内容、右にバージョン一覧が表示される。右側の矢印ボタンやタイムラインで戻したいバージョンを選択し、「復元」をクリックで戻せる。

使いこなしヒント

バージョン機能に対応するアプリ

バージョン機能に対応しているおもなアプリは、「テキストエディット」「プレビュー」「Pages」など。Apple以外のアプリでもバージョン機能対応のものはある。メニューバーの「ファイル」をクリックして「バージョンを戻す」の項目があるか確認してみよう。

ゴミ箱を空にできない

解決策 基本的な対処で駄目なら「First Aid」を試す

まずは再起動から試してみよう

ゴミ箱を空にしたり、ファイルをゴミ箱に移動できない時は、そのファイルが何か他のプログラムに使われている可能性がある。まずは、一度MacBookを再起動してから削除を試そう。再起動後も削除できないなら、起動時にファイルが使われている可能性がある。一度電源を切ってセーフモードで起動（手順はP138で解説）したら、ゴミ箱を空にして通常通り再起動する。それでも消えない場合はディスクを修復してみよう。Appleシリコン版は電源ボタンを押し続けて表示される「オプション」を選択し「続ける」をクリックする。Intel版は電源を入れてすぐに「command」+「R」を押し続ける。メニューから「ディスクユーティリティ」を選び「First Aid」で修復を済ませたら、あとは再起動してゴミ箱を空にすればよい。

1 一度再起動してから削除する

単に何かのプログラムが使用中で消せない場合は、一度MacBookを再起動してやれば消せるようになる。

2 セーフモードで起動して削除する

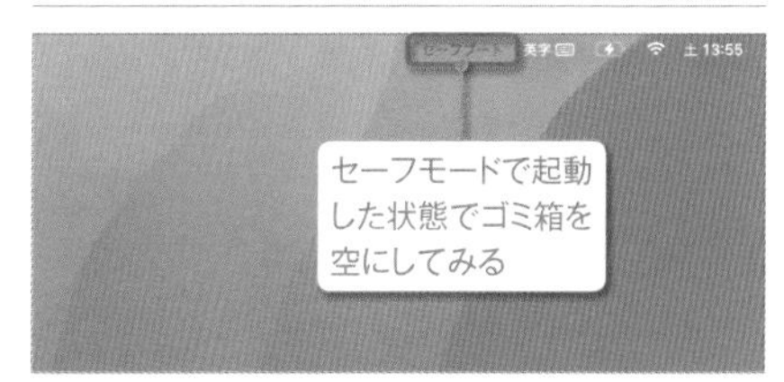

再起動で消えないなら、セーフモードでゴミ箱を空にできるか試そう。P138で解説している通り、セーフモードの起動方法はAppleシリコン版とIntel版で異なる。

3 ディスクユーティリティを開く

それでも駄目なら、Appleシリコン版は上記の手順で、Intel版は起動時に「command」+「R」を押し続けて、「ディスクユーティリティ」を開く。

4 「First Aid」で修復してから削除

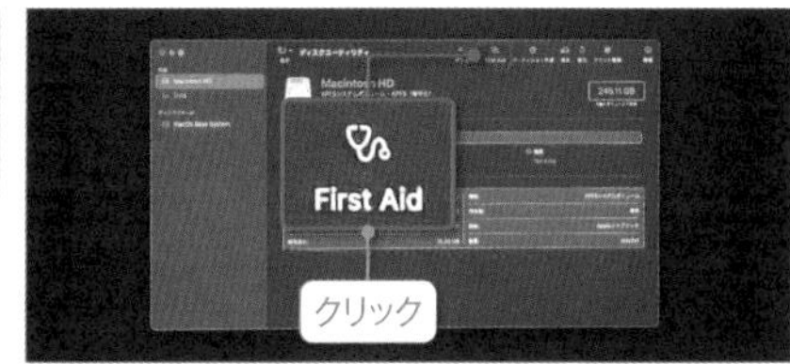

左欄でディスクを選択して、上部の「First Aid」をクリック。「実行」でディスクを修復できる。あとは通常通り再起動して、ゴミ箱を空にしてみよう。

ユーザ名やパスワードを変更したい

解決策 「ユーザとグループ」画面で変更しよう

いつでも好きなものに変更できる

MacBookのログイン画面で表示されるユーザ名（フルネーム）と、画面ロックを解除するためのパスワードは、あとからでも自由に変更できる。まず、Appleメニューの「システム環境設定」→「ユーザとグループ」で、左下のカギアイコンをクリックしてロックを解除し、左欄で変更したいユーザを選択。パスワードを変更するには、「パスワードを変更」ボタンをクリックする。ユーザ名を変更したい場合は、ユーザ名を右クリックして「詳細オプション」→「フルネーム」から変更できる。なお、ここで変更できる「フルネーム」とは、初期設定の「コンピュータアカウントを作成」で入力した「フルネーム」の項目だ。P011で解説しているように、「フルネーム」と「アカウント名」は用途が異なる別の名前なので注意しよう。

1 鍵ボタンをクリックしてロックを解除

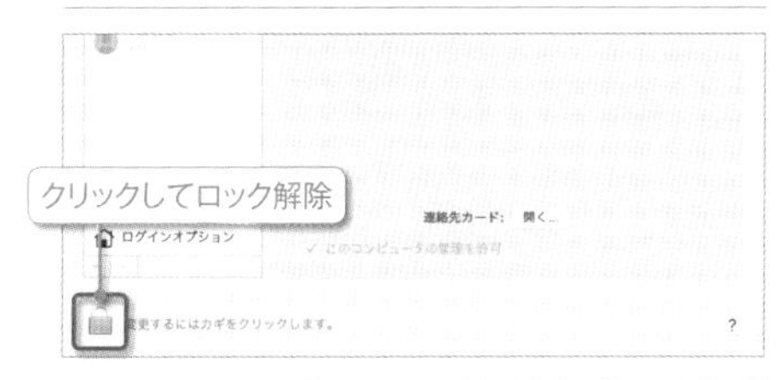

Appleメニューの「システム環境設定」→「ユーザとグループ」を開き、左下の鍵ボタンをクリック。ログインパスワードを入力してロックを解除する。

2 パスワードを変更をクリック

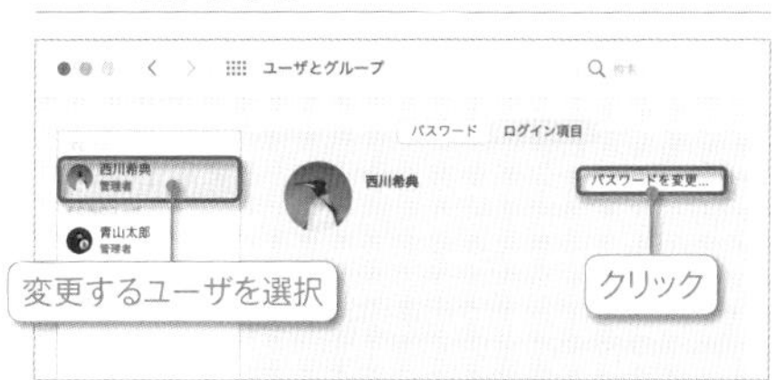

ログインパスワードを変更するには、まず左欄で変更したいユーザを選択し、「パスワードを変更」ボタンをクリックしよう。

3 新しいパスワードを入力する

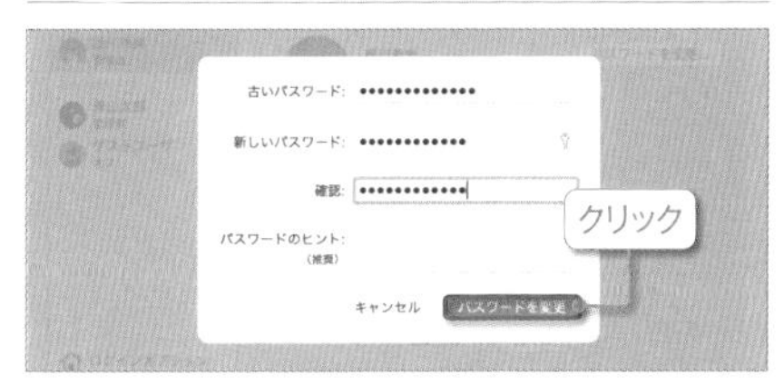

古いパスワード、新しいパスワード、確認用の新しいパスワードを入力し、「パスワードを変更」をクリックすれば変更できる。

4 フルネーム欄でユーザ名を変更する

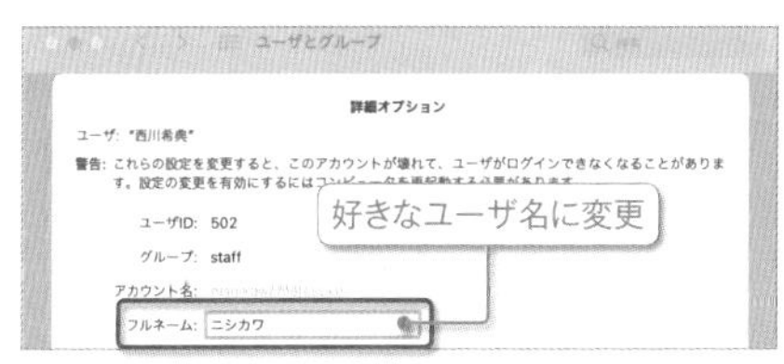

ユーザ名を変更するには、まず左欄のユーザ名を右クリックして「詳細オプション」をクリック。「フルネーム」欄を別の名前に書き換えればよい。

紛失したMacBookを見つけ出す

解決策 「探す」アプリなどを使って探そう

あらかじめ機能が有効になっているかチェック

MacBookの紛失に備えて、iCloudの「探す」機能をあらかじめ有効にしておこう。まずは位置情報が有効になっているかを確認し、iCloudの設定で「Macを探す」「"探す"ネットワーク」が両方ともオンになっていることをチェックしておく。これらの機能が有効になっていれば、iPhoneやiPad、他のMacBookで「探す」アプリを使って、紛失したMacBookの現在地を確認することが可能だ。「"探す"ネットワーク」がオンだと、紛失したMacBookがWi-Fiに接続されていなくても、Bluetoothの信号を利用して現在地を把握できる。地図上のポイントを探しても見つからない場合は、「サウンドを再生」で徐々に大きくなる音を鳴らしてみよう。また、「紛失としてマーク」を利用すれば、即座にMacBookをロックしたり、画面に拾ってくれた人へのメッセージを表示して、連絡してもらえるようにお願いできる。発見が絶望的で情報漏洩阻止を優先したい場合は、「このデバイスを消去」ですべてのコンテンツや設定を削除することも可能だ。これらの機能は「探す」アプリで操作する他に、WindowsパソコンなどのWebブラウザでiCloud.comにアクセスし、「iPhoneを探す」画面を開いても操作できる。

1 位置情報サービスをオンにする

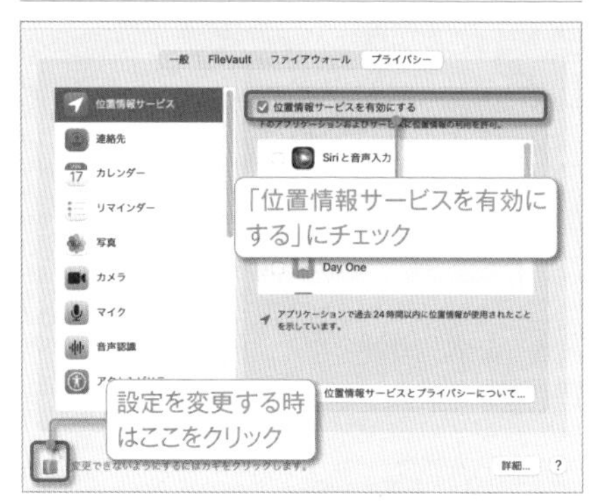

Appleメニューから「システム環境設定」→「セキュリティとプライバシー」→「プライバシー」画面を開き、左側の「位置情報サービス」を選択。「位置情報サービスを有効にする」にチェックが入っていることを確認する。

2 「Macを探す」を設定する

Appleメニューから「システム環境設定」→「Apple ID」をクリックし、サイドバーで「iCloud」を選択。iCloudを使用するアプリの一覧から「Macを探す」を探し、チェックしておこう。続けて「オプション」をクリックする。

3 「探す」オプションをオンにする

「Macを探す」の「オプション」をクリックするとこのような画面が表示されるので、「Macを探す」と「"探す"ネットワーク」の両方がオンになっていることを確認しよう。これで、紛失したMacBookがオフラインの状態でも探せるようになる。

4 「探す」アプリで紛失したMacBookを探す

MacBookを紛失した際は、iPhoneやiPad、他のMacBook(紛失した端末と同じApple IDでサインインしている必要がある)で「探す」アプリを起動しよう。「デバイスを探す」タブで紛失したMacBookを選択すれば、現在地がマップ上に表示される。また、マップ上の「i」ボタンをクリックすることで、さまざまな遠隔操作が可能だ。

5 サウンドを鳴らして位置を特定

マップ上に表示されたデバイスの「i」ボタンをクリックすると、メニューが表示される。「サウンドを再生」をクリックすれば、紛失したMacBookでサウンドが鳴って位置を特定できる。サウンドの音量は徐々に上がり、約2分再生される。

6 デバイスを紛失としてマークする

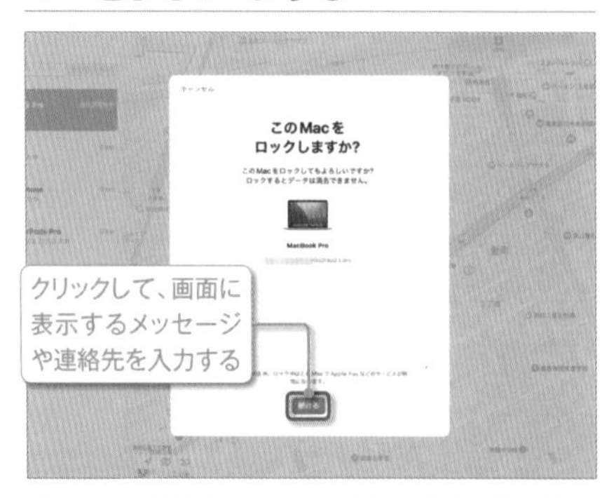

メニューから「紛失としてマーク」の「有効にする」をクリックすると、個人情報にアクセスできないようにMacBookをロックできる。画面上には連絡を促すメッセージなどを表示できるほか、Apple Pay用に登録されたクレジットカードなども削除される。

7 デバイスを消去して初期化する

マップ上に表示されたデバイスの「i」ボタンをクリックし、続けて「このデバイスを消去」をクリックすると、MacBookを遠隔で初期化できる。情報漏洩阻止が最優先の場合に実行したい。ただし、消去を実行すると現在地を追跡できなくなるので操作は慎重に。また、現行のMacBookであれば、アクティベーションはロックされたまま初期化するので、再度初期設定を行う際は、初期化前に使っていたApple IDとパスワードが必要になる。つまり、「このデバイスを消去」が実行されたMacBookであっても、勝手に使われたり販売されたりする心配はない。なお、オフラインのデバイスは「このデバイスを削除」(iCloud.comでは「アカウントから削除」)を選択できるが、この操作を実行するとApple IDとの関連付けが解除されるので、自分で譲渡や売却するとき以外は選ばないようにしよう。

どうしても不調が直らない時は

解決策 | macOSの再インストールを行う

すべてのデータが消えるので慎重に

P138で紹介したトラブル対処法を一通り試しても動作の改善が見られないなら、MacBookの起動ディスクを初期化して、新しくmacOSをインストールし直すのが、最も確実なトラブル解決方法だ。従来はディスクユーティリティを使って初期化する必要があったが、macOS Monterey以降で、AppleシリコンまたはIntel+T2チップを搭載したMacBookなら、iPhoneやiPadと同様に「すべてのコンテンツと設定を消去」で手軽に初期化できる。初期化すると工場出荷時の状態に戻るので、あらかじめ「Time Machine」(P102で詳しく解説)でバックアップを作成するか、必要なデータは手動で別の場所にコピーしておこう。また再インストールにはネット接続も必要だ。なお、「メール」「連絡先」「カレンダー」といった標準アプリの多くは、基本的にバックアップの必要はない。「システム環境設定」→「Apple ID」→「iCloud」で同期が有効になっていれば、常に最新のデータがiCloud上に保存されるので、実質的にバックアップ済みの状態となる。同じApple IDでサインインすれば、すぐに元の状態に戻すことが可能だ。macOSの再インストールもできないような深刻なトラブルは、「Appleサポートアプリ」(P137で解説)などを使ってAppleストアで修理を依頼しよう。

1 「すべてのコンテンツと設定を消去」をクリック

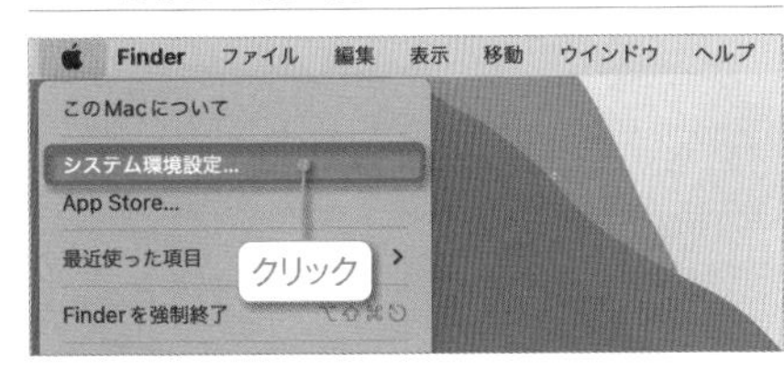

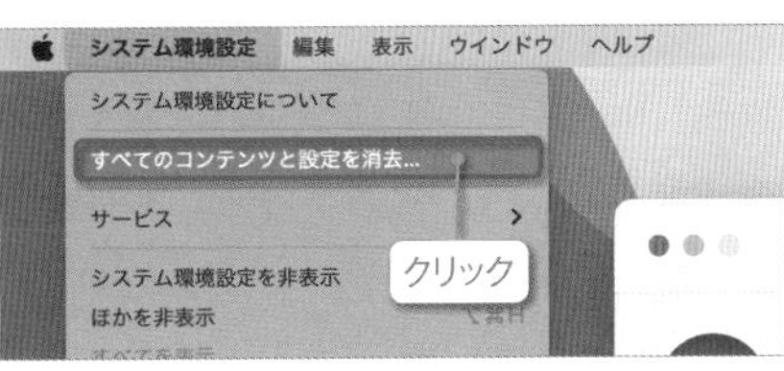

Appleメニューの「システム環境設定」を選択し、続けてメニューバーの「システム環境設定」→「すべてのコンテンツと設定を消去」をクリック。

2 Time Machineバックアップの作成を確認

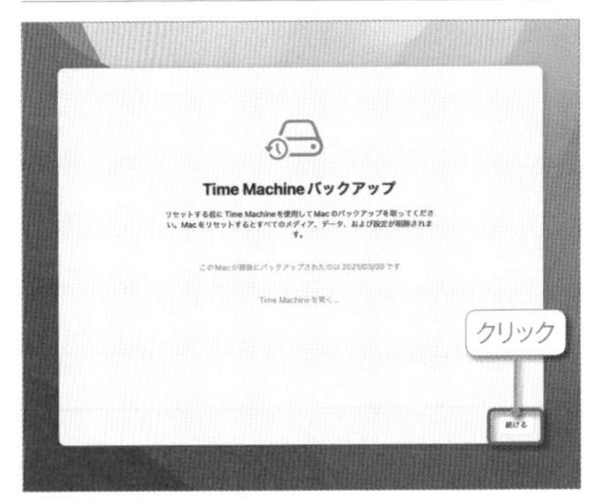

MacBookへのログインに使うパスワードを入力して「OK」をクリックすると、Time Machineでバックアップを作成するよう案内される。新しいバックアップを作成する必要がなければ、「続ける」をクリックしよう。

3 消去される内容を確認する

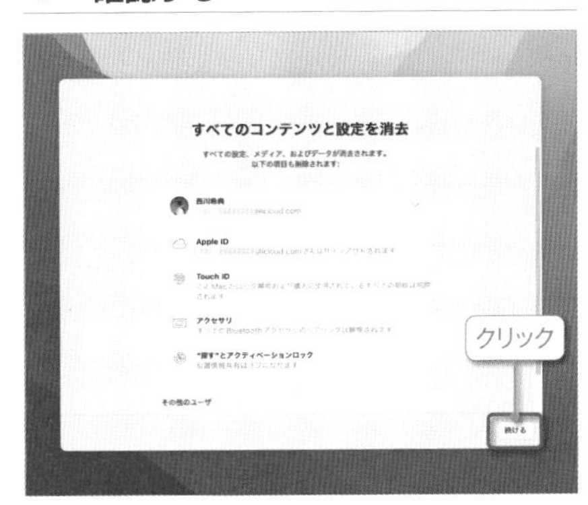

すべての設定やメディア、データの消去に加えて、Apple IDがサインアウトされ、Touch IDやアクセサリ、"探す"とアクティベーションロックなどもオフになることが案内される。確認して「続ける」をクリック。

4 Apple IDからサインアウトして消去を実行

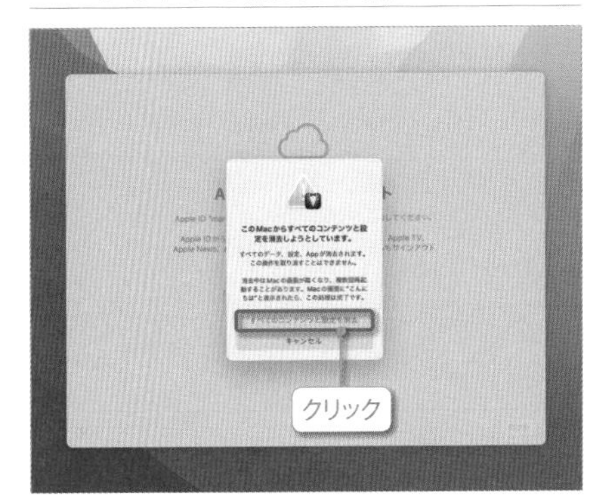

Apple IDのサインアウトを求められるので、Apple IDのパスワードを入力し「続ける」をクリック。最後に「すべてのコンテンツと設定を消去」をクリックすると、消去が実行される。

5 アクティベート画面でWi-Fiに接続する

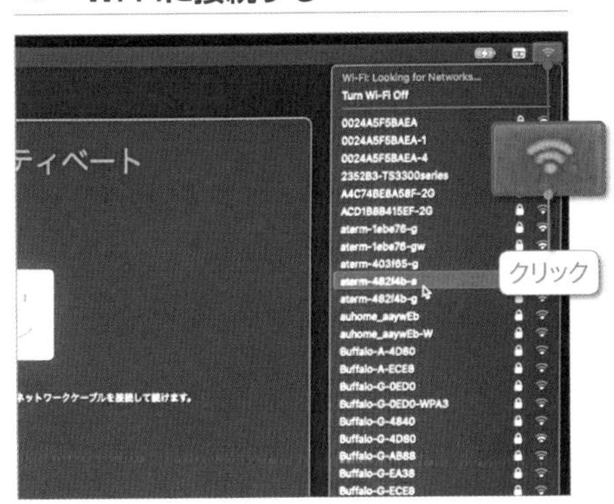

消去が完了したら、言語の選択画面で「日本語」を選択して矢印ボタンをクリック。続けてアクティベート画面になるので、右上のWi-Fiボタンをクリックして Wi-Fiに接続しておこう。

6 アクティベート後に再起動して復元する

Wi-Fiに接続してしばらく待つと、MacBookがアクティベートされる。再起動したら、P008からの手順に従って初期設定を進め、「移行アシスタント」画面でTime Machineなどのバックアップから復元しよう。

使いこなしヒント

T2チップなしIntel版MacBookの初期化方法

T2チップを搭載していない2017年以前のIntel版MacBookは、別の手順で初期化する必要がある。まず、起動時に「command」+「R」を押し続け、複数アカウントを使っている場合はユーザを選択してログインする。ユーティリティウインドウが表示されたら、「ディスクユーティリティ」を選択して「続ける」をクリック。サイドバーで「Macintosh HD」(起動ディスク)を選択し、ツールバーの「消去」ボタンをクリックして消去しよう。あとはユーティリティウインドウの画面に戻って、「macOSを再インストール」を実行すればよい。

MacBook 完全マニュアル 2022

2022年4月10日発行

編集人　清水義博
発行人　佐藤孔建

発行・発売所　スタンダーズ株式会社
〒160-0008
東京都新宿区四谷三栄町
12-4 竹田ビル3F
TEL 03-6380-6132

印刷所　株式会社シナノ

M a c B o o k　P e r f e c t　M a n u a l

Staff

Editor
清水義博（standards）

Writer
狩野文孝
西川希典

Cover Designer
高橋コウイチ（WF）

Designer
高橋コウイチ（WF）
越智健夫

本書の記事内容に関するお電話でのご質問は一切受け付けておりません。編集部へのご質問は、書名および何ページのどの記事に関する内容かを詳しくお書き添えの上、下記アドレスまでEメールでお問い合わせください。内容によってはお答えできないものや、お返事に時間がかかってしまう場合もあります。
info@standards.co.jp

ご注文FAX番号　03-6380-6136

https://www.standards.co.jp/